Beach Bum

Pierre Brume

BEACH BUM

tome 1
La casa de Nova

Éditeur
Clermont Éditeur
230, Elizabeth, Rosemère (Québec) Canada J7A 2L4
Téléphone : 514 802-7710
Courriel : info@clermontediteur.ca
clermontediteur.ca

Dépôt légal : 2e trimestre 2014
Bibliothèque nationale du Québec
Bibliothèque nationale du Canada

Distribué au Canada par Distribution Prologue
prologue.ca

ISBN : 978-2-923899-39-8

Photo couverture : thinkstock.com
Conception et mise en page : Temiscom.com

Imprimé au Canada

CHAPITRE 1

Eh oui ! Encore une fois, je suis dans un petit village côtier sous les Tropiques. Un hameau comme on en découvre des centaines le long du Pacifique en Amérique latine. Un endroit où les jours s'égrènent comme le sable chaud qui s'écoule entre mes paumes en coupe. Je suis là en toute quiétude, sans me soucier de ce qui se passe ailleurs. À peine quelques touristes osent s'aventurer jusqu'ici. Encore quelques années de paix avant que le développement effréné, causé par l'arrivée des étrangers, ne gâche l'affaire. Ce jour-là, je serai parti. Pour l'instant ça n'a pas d'importance puisque je vis les plus beaux moments de mon existence. Le paradis, c'est ici et maintenant, ainsi j'apprécie chaque chose, chaque événement à leur juste valeur, dans toute l'intensité du réel. Même la turista ?

Je rigole en pensant à tous ces gens qui y vont de précautions extrêmes pour éviter ce désagrément passager. Pas de glaçons dans leurs cocktails, par exemple… Une margarita ou un daiquiri sans glaçons, c'est dégueulasse. Il y en a certains qui lavent la vaisselle à l'eau purifiée. Pourquoi pas se doucher à l'eau Evian tant qu'à faire ? Non mais, j'exagère, en une semaine ou deux de vacances, on a intérêt à faire gaffe. Certaines études tendent à démontrer que cette bactérie, qui s'attrape en pays tropical, réduit le risque de développer un cancer du côlon à long terme. Une telle théorie a tout pour me rassurer. Je me souviens de la première fois où les crampes d'estomac m'ont pris. J'étais étendu sur le lit de ma chambre, dans un hôtel miteux, les mains sur le ventre. Je serrais les fesses parce que je savais qu'il le fallait. Il y avait un énorme cafard, grand comme mon pouce, qui suçotait ma brosse à dents sur la vieille table bancale. Je me demandais ce que je foutais là, à des milliers de kilomètres de chez moi. En fait, je n'avais plus de chez-moi. J'avais tout lâché et j'étais parti à l'aventure pour plusieurs mois, enfin, je l'espérais. Après douze jours seulement, j'étais sur le point d'abandonner ce rêve pour retourner à la vie que j'avais quittée. Mais parfois on vit des moments charnières, et une décision, aussi insignifiante qu'elle paraisse, peut modifier le déroulement d'une vie.

Je suis donc à Puerto Loco, quelque part dans le passé. Je sors de l'hôtel, bien décidé à rentrer au pays. Y'en a marre, je reprendrai mon ancien boulot, me dénicherai un appart. Au bout de quelques semaines, tout sera rentré dans l'ordre. J'ai acheté un billet aller-retour pour deux semaines. Par une ironie du marché, il m'en aurait coûté plus cher pour un aller simple. Il ne me reste plus que deux jours à supporter cet enfer tropical où tout est si différent. Je me dirige vers la station d'autobus pour réserver une place pour mon transport à l'aéroport. Pour ce faire, je dois marcher un kilomètre sur le bord de la route nationale. Il fait chaud, c'est le milieu de l'après-midi. Lorsque je traverse le pont décrépit qui enjambe un ruisseau, un gars m'appelle avec des « Hey you ». J'arrête, le regarde, un peu méfiant. Il traverse la voie pour me rejoindre.

— Where are you from ? me demande-t-il en souriant.

— Canada, my name is Max, que je réponds, heureux d'enfin parler une langue que je connais.

— Nova, encantado, qu'il se présente.

Le type a la dégaine d'un cow-boy du Midwest américain. Son teint est foncé, et je devine des yeux obscurs derrière ses Ray-Ban d'une autre époque. Il me demande si j'apprécie mon séjour et je lui fais part de ma déception au sujet du prix élevé que je paye à l'hôtel étant donné la médiocrité de ma chambre. Il s'indigne de ma situation et me propose de prendre une bière chez lui au bord de la mer. J'accepte avec plaisir en pensant que je pourrai toujours prendre mon bus plus tard. En chemin, je lui explique mon projet de passer quelques mois au Mexique pour découvrir ce merveilleux pays auquel certains livres m'ont fait tant rêver.

Après une marche de dix minutes le long de la route, nous empruntons une petite rue poussiéreuse qui descend vers la mer. Cette plage magnifique, que je n'avais pas encore découverte, s'étend sur plus de deux kilomètres, me commente mon nouveau guide. Derrière une rangée de hauts cocotiers dont les troncs effilochés pointent vers le ciel, le sable fin vole au-dessus du sol doré. Une formation en V de pélicans se laisse porter par la brise dans le ciel azur. Sublime ! D'énormes rouleaux d'eau viennent s'écraser sur la berge, et leur prodigieux rugissement nous parvient avec un léger décalage.

Quelques centaines de mètres plus loin, nous arrivons à une maisonnette au toit de feuilles, entourée d'un terrain fleuri et bien entretenu. Avec une fierté mal contenue, Nova m'invite à le suivre. Nous nous installons sur les chaises à l'ombre d'une petite structure dont le toit est recouvert de feuilles de palmier, une palapa, attenante à la maison. Un chiot d'à peine deux mois jappe en cherchant son équilibre sur ses pattes chancelantes. Jamais on ne pourrait imaginer que cette petite chose frêle deviendra dans quelques années le chef incontestable de ses congénères sur cette plage. Nova a sorti une bouteille sans étiquette à moitié pleine d'un liquide transparent. Il remplit deux verres. On fait un toast et on avale d'un trait. Je m'attendais à la saveur épicée de la tequila mais il semble que ce n'en soit pas. Ça a un goût médicamenteux fortement alcoolisé. J'imite mon nouvel ami lorsqu'il écrase un quartier de limette entre les dents.

— Quelle sorte de musique écoutes-tu ? me demande-t-il, toujours en anglais.

— Un peu de tout. J'ai quelques CD de musique rock.

Je fouille dans mon sac et lui tend la première pochette qui me tombe sous la main, The Doors.

Je vois les yeux de Nova s'illuminer. Sans attendre, il glisse le CD dans la fente de l'appareil et bientôt les premiers accords de *People are Strange* s'envolent au vent. Un autre shooter de mescal (un alcool tiré de l'agave comme la tequila, mais avec un autre procédé, m'explique-t-il), passe un peu mieux cette fois.

— Garde le disque, je te le donne.

— Gracias, ça fait plaisir.

— Je vais te donner les autres aussi, je n'en aurai pas besoin.

— Pourquoi partir maintenant ? Si tu veux je te laisse ma maison, moi j'irai vivre chez mes parents un peu plus haut au village.

— C'est vrai, tu me laisserais ta maison ? que je demande, incrédule.

— Bien sûr, il y a seulement quelques petites choses à faire, par exemple arroser les plantes le soir et nourrir Sultan, le chiot.

— Ça ne me paraît pas trop difficile.

— Si tu acceptes, tu vas devoir me donner trois cents pesos par semaine pour les frais d'électricité et d'eau.

Trois cents pesos, c'est ce que je paye pour chaque nuit dans l'hôtel le plus économique du village, pour une chambre humide, pleine de fourmis et de cafards géants qui terminent un petit gâteau en quelques heures. Après tout, pourquoi abandonner quand les choses se mettent en place…

— Bon d'accord, je dis, qu'est-ce qu'on fait ?

— Allons chercher tes affaires, je te donne un coup de main.

— J'ai encore quelques jours payés sur ma chambre.

— C'est pas grave, je vais leur dire. Andale, allons-y.

Sur le bord du chemin, Nova fait signe à une camionnette qui passe. Le véhicule s'arrête. Nous montons dans la boîte ouverte à l'arrière. Sans autre préambule, le véhicule démarre. Nous sommes debout, les mains sur le toit de l'habitacle pour se tenir, les cheveux au vent. Je sens enfin ce sentiment de liberté qu'apporte l'aventure du voyage.

Mon nouveau copain aime se balader et ne manque pas de me désigner tel monument historique du village ou encore un terrain qui appartiendrait à un de ses oncles. J'aurais pu ne pas le croiser, acheter mon billet de bus et repartir d'où je suis venu. Mais les choses se sont passées différemment. Près de mon hôtel, Nova tape un coup sur le toit de la camionnette, le véhicule s'immobilise. On descend comme si c'était d'un cheval.

Nous allons à la réception de l'hôtel (pas un beau hall à l'ambiance feutrée) où, pour le moment inoccupé, un bureau en bois à moitié bouffé par les mites s'ennuie au centre d'une pièce aux murs couverts d'une peinture écaillée, jaunie par le temps. À droite, au début de l'allée qui mène aux chambres, est pendu un hamac rapiécé dans lequel ronfle le patron. Un filet de salive coule de la commissure de ses lèvres. Nova me dit d'aller chercher mes affaires pendant qu'il parlementera avec lui. Je monte à ma chambre, ramasse en vitesse les quelques vêtements et affaires de toilette qui traînent ici et là. Je fourre tout pêle-mêle dans ma valise. Un dernier coup d'œil pour m'assurer que je n'ai rien oublié. J'ai une valise et un sac à dos, rien de trop chargé. Mon ami semble avoir réglé le problème puisque le patron, les yeux rougis par le sommeil interrompu, me remet mes six cents pesos sans rouspéter, pressé qu'il est de retourner à sa sieste.

Nous sortons, un taxi s'arrête sans qu'on n'ait eu à le héler, comme c'est souvent le cas par ici. Nova donne les instructions au chauffeur et en moins de deux nous sommes de retour. Les billets passent d'une main à l'autre et me voilà locataire de cette maison pour un premier segment de deux semaines. Pendant que mon bon samaritain, oui bien sûr, c'est ainsi que je le vois, rassemble quelques effets, je visite le petit bâtiment. La pièce principale de vingt mètres carrés fait office de cuisinette et de chambre. Derrière un rideau se trouve la salle de bain, c'est-à-dire un lavabo, un pommeau de douche qui sort d'un mur et une cuvette de toilette. Le plancher coule en pente douce vers un petit drain dans le coin. Les installations sont rudimentaires mais ce sera suffisant. Le jardin s'avère toutefois magnifique, rempli de fleurs et de plantes exotiques. Je n'ai qu'à traverser le chemin pour être sur la plage. Nova me dit adios, son baluchon sur l'épaule. Il passera dans deux ou trois jours. Je serre chaleureusement la main qu'il me tend. Je regarde le Mexicain s'éloigner et je prends mes sacs pour les poser sur le lit. Je sors à nouveau, j'ai l'impression de tourner en rond. Le soleil a amorcé le dernier quart de son parcours journalier. Il va disparaître dans l'horizon océanique dans peu de temps. Je m'allonge dans le hamac sous la palapa. Magnifique endroit, et quelle tranquillité. Qu'est-ce que je fais maintenant ?

Je me réveille en pleine nuit, sous des centaines de points brillants qui percent le ciel obscur. Le halo de lumière solaire a complètement disparu au large, ce qui m'amène à croire que le soleil s'est couché depuis plus de deux heures. Je rentre dans la maison pour allumer les lumières. Je range un peu mes affaires, de façon à prendre possession des lieux. Le matelas sent l'humidité, non pas l'odeur d'une journée pluvieuse en ville, mais plutôt la moiteur tropicale. En fait, tout dans cette piaule sent l'humidité saline. J'ai la bouche pâteuse, je ne trouve nulle part d'eau embouteillée, et j'ai un petit creux. Je m'habille d'un jean et d'une chemise. Un billet de deux cents pesos devrait faire l'affaire. Avant de partir, je verse un peu d'eau dans un bol pour le chiot. Sur le chemin, je peux distinguer des lumières trois cents mètres plus loin. J'espère découvrir une tienda ou un stand à tacos. Je me dirige vers cette oasis dans l'obscurité environnante, mais l'obscurité devient opaque, j'ai soudainement de l'appréhension, pourtant je ne suis pas du genre à avoir peur du noir. Des grognements se font entendre, quelques chiens se mettent à aboyer, ils en ont contre moi. La peur me paralyse, ça grogne tout proche. Sans rien y voir, je sais que je suis encerclé par une meute. Une gueule se referme sur ma cuisse gauche. Je hurle d'effroi et de douleur. Je trébuche, et mes mains tâtent des cailloux que je lance à pleines poignées. Il s'ensuit un bruit sourd que j'attribue au son d'une pierre qui frappe une cage thoracique. Dans le mille, cible atteinte. J'entends les chiens détaler. Mon cœur bat à cent à l'heure. Je reste immobile un moment, le temps que se calment mes tremblements incontrôlables. Les quelques cailloux au creux de ma main me donnent le courage de continuer mon chemin vers le halo lumineux à quelques dizaines de mètres. Un picotement émane de ma cuisse ; je vais sûrement avoir un hématome.

J'arrive à une tienda où l'on vend des cigarettes, de la bière et toutes sortes de produits. Sur le trottoir, dans un chariot comptoir, une grosse mamá prépare des tacos de viande à la sauce piquante. Je lui en demande trois au poulet avec gestes à l'appui. Pendant qu'elle prépare ma commande, j'entre dans la tienda pour acheter de l'eau et six bières. C'est à peine si le jeune garçon à la caisse quitte des yeux le téléviseur pour me servir. Un téléroman local. Je prends une bonne gorgée d'eau avant de sortir. Un grand blond à la barbe naissante et un petit moustachu se tiennent devant le comptoir à tacos. Les deux gringos me regardent.

— Parlez-vous anglais ? que je demande.

— Bien sûr, répond le grand blond.

On commence à discuter. Ils sont de l'Ouest canadien, ils ont parcouru les États-Unis en stop jusqu'en Californie pour ensuite entrer au Mexique et faire le trajet en bus jusqu'ici. Dave, le petit moustachu, m'explique qu'ils sont ici depuis trois jours. Ils louent une cabane juste derrière. L'autre s'appelle Jack, il rigole beaucoup et paraît très enjoué. Nos tacos nous sont servis au même moment. Nous mangeons avidement. Je prends deux bières et les offre aux Canadiens. Nous trinquons au Mexique qui nous semble une terre à la fois accueillante et mystérieuse.

— À quel hôtel loges-tu ? me demande Jack.

— Je me suis trouvé une maison par là, dis-je en désignant l'endroit du doigt. Regarde, tu vois la lumière là-bas ?

— Génial, t'as trouvé une maison. Combien tu payes ? demande Dave, soudain intéressé.

— Vous n'allez pas me croire, je donne trois cents pesos par semaine.

— Quoi ! C'est pas possible. Nous, on paye plus pour une nuit.

— J'ai été chanceux. J'ai rencontré un Mexicain super sympa. Pendant qu'il me loue sa maison, il vit chez ses parents plus haut au village.

— Nous, si on trouve une aubaine comme ça, on se pose pour quelques semaines.

— Venez, je vous invite. On terminera les bières chez moi.

Je ramasse quelques cailloux et je demande à mes amis de faire de même pour se protéger des chiens qui attaquent la nuit. Jack, incrédule, me demande en rigolant si c'est une blague. Je leur raconte ma mésaventure. Je n'ai pas à répéter, ils s'exécutent et deviennent, du coup, beaucoup plus attentifs. À part les vagues, on entend seulement le claquement de nos sandales dans l'obscurité ambiante. Je sens mes amis tendus et concentrés. Un grognement se fait entendre sur la gauche. Trois cailloux partent dans cette direction, engendrant bruits sourds, gémissements et fuite.

— On l'a eu, vieux. On l'a eu, dit Jack tout excité.

On rigole un bon coup. La peur s'est transmuée en rires incontrôlés. L'entrée de mon terrain est fermée par une sorte de porte d'enclos à vache. On y pénètre et le petit chien se ramène en jappant. Merde! J'ai oublié de lui acheter quelque chose. Les gars s'assoient sous la palapa. Pendant ce temps, dans la maison, je trouve une banane brunie, que j'ouvre et que je mets en purée dans un bol pour Sultan. À mon grand étonnement, le chiot mange voracement. Jack est étendu dans le hamac, Dave est assis sur une des deux chaises de plastique. Je prends l'autre chaise et leur donne une bière chacun.

— C'est super cool, dit Jack. On fume un pétard.

— T'en as?

— J'ai un joint.

— Pourquoi pas?

On entend les insectes autour sur le fond sonore des vagues qui cassent à intervalles réguliers. Je me sens heureux. On se passe le joint. La lumière au plafond de la palapa attire toutes sortes d'insectes et de papillons. Des petits lézards beiges en profitent pour chasser près de l'ampoule. Un scarabée noir de deux centimètres s'est posé sur une poutre près de la source lumineuse. Un des petits lézards l'a aperçu, il s'approche rapidement, et nous sommes captivés, les yeux rivés au plafond, l'observant attraper l'insecte par le cul. La gueule du reptile enserre bien le postérieur du scarabée qui fait des efforts avec ses pattes avant pour se dégager. Un autre lézard, qui n'a rien manqué, entre en scène avec célérité et mord la proie à la tête sans lâcher prise, c'est fascinant. On fait des paris. Lequel des deux va gagner son repas ? Comment le gagnant fera pour manger l'insecte ? Le corps du scarabée est deux fois plus gros que la tête des petits lézards. Mais tout à coup celui qui tient l'insecte par le cul donne un rapide coup de tête, surprenant son adversaire, qui lâche prise. L'insecte en profite pour se dégager. Il tombe juste à nos pieds. La seconde d'après, il s'envole en bourdonnant dans nos oreilles. Nous sommes bouche bée devant ce dénouement heureux.

— Génial, lance Jack.

Nous éclatons de rire simultanément. Ils sont bien sympathiques, mes compatriotes anglophones. Au fil de la conversation, ils me proposent de les laisser s'installer ici sur la terrasse, où ils dormiront dans les grands hamacs qu'ils ont achetés à leur arrivée. Pourquoi pas, après tout je me sentirai un peu moins seul.

CHAPITRE 2

Je suis assis sur le sable tiède en cette matinée claire de ce deuxième jour dans la maisonnette sur la plage. Hier, nous avons terminé la soirée en même temps que la bouteille de mescal de Nova, que je me suis juré de remplacer. Ce matin, quand je me suis éveillé, j'étais couché en travers du lit, la bouche desséchée. J'avais négligé de mettre la moustiquaire au-dessus du lit, et je me suis fait piquer bras et jambes. Ça me démange, mais voilà qu'un gamin se promenant sur la plage m'offre des limettes.

— No gracias, que je lui dis sans réfléchir, tout en frottant mes piqûres.

J'apprendrai bien plus tard que cette réponse – no gracias – est assassine. Les Mexicains vivent d'espoir. Il est donc plus approprié de dire : « Maintenant non, mais peut-être plus tard… »

— Si, es bueno pour les piqûres de mosquitos, insiste le gamin.

Pas bête, ça va peut-être me soulager. Je lui donne quelques pièces de monnaie. Il dépose sur ma serviette une, deux, trois poignées de limettes. Je n'en voulais pas autant, mais le petit garçon s'éloigne avec sa poche à citrons plus légère et un sourire radieux. Je réussis à couper un fruit avec le côté tranchant d'un coquillage. La fraîcheur de la pulpe soulage immédiatement les démangeaisons. Je presse quelques limettes au-dessus de la bouche. Le liquide acidulé soulage temporairement mon gosier sec. Je me lance à l'eau, bientôt entouré de vagues si grosses que j'arrête d'avancer dès que j'en ai aux genoux. Leur ressac exerce sur mes jambes un effet d'aspiration qui m'incite à la prudence. Un vautour plane au-dessus de moi, les ailes déployées, se laissant porter par la brise. Je chasse immédiatement de mon esprit l'idée du mauvais présage. Tout en observant l'oiseau en symbiose avec l'air, je sens les grains de sable, déplacés par l'eau, me chatouiller entre les orteils. Je vibre pleinement. Il n'y a pas d'autre endroit au monde où j'aimerais être. Serait-il possible que le temps se fige en cet état de félicité ? Certains sages diront que oui, eux qui pratiquent leur discipline spirituelle avec assiduité. Je m'y mettrai dans quelques mois peut-être, mais en attendant le présent m'enveloppe. Ici, au pays de mon voyage, j'aspire au bonheur perpétuel. Je me baigne un long moment. L'écume des vagues qui terminent leur cycle sur le rivage masse entièrement mon corps. Je m'enhardis à aller derrière la ligne de cassure des vagues pour pouvoir nager sans risquer de me faire aspirer dans les remous. Après quelques brasses, impuissant, je suis entraîné par la déferlante. Je tourbillonne dans les eaux tel un pantin désarticulé. Je sors de la mer exténué, me jurant de ne plus me laisser prendre.

Je m'allonge sur le sable dur, lissé par l'eau de mer. J'aperçois au loin deux silhouettes avec des sacs à dos devant ma porte d'enclos à vaches. Ce sont mes deux comparses canadiens qui viennent s'installer avec leurs affaires. Je me dirige vers eux au pas de course. Au passage, je prends ma chemise fleurie et les limettes que j'enfouis dans ma serviette. Je saute littéralement dans mes sandales pour ne pas me brûler les pieds sur le sable devenu ardent. C'est l'heure où les ombres se font discrètes.

— Welcome home, dis-je en arrivant à la maison.

Ils sont déjà sous la palapa, Jack couché dans le hamac, la barbe un peu plus longue, les cheveux ébouriffés. Il a un sourire figé et les yeux rougis par le cannabis. À l'aide d'une corde, Dave attache son hamac aux poutres du plafond. Je leur propose de mettre leurs trucs dans la maison. Je cacherai la clef sous un des pots de fleurs, de façon à ce que tout le monde ait accès à l'habitation. J'ai un creux, la mer m'a ouvert l'appétit. Je prends les trois cents pesos que me donne Dave et pars faire des courses. Le parcours n'est pas aussi inhospitalier que la nuit précédente. La même mamá mexicaine me sert les tacos avec le sourire. Dès les premières bouchées, mon estomac, qui avait déjà commencé à tourner à vide, s'apaise. De l'eau, de la bière, du pain, du fromage, des petits gâteaux, des bananes, une papaye, des tomates et un oignon devraient faire l'affaire. Ah ! J'oubliais la bouffe à chien, des croquettes sèches, moins salissantes et plus faciles à servir. Je bois la moitié de la bouteille d'eau pendant que la fille à la caisse remplit les sacs. Je me dis que la prochaine fois que le camion d'eau potable passera, je devrai l'arrêter pour me procurer une de ces cruches de vingt litres. Sous les chauds rayons du soleil, les trois sacs à provisions que m'a remis la señorita sont astreignants à porter. Je me console en pensant à la bonne bière fraîche que je vais savourer en rentrant. Je croise Dave.

— Où vas-tu ?

— Je vais louer une planche de surf. Ça fait si longtemps que je rêve d'en faire, me répond-il sans même s'arrêter.

— Bon surf !

— Ouais !

Jack est toujours dans le hamac. Il fume un pétard. Je mets les trucs au frigo, donne à bouffer à Sultan. Je prends deux bières et sors dans le jardin. J'offre une cervoise à mon colocataire, mais je refuse le joint qu'il me tend. Il est trop tôt, je deviendrais hors service pour le reste de la journée.

— Comment tu te sens ?

— Super ! C'est le paradis ici. Regarde l'horizon, la mer et les vagues, répond Jack, exalté. Je pourrais rester des heures comme ça, heureux d'être ici à me balancer doucement dans ce décor de carte postale.

La bière froide me passe dans la gorge en pétillant, c'est bon, et, sans attendre, je prends immédiatement une autre gorgée pour renouveler l'expérience. Puis, sans gêne, j'émets un énorme rot. Jack comme s'il était défié, boit la moitié de sa bouteille d'un coup. Une, deux secondes passent, il y va de quelques mimiques faciales puis répond par un puissant rot sonore. On s'esclaffe comme des gamins. Je termine ma cerveza et dit :

— T'en veux une autre ?

— Quelle drôle de question, qu'il me dit en me souriant.

Je prends les bières dans le frigo sans penser à rien. En voyant les limes, je me parle à moi-même : « Je vais en trancher quelques quartiers pour adoucir la bière. » Je cherche un couteau adéquat dans la cuisine. Mon œil est attiré par un bout de sac plastique qui dépasse des feuilles de la toiture. Ah ! Je tire dessus, le sac tombe avec un bruit sourd sur la petite table qui sert de comptoir. Je l'ouvre, curieux. Je reste stupéfait un moment. Il y a là-dedans au moins cent grammes de cannabis. Genre d'herbe qu'on n'achète pas à la tienda du coin. Une vague de chaleur me monte à la tête. Oh ! Putain ! À la hâte, je remets le tout en place. Jack me demande ce que je fais, entendant le remue-ménage dans les feuilles du toit. Je lui dis de ne pas s'en faire, que je chasse une bestiole avec le balai. J'ouvre les bières avec mon briquet, mets les quartiers de citron vert dans une tasse, remets des croquettes au chien qui secoue la queue à mes pieds. Jack est en pleine détente dans son hamac lorsque je le rejoins dehors. Il s'assoit et prend la bière que j'apporte comme si c'était une bouée au milieu de l'océan.

— J'ai fini mon herbe. Je me demande comment je vais faire pour m'en procurer d'autre… t'as pas une idée ? me demande-t-il en me regardant dans les yeux.

— Je vais demander à Nova. Il vient demain, je crois, feignant un air naturel.

— Attendre jusqu'à demain ! Je vais devoir me saouler pour que ce soit plus facile.

— Il y a un remède à tous les maux. Il y a encore deux bières au frigo. Après on ira chercher quelque chose d'autre. De la tequila, c'est plus efficace et ça fait moins pisser.

— Tequila, super ! s'exclame Jack.

Quelques heures plus tard, Dave revient de la plage, rougi par le soleil.

Jack et moi pratiquons un jeu improvisé. Chacun dans notre hamac, nous nous envoyons une savonnette à l'aide de lattes de bois que nous avons récupérées d'une boîte qui sert au transport des fruits. Nous nous marrons sans retenue. Nous avons inventé le jeu en nous inspirant du hockey sur glace. Le bras qui tient le bâton pend du hamac. Le joueur doit réussir à faire passer la savonnette sous l'autre participant sans que celui-ci réussisse à l'arrêter à l'aide de la crosse. Celui qui marque un but doit boire son petit verre de tequila cul sec. L'alcool commence alors à faire sérieusement son œuvre. Dave, qui s'est joint à nous, propose de mettre de l'eau sur le parquet pour accélérer la course de la rondelle de savon et corser le jeu. Maintenant que nous sommes trois, celui qui se fait compter deux buts d'affilée est perdant et doit donner sa place au suivant qui officie comme arbitre en attendant. Après avoir perdu une de ces parties âprement disputées avec Dave, dégoulinant de sueur, je me rends au puits au fond de la cour pour m'envoyer un seau d'eau sur la tête. Je dois repérer le puits à tâtons dans la pénombre du crépuscule. Du coup, je constate que l'après-midi est terminé. La poulie grince lorsque je remonte le sceau, je renverse de l'eau sur ma tête. Je me sens rafraîchi et j'en profite pour pisser sur place sans me donner la peine de m'éloigner. J'enfile un de mes shorts qui pendait sur la corde à linge. Jack me rejoint, en sueur lui aussi. Il lance le seau dans le fond et dit :

— On va prendre une pause. Dave est parti acheter un poulet rôti, tu manges avec nous ? demande-t-il, juste avant de se balancer un plein seau d'eau.

— Ouais ! Bonne idée. Dis donc, Jack, il y a quelque chose que je veux te montrer, viens voir.

Après s'être essuyé en vitesse, piqué par la curiosité, Jack me rejoint à la cuisine. Je rentre mes mains dans les feuilles du plafond et en retire le paquet. J'ouvre le sac et le lui montre.

— C'est ça que tu voulais ?

Il regarde à l'intérieur...

— Wow ! J'en ai jamais vu autant. Qu'est-ce que tu fous avec ça ? qu'il me demande, interloqué.

— C'est pas à moi. Ça doit appartenir à Nova. Je vais le lui demander lorsqu'il viendra.

— On va en prendre un peu, ça ne paraîtra pas, dit Jack.

— C'est ce que je me disais.

Jack se roule un joint illico, ça va le calmer un peu. Il en profite pour remplir sa pochette de cuir. En attendant Dave, nous jouons quelques autres parties de hockey hamac. Notre ami arrive avec le poulet au moment où mes bouillonnements gastriques se font plus intenses. Sans autre préambule, nous nous servons dans des assiettes jetables que Dave a eu la bonne idée d'acheter. Nous mangeons avec les doigts. On trempe les morceaux de viande dans la sauce piquante ou encore on remplit une tortilla de poulet et de riz à la sauce tomate. Un repas à la bonne franquette fortement apprécié.

— Une petite tequila pour faire descendre tout ça ? demande Dave, qui sort une bouteille au liquide ambré derrière lui.

— Ouais ! Bonne idée.

Je me lève, ramasse les os pour nourrir le chien. J'hésite à les lui donner de peur qu'il s'étouffe avec une pointe acérée. Sultan me regarde en agitant la queue, conscient de mon intention, et m'encourage des yeux à le faire. Je lui envoie un seul os pour voir. Les craquements de la mastication éliminent mes scrupules. Je dépose le tas devant le chien complètement concentré à broyer et à avaler son repas. Je remets le sac d'herbe dans sa cachette. Rien ne paraîtra des quelques grammes que nous avons subtilisés. Je coupe les limes en trois de façon à déloger la partie centrale pour ne pas avoir de noyaux dans la bouche lorsqu'on presse un morceau entre les dents. Au passage, je prends un CD au hasard que je mets dans la sono. J'entends les premiers accords d'une chanson de Abba, un groupe de musique disco des années 1970. Je me dis que j'aurais pu avoir plus de chance, mais tant pis, ça fera l'affaire. Le chien a terminé ses os. Comment une si petite chose peut-elle engloutir autant de bouffe en si peu de temps ? L'odeur sur la terrasse m'annonce que Jack a déjà un joint au bec, il est vraiment accro. Nous faisons tinter nos verres pour une gorgée de bonheur au rythme de *Dancing Queen*.

— C'est quoi cette foutue musique ? lance Jack.

— J'ai mis le premier disque qui m'est tombé sous la main, j'ai pas eu de veine, que je dis, sentant que je dois me justifier.

— Je vais faire comme toi, sauf que je vais piger dans mes disques, comme ça je suis certain que ça pourra pas être pire, ajoute-t-il en rigolant.

La musique s'arrête pendant que le Canadien procède au changement. Les grillons chantent ce soir et la mer rugit à chaque vague qui casse. Dave aspire le joint au moment où la chanson *Legalize it* de Peter Tosh résonne de l'intérieur de la cabane. Je vois son thorax se bomber en s'emplissant de fumée. Après trois secondes à retenir son souffle, il expulse un énorme nuage bleu, immédiatement suivi d'une quinte de toux. Il prend un peu de lime pour s'adoucir la gorge et, tout de suite après, une rasade de tequila pour faire passer l'agrume. Jack est déjà à rouler un autre pétard, il est déchaîné ce soir. Moi, je me dis qu'avec toute la tequila que j'ai ingurgitée, il est hors de question que je fume. Je ne veux pas subir la nausée qu'un tel mélange provoquerait en moi. Allongé dans son hamac, Dave montre des signes d'assoupissement. Ce n'est pas l'alcool ou la marijuana qui ont raison de lui, mais plutôt le soleil qu'il s'est pris sur la tête aujourd'hui. À mon tour, il est difficile de retenir un bâillement, il est l'heure d'aller me coucher. Je salue Jack, l'autre ronfle déjà. Cette nuit, je me donne la peine d'installer la moustiquaire autour de mon lit en me disant que demain sera une autre journée d'aventures sur la côte du soleil couchant.

C'est avec entrain, ce matin, après avoir mangé un régime de bananes à trois, que nous allons à la plage nous baigner. Les vagues sont plus petites que la veille et il est possible de s'amuser à se laisser entraîner par leur force. L'eau est cristalline, et nous nous trouvons rapidement entourés de centaines de poissons à queue jaune, des triangles qui miroitent dans les flots limpides. Je suis subjugué par cette beauté. Jack émerge de l'eau, son masque lui enserrant le visage. Je constate qu'il est dans un état de béatitude semblable au mien. Il a fumé son joint ce matin, moi pas, mais le résultat est le même, du bonheur en concentré. La brise tiède enveloppe mon corps qui se bombe de profondes inspirations. Sur la plage, Dave scrute à l'aide de jumelles un groupe de jeunes vacancières plus loin. Je m'approche pour jeter un coup d'œil à mon tour. Soudainement j'aperçois, au loin, une camionnette blanche stationnée devant notre maisonnette. Un type sort du côté passager. Je le distingue mal de la distance d'où nous sommes, mais il semble porter un uniforme de facteur.

— Passe-moi les jumelles, je veux voir quelque chose.

Je lui arrache les jumelles sans me soucier d'interrompre sa contemplation. Je vise dans la direction de la maison en ajustant le focus. Je constate que c'est un policier. Mon cœur fait un soubresaut. Bonjour le bad trip ! L'homme avance sur le terrain et s'approche de notre terrasse. Je le vois clairement observer les choses que nous avons laissées sur la table. Il frappe à la porte. Bien entendu, personne ne répond. J'espère qu'il n'a rien vu qui pourrait éveiller ses soupçons. De ma vision amplifiée par les jumelles, je le vois se pencher sur la table de la terrasse, un moment caché par les fougères. Dave me questionne anxieusement. Le flic revient dans mon champ de vision, il a un mégot de joint entre le pouce et l'index et je peux le voir le renifler avec un air suspicieux.

— Putain, on est cuits mon vieux ! que je lâche sans réfléchir.

Dave reprend les jumelles.

Tout s'accélère dans ma tête. J'essaye de me calmer en respirant profondément. Tant que nous sommes ici sur la plage, incognito, rien ne peut nous arriver. Il nous suffit d'attendre qu'il s'en aille.

Le policier revient vers la voiture. « Penche-toi », ordonne Dave. Accroupis comme nous sommes, il est impossible aux policiers de nous voir parce qu'un cactus nopal, soit un figuier de Barbarie, nous dissimule.

— Tu crois qu'il nous a vus ? que je demande.

— Non, j'ai seulement craint qu'il ne lève les yeux vers nous avant de monter dans la camionnette.

— On a qu'à attendre qu'il parte.

— Ouais ! T'as raison, mais après on a intérêt à foutre le camp avant qu'il rapplique avec ses copains. Oh putain ! On est dans la merde, ajoute-t-il spontanément.

— Allons à l'eau. Nous aurons une vue d'ensemble et nous pourrons prévenir Jack.

Nous marchons vers le rivage le plus naturellement possible, presque trop. Je réprime l'envie de regarder vers l'arrière. À quelques mètres du rivage, Dave fait un sprint qui se termine par un plongeon. Je fais pareil. J'émerge l'esprit plus clair. Devant la maison la camionnette a disparu, je l'aperçois plus loin, elle devance une nuée de poussière.

— T'as vu, il est parti, dis-je.

Nous appelons notre copain en faisant des signes pour qu'il nous voie. La baignade est terminée, nous sortons de l'eau. Jack vient nous rejoindre tout souriant.

— Eh, les gars ! Venez les vagues sont super parfaites aujourd'hui.

Nous l'informons de la situation. Il rigole un peu, imaginant une mauvaise blague de notre part. En voyant notre sérieux, il sort de son paradis et devient livide.

— Prenons nos affaires et partons immédiatement, dit-il, nerveux.

— Si les flics reviennent et qu'ils nous croisent dans la rue, le bled est tellement petit qu'ils vont faire le lien, que je réponds, faisant preuve de prudence.

— On peut quand même pas laisser nos affaires et partir comme ça.

— Non, non, dis-je. Nous allons filer en douce en sautant la clôture derrière le terrain et traverser le boisé en ligne droite pour arriver à la nationale. De là, il sera plus facile de trouver un bus ou un taxi. Ni vu ni connu, on quitte le village. Tant pis pour Nova, qu'il se démerde avec ses ennuis.

Tout le monde est d'accord. Jack est encore dans un état d'hébétude amplifié par l'effet du joint qu'il a laissé traîner sur la terrasse plus tôt ce matin. Il comprend clairement qu'il nous a mis dans la merde.

— Allez, on se dépêche !

Ça nous prend peu de temps pour revenir à la maison, le cœur battant. Ça s'avère beaucoup plus long de ramasser nos affaires, mais tout se fait en silence, avec une célérité surprenante. La peur d'être pris la main dans le sac avec toute l'herbe qu'il y a ici nous force à agir vite et efficacement. Je suis le premier à traverser la clôture derrière la cour, c'est un jeu d'enfant. On me fait passer les sacs à dos. Ensuite les deux Canadiens suivent. À mesure qu'on avance dans les broussailles, la pression diminue. Maintenant, nous n'avons qu'à rejoindre la nationale et prendre le premier véhicule qui passera pour nous emmener loin d'ici. L'avancée se fait difficilement. Toutes sortes de plantes, fougères et buissons à épines ralentissent notre parcours. Le sol accidenté, dissimulé par les feuilles, nous fait perdre pied à tout moment. Sur la droite, nous remarquons que c'est plus clair, ce doit être un chemin ou une clairière. Le terrain va en descendant vers cette éclaircie. Nous suivons cette voie avec précaution puisque la pente s'accentue, jonchée de pierres acérées. En bas, nous arrivons dans une zone sablonneuse, dégagée de toute végétation. Sans aucun doute, c'est le lit d'une rivière tarie par la saison sèche. Nous en profitons pour nous reposer un peu et nous désaltérer. Maintenant que nous sommes hors de danger, nos besoins vitaux s'éveillent subitement. La bouteille d'eau que Jack a eu la prévoyance d'apporter n'a pas le temps de faire un deuxième tour.

— Wow. Ça fait du bien.

— Ouf. Je crois bien qu'on est tirés d'affaire, dis-je.

— On pourrait aller plus au sud. Apparemment, il y a d'autres belles plages comme ici, ajoute Jack.

De toute évidence, on était pas dus pour la prison... Du moins maintenant...

CHAPITRE 3

Après une heure de route, nous débarquons sur une plage isolée. Seuls quelques routards et hippies s'y aventurent. L'endroit porte bien son nom : la plage perdue. Les voyageurs vivent sous des paillotes et y tendent leurs hamacs. C'est un endroit reclus connu des touristes aventureux. Nos premières semaines dans cet endroit idyllique passent comme une seconde.

Chaque nuit, ou presque, le rituel recommence. Nous sommes les trois assis en triangle, une statuette au visage hideux posée au centre. Jack l'a trouvée dans le sable quand nous avons remonté la rivière asséchée après notre départ précipité de Puerto Loco. Depuis qu'on est sur cette magnifique plage parsemée de huttes et de cabanes aux toits de feuilles, on vénère cette vieille statuette en se saoulant sous les étoiles, comme ce soir encore. Notre idole s'appelle Mescalito. Partout où nous allons, Jack la traîne dans son sac avec précaution. Cérémonieusement, il la pose sur un rocher ou encore la cale dans le sable en prenant soin de toujours orienter son visage mi-homme mi-coyote face à la mer. Mescalito, c'est aussi le nom que l'on donne à ce dieu qui se manifeste quand l'initié mâche du peyotl, un cactus poussant dans le désert qui contient un puissant alcaloïde. Je me lève et je titube en marmonnant quelque chose d'incompréhensible. J'ai l'esprit engourdi par l'alcool, je me laisse choir dans le premier hamac que je croise.

Les cris stridents des oiseaux qui nichent dans le manguier géant auquel est attaché mon hamac se confondent à mon sommeil. J'ai la tête dans le sable, le hamac en travers du ventre et les fesses pointées vers le ciel qui s'éclaircit en ce jour naissant. J'ai la bouche sèche. Ma tête est engourdie et reprend lentement sa fonction de veille. Mes deux comparses ronflent en cadence dans leur hamac. La bouteille de mescal vide, le ver coincé dans le goulot, gît au pied de la statuette. Je me lève et me dirige vers le rivage dans le but de me mouiller les pieds et de me faire une toilette. L'eau est plus chaude que l'air, ce qui rend la baignade agréable. J'ai de l'eau jusqu'au cou. Je perds pied à chaque vague qui passe pour retomber tout doucement sur le sol sablonneux. Après quelques vagues, je constate que j'ai dérivé vers des rochers plus à gauche. J'essaie de toucher le fond, mais il a disparu. Je nage vainement pour revenir, ça n'avance pas, ça recule même. Pourquoi me suis-je réveillé ce matin ? Merde j'étais bien dans mon sommeil. Pas de panique, ne jamais lutter contre le courant. Je risque moins de m'épuiser inutilement en me laissant porter. Quitte à m'érafler quelque peu sur les rochers, au moins c'est du solide. Une vague me casse sur la nuque et m'entraîne directement sur un amas rocailleux. Je ressens une douleur aiguë sur la fesse droite qui a amorti le coup. Je m'accroche à un angle saillant pour ne pas être aspiré de nouveau par la mer. Putain que ça fait mal. Je me hisse avec peine pour m'éloigner des flots qui semblent en avoir contre moi aujourd'hui.

— Attention la mer est dangeureuse aujourd'hui, me lance en espagnol un pêcheur posté sur un rocher.

— Si, si, que je réponds, encore abasourdi.

Il est trop tard pour les avertissements, j'ai bien compris le danger. Je parviens à joindre la plage en sautant d'une roche à l'autre. Le cul m'élance, mais la douleur s'est quelque peu atténuée. Claudiquant, je vais à la palapa du restaurant végétarien. L'endroit est tenu par un Américain de style hippie. Il sourit de me voir arriver si tôt.

— Salut, James, que je dis, t'as pas un verre d'eau ?

— Une bonne baignade matinale, y a rien de mieux, qu'il répond. T'as l'air bien réveillé, Max.

— Tu parles.

Je bois la première moitié du verre d'eau d'un trait. Puis je commande du yaourt aux fruits avec des graines avant de terminer le reste de l'eau. James ouvre son petit livre et note la commande. Ça s'ajoute à ce que je lui dois déjà. Il ne m'a encore rien dit à ce sujet mais je sens qu'il serait peut-être temps que je règle ma note, à lui et à tous les autres petits commerçants du coin. Ici ça fonctionne ainsi, tu achètes un truc et le gars te demande ton prénom qu'il écrit dans son petit livre. La première banque est à plus de trente bornes. Ça fait une semaine que je remets l'expédition au lendemain. C'est aujourd'hui que je me lance, car pourquoi remettre à demain ce que l'on pouvait faire il y a une semaine. Ce petit déjeuner me donnera les ressources nécessaires pour le chemin. Il y a trois façons d'y aller : à pied, en stop ou en taxi. Moi, je fais les trois en même temps. Je pars à pied avec un sombrero sur la tête, une bouteille d'eau et mon argent dans la poche. Je marche et, quand un rare véhicule passe, je lève le pouce. Si c'est un taxi, je le prends et je dis d'attendre pendant que je passe à la banque. Normalement, ça ne dérange pas les chauffeurs d'attendre pour être payés. Ici on a l'habitude d'attendre. Quoi au juste je ne le sais pas, probablement que la journée s'écoule. Mais là, ça fait plus d'une heure que je marche le long de la route et, à part un paysan sur une charrette tirée par un âne qui venait en sens inverse, il n'y a aucun véhicule en vue.

Enfin, je commence à percevoir le bruit lointain d'un camion. Un de ceux qui passent une fois par semaine pour vendre les bonbonnes de propane pour les cuisinières. La cabine étant occupée, le gars me fait signe de monter dans la boîte arrière. Je m'exécute sans réfléchir, heureux de m'éviter une interminable marche. Je me trouve un espace entre ces longs contenants en acier. Le véhicule démarre puis ça se met à tinter de toutes parts. Les bouteilles de propane tanguent dangereusement vers moi en s'entrechoquant. J'imagine déjà l'explosion spectaculaire et moi dispersé en petits morceaux sur une bonne centaine de mètres. Je siffle de toutes mes forces. Le camion s'arrête, j'en profite pour monter sur la palette de bois en haut de l'habitacle. Comme ça, je ne risquerai pas d'être écrasé par les cylindres de cinquante kilos chacun. Je me tiens fermement à la petite balustrade pour ne pas être projeté au sol à chaque courbe. Comme le chemin sillonne entre les montagnes, je dois être très vigilant. Après un trajet qui m'a paru interminable, nous arrivons au village. Je tapote sur le toit pour signifier l'arrêt.

Je ferai le reste à pied pour me dégourdir. J'envoie la main aux amigos. Le camion s'éloigne avec ses bonbonnes qui résonnent tel un carillon infernal. J'ai des acouphènes quelques instants, puis ça s'estompe comme quand on vous prend en photo et que la lumière du flash obscurcit la vue pendant un moment. La rue principale est pavée de pierres et de ciment. À ce qu'on m'a dit, la banque se trouve juste à côté de l'église sur la place centrale. Je la situe du regard, puis l'enseigne de la banque. J'accélère le pas, me disant que je vais changer plus d'argent que prévu pour ne pas avoir à revenir de sitôt. Mon cœur s'arrête quelques instants lorsque je mets la main à ma poche. Il n'y a rien, elle est vide, mon passeport et mes billets ont disparu. Je n'arrive pas à le croire, le désespoir m'envahit et déferle sur moi comme le ferait la plus pernicieuse des vagues. C'est toujours quand tout va pour le mieux qu'une merde arrive : on se promène sereinement avec une expression béate au visage et paf ! la poisse s'amène.

Je déambule quelques instants avant de me mettre à l'ombre d'un amandier. Je sue à grosses gouttes, l'ombre me tape dessus comme si c'était le soleil. En réfléchissant un instant, j'en arrive à la conclusion que mes papiers sont indubitablement tombés de la poche de ma chemise lorsque je faisais le sandwich entre les bonbonnes de propane. Je dois retrouver ce foutu camion dans le village. Mes jambes me propulsent sans que j'aie à le demander. Je croise des gens qui semblent indifférents à ma personne, mais j'ai l'étrange impression qu'ils se retournent sur mon dos.

Je marche sans but quelques minutes tout en me faisant à l'idée d'avoir reçu cette tuile. Une affiche criarde qui représente un poulet rôti fumant attire mon regard de l'autre côté de la rue. « Pollo rostisado », dit l'annonce. Stationné, juste en bas de l'enseigne, le camion de propane. Les trois occupants qui m'ont si aimablement pris en stop sont attablés derrière la vitrine. C'est mon jour de chance. Je me précipite et monte dans la boîte sans me faire voir. À l'emplacement où j'étais au début, une bonbonne est couchée. Je la roule d'un demi-tour pour voir apparaître mon passeport duquel dépassent mes dollars. Je prends mes affaires, le cœur battant de joie. Je saute hors de la boîte arrière et je me dirige d'un pas assuré vers la banque. J'ose à peine penser aux conséquences que cela aurait pu avoir. À la banque, une longue file d'attente zigzague vers les guichets. Les gens résignés m'observent discrètement, je suis différent, je suis un étranger. Heureusement, je trouve un guichet réservé à l'échange d'argent. Cela m'évite de poireauter dans cette chaleur suffocante. J'échange quelques centaines de dollars qui se transforment en quelques milliers de pesos. Pas mal. Avant même que la file ait avancé, je suis dans la rue avec une bonne liasse qui bombe la poche de mon short. C'est incroyable l'assurance que ça donne d'avoir de l'argent. Le village niche au fond d'une baie tranquille où la mer est calme, les légers remous viennent lécher doucement la plage. Je m'installe à la première terrasse sur la plage de façon à jouir d'un panorama imprenable sur les eaux émeraude de la baie. Je vais commencer par un cocktail de crevettes et une bonne bière fraîche.

— C'est magnifique, n'est-ce pas ? me dit le serveur en posant ma bière devant moi.

— Superbe, c'est très paisible, merci.

J'écrase ma lime dans la bière et je prends une bonne gorgée.

— L'entrée de la baie est protégée par les récifs. C'est pour ça qu'il n'y a pas de vagues, me dit le garçon.

— C'est aussi à cause des récifs qu'il n'y a que des chaloupes ? que je demande.

— En partie, oui. Seul un capitaine qui connaît bien la baie peut faire passer un assez gros bateau.

— C'est bien, ça doit contribuer à faire de votre village un endroit paisible.

— Moi, je serais bien heureux s'il y avait un paquebot plein de gringos qui accosterait de temps à autre. Tout le monde serait content, même le président.

Un petit son de cloche retentit. Le serveur grassouillet va d'une démarche lourde chercher mon cocktail de crevettes qu'une paire de mains a posé sur la tablette de la lucarne qui donne sur la cuisine. Le temps de terminer ma bière, mes crevettes sont servies. Je me régale en trempant dans ma coupe de fruits de mer ce qu'ici on appelle une tostada, c'est-à-dire une tortilla frite et coupée en quatre parts. Les bonnes choses sont éphémères et je me retrouve rapidement devant une coupe vide. Je laisse mes affaires à la table pour aller faire une trempette dans ce paysage idyllique. Le fond de l'eau est doux et lisse. Plus loin, s'étalent des étendues d'eau calme dans les récifs. Je regrette de ne pas avoir apporté mon masque. Ces eaux doivent regorger de poissons tropicaux aux couleurs vives et brillantes. Je me laisse flotter sur le dos sans penser à rien. Je me sens investi d'une conscience accrue, une perception globale des choses que j'attribue sur le moment à l'esprit de la mer.

Je sors et marche sur le bord un moment le temps de sécher. C'est le milieu de l'après-midi et je dois penser à rentrer. Je règle la note au sympathique serveur qui mérite amplement le pourboire que je lui remets. J'enfile ma chemise poussiéreuse, mets mes lunettes de soleil sans oublier le chapeau, encore essentiel à cette heure. Je ne vais tout de même pas rentrer sans rapporter quelque chose à mes potes. J'arrête à la première tienda acheter une bonne bouteille de tequila. Le marchand me propose une tequila dans un baril de chêne. Le prix me paraît exorbitant, je lui en fais le commentaire. Il m'assure que c'est une très bonne tequila et que le baril en contient un litre et demi, l'équivalent de deux bouteilles régulières. Je fais un petit calcul de ce que m'en coûteraient plutôt deux bouteilles. C'est parfait et c'est mignon en plus. J'achète aussi un sac de limes et une bouteille d'eau pour le trajet. Au sortir du magasin, je tombe sur un couple fin vingtaine traînant des sacs à dos qui ont l'air de peser une tonne. Je prends ces jeunes pour des Américains et leur demande sans ambages en anglais :

— Bonjour, vous allez certainement à la plage perdue ? C'est ainsi que l'on nomme cette plage parce que les courants pernicieux du secteur en ont entraîné plus d'un dans l'au-delà.

— Ouais, vous connaissez ? que le gars rétorque, avec un accent british.

— Oui, ça fait déjà deux semaines que j'y suis. J'y retourne justement, on partage le taxi ?

— D'accord, répond la fille d'une voix aiguë.

Elle est blonde et a le visage rougi par un coup de soleil. On se présente. Mike et Tracy sont anglais et vont rejoindre des amis compatriotes dans ce paradis des hippies, nudistes et végétariens. Un taxi, qui nous avait déjà repérés, s'arrête et ouvre le coffre arrière de sa voiture. C'est parfait, je vais arriver à temps pour prendre une douche fraîche sur le bord du puits avant d'aller manger une bonne pizza chez l'Italien, à l'heure d'un magnifique coucher de soleil. Les Anglais, qui sont impressionnés par tout ce qu'ils découvrent autour d'eux, s'exclament avec admiration en voyant un paysan guider sa mule chargée de bois. Je le reconnais, c'est le paysan que j'ai croisé ce matin. Le trajet tout en courbes ne dure pas plus de vingt minutes. Les nouveaux arrivants descendent au début de la plage à un endroit qui s'appelle cabañas Del Sol. Mike règle le taxi, on se salue et je leur promets de passer un de ces jours. Je demande au chauffeur de me conduire au bout du chemin, ça m'évitera de me taper un kilomètre de plage à pied.

Pour le repas, comme prévu, nous sommes attablés sous la palapa de la pizzeria. C'est bizarre, de notre table au bord du garde-fou, on se croirait à mi-hauteur entre la plage et le ciel. Le baril de tequila trône au centre de la table. Jack positionne Mescalito de façon à ce qu'il soit bien appuyé sur le baril. Mario, le patron, nous apporte des petits verres à tequila. À l'aide de mon canif, je coupe les limes en tiers. Je remplis les quatre verres en me servant du petit robinet à cet effet. Le liquide ambré exhale un parfum doux et puissant à la fois. Les verres tintent, quatre coudes se lèvent. L'alcool glisse doucement dans ma gorge. C'est la première fois que je bois une si bonne tequila. Son goût ressemble à un bon whisky bien vieilli dans ses fûts. Le marchand disait vrai, et n'essayait pas de vendre sa salade à un gringo naïf. La tequila est tellement douce que l'emploi de la lime est facultatif. Je demande au chef de nous préparer une grande pizza aux fruits de mer avec une salade de légumes. Avec ce qu'on a à boire, on a intérêt à manger du solide sinon la fête risque d'être plus courte que prévu. Trois clients arrivent, deux femmes et un homme. Ils sont, selon mon premier coup d'œil, allemands. Dave argue qu'ils ont plutôt le style scandinave. Je gage une tournée de tequila que ce sont des Allemands. Les paris sont lancés. Je vais leur offrir à boire, comme ça on rompra la glace en éclaircissant le mystère. En allant à leur rencontre, je garde en tête qu'on n'a qu'une chance de faire bonne impression.

— Eh bonsoir, que je leur dis en anglais avec emphase.

Un instant de silence suit. Je remarque que la fille aux cheveux bruns est pour ainsi dire collée au garçon, ils doivent former un couple.

— D'où venez-vous ? que je demande encore en posant plutôt mon regard vers le mec, évitant ainsi qu'il ne se mette sur ses gardes.

En effet, au fil des ans, les femmes m'ont fait comprendre qu'elles me trouvaient attrayant et de compagnie agréable, ce qui souvent éveille la méfiance chez les hommes.

— D'Allemagne, et vous ? précise la rousse en me gratifiant d'un sourire malicieux.

— Du Canada. On se demandait, mes amis canadiens et moi, s'il vous plairait de vous joindre à nous pour savourer la tequila que j'ai achetée d'un marchand qui m'a assuré que c'était un produit d'excellente qualité. En effet, elle est exquise, que j'ajoute en tournant les yeux vers Dave et Jack qui se font surprendre à nous observer.

S'engage alors une discussion en allemand. Je ne comprends rien à cette langue, mais constate que les filles, en particulier la rousse, sont enthousiastes à l'idée. Le gars y va de quelques remarques qui m'apparaissent tranchantes. J'attribue ce ton cassant aux sonorités de cette langue. C'est d'accord, ils viennent s'asseoir avec nous. Je m'empresse de leur servir la tequila pour brouiller les esprits et améliorer les rapports. Ils nous racontent leur expédition dans la jungle. Ils campaient aux abords des ruines d'un village précolombien. Je demande à la rousse qui s'appelle Brigitte le nom de ce site, pour me situer un peu. Selon elle, très peu de gens connaissent l'endroit. Sa sœur, qui a étudié l'archéologie, a travaillé sur place avec un éminent archéologue mexicain. Elle a donné le nom de quelques contacts qui leur ont facilité les choses. Sur ces mots, Mario arrive avec le saladier et la pizza. C'est parfait, il y en a six pointes. Notre ami allemand, son nom m'échappe, commande une bouteille de vin rouge. C'est vraiment une soirée agréable, ces gens sont sympathiques et l'ambiance détendue. On s'envoie des prost, santé, salud à tout moment. Pendant que les autres discutent, Brigitte s'adresse à moi :

— Tu fumes ? me demande-t-elle en mimant le geste du pouce et de l'index.

— Ouais, bien sûr.

Il aurait été stupide de ma part de répondre par la négative et ainsi fermer cette porte qui s'ouvre à moi.

— J'en ai mais je n'ai pas de feuilles à rouler, en as-tu ? demande-t-elle.

— Oui, mon hamac est un peu plus haut.

Plein d'assurance je me lève et lui prend la main, elle hésite un peu. Alors pour la rassurer je dis : « T'en fais pas, c'est juste à côté. »

Je l'encourage gentiment à me suivre. Aussitôt sortis du halo lumineux de la pizzeria, nous sommes environnés par la nature. Tout est obscur, le sentier de sable détonne dans la végétation sombre qui le borde. En haut du chemin, non loin de mon hamac, les étoiles nous surprennent encore une fois par leur brillance. Nous nous arrêtons, saisis par l'intensité de la vue. Le chant des grillons, la mer et le vent dans les feuilles de palmiers meublent le silence de la nuit. Je me demande un instant pourquoi on n'entend rien du tumulte de la pizzeria en contrebas. Ce doit être le vent qui vient de l'opposé qui ne permet pas à ces ondes sonores de venir jusqu'à nous. La pression de la main de Brigitte dans la mienne me sort de mon état d'hébétude. J'ai beau connaître le chemin, ça me prend quelques secondes pour me situer. L'obscurité décuple nos sens pour ajouter au mystère de la nuit. Ce magnifique rocher qui, le jour, trône aux abords de la plage se transforme en jaguar tapi dans l'ombre prêt à bondir sur la jeune voyageuse. Je tire un peu plus sur cette main qui devient plus moite à mesure que l'on avance. Encore quelque vingt mètres de plus à monter. Je crèche sur une butte, sous un toit de paille. Ce n'est même pas une cabane, simplement un petit toit de palmier avec trois hamacs accrochés à ses piliers. Je sens ma partenaire nerveuse, il est temps qu'on arrive. Aussitôt, j'allume une chandelle pour créer un halo protecteur qui permettra à ma partenaire de se détendre. Brigitte décompresse à vue d'œil. Elle s'installe dans mon hamac, je m'assois au sol à côté d'elle.

— C'est cool non ? Ça te plaît notre bivouac ?

— Oui, c'est génial. Vous vivez avec la mer à vos pieds. Ça doit pas vous coûter une fortune ici.

— Presque rien. Pour vivre au paradis, c'est pas mal non ?

Elle sort son herbe, je tends le paquet de papier.

— Laisse-moi faire, dit-elle, je vais le rouler.

Je la regarde rouler le joint à la façon européenne avec deux papiers et plein de tabac mélangé à l'herbe. Je ne dis rien, mais ça ferait tiquer Jack de savoir qu'on gaspille ses feuilles de la sorte parce que le papier à rouler est rare ici. On fume tout en observant la mer. On ne distingue presque rien sauf une espèce de traînée blanche bleutée à chaque vague qui casse. Je donne une petite poussée à Brigitte qui se met à se balancer tout doucement. Ses mèches de cheveux roux ondulent dans l'air, elle me sourit. J'augmente légèrement la poussée et, avec le balancement accru, son visage s'approche du mien. Tous les éléments sont réunis pour qu'il en résulte un baiser langoureux. Mais ça ne se concrétise pas puisque je me surprends à dire comme un con :

— Allons rejoindre les autres.

Je me lève et je prends les mains de l'Allemande pour l'aider à sortir du hamac, ce qui n'est pas toujours évident.

Dans la descente, je ne lui tiens pas la main, elle connaît le chemin maintenant. Je vois les amis chez l'Italien, des gens se sont ajoutés au groupe. C'est Laurent, un Belge qui vit dans le coin depuis plus de deux mois, un gars très blond au corps frêle et à la peau toute bronzée qui contraste avec celle de la fille qui l'accompagne. Suzie, anglaise, a une belle chevelure noire et une généreuse paire de seins qui attire les regards masculins. Tout le monde a son verre de tequila à la main. Les yeux sont brillants, on sourit, les éclats de rire fusent, la sono joue des airs de reggae, comme UB40, Inner Circle et Steel Pulse.

— C'est sans aucun doute une très bonne tequila. Ce goût de bois sucré dissimule bien son fort degré d'alcool, me dit le Belge en français.

— Cul sec mon vieux, il faut que tu rattrapes les autres, que j'ajoute.

Moi aussi d'ailleurs. Il ne se fait pas prier et hop, pas de grimaces. Je remplis nos deux verres du petit goulot d'où jaillit encore le liquide ambré. Soudainement, la balustrade sur laquelle l'Allemand est appuyé cède. Il disparaît de notre vue. On entend un petit cri rauque puis des jurons. Il s'est relevé immédiatement parce que c'est ce que les gens ont le réflexe de faire lorsque ça arrive, mais surtout parce qu'il est tombé le cul sur les cactus de Mario. Le fou rire nous prend. Le gars humilié s'en va avec sa copine aux trousses qui va soigner le bobo. Brigitte, après de brefs adieux, court rejoindre ses amis.

— Allons à la plage, dit Jack, on peut y faire un feu.

— Ouais d'accord, bonne idée, dit Dave le visage rougi par l'alcool.

Jack prend la statuette, moi ce qui reste du baril de tequila. La petite troupe s'éloigne plus loin sur la plage, à l'écart. À l'aide de sa lampe de poche, le Belge nous dégote quelques bonnes branches de bois sec. En quelques minutes, un beau feu crépite. Avec la tequila qui circule dans nos veines, nous dansons en tournoyant au rythme des flammes. Jack attise le feu en y ajoutant tout le bois qui reste. Le Belge et Suzie s'éloignent, cherchant sans doute un peu d'intimité. Notre délire culmine au moment où les flammes atteignent deux mètres et que nous sautons par-dessus avant de nous rouler dans le sable.

Je sens un chatouillement aux mollets, je m'éveille lentement. Une vague vient me mouiller les jambes. Je suis complètement réveillé maintenant. Aïe ! Ma tête, j'ai la gueule de bois. Qu'est-ce que je fais ici au beau milieu de la plage ?... J'arrive pas à me souvenir comment ça c'est terminé hier. Il y a déjà du monde qui déambule sur le sable. Plusieurs ne portent rien du tout, la pratique du nudisme est courante ici. J'ai toujours mon short et ma chemise fripée de la veille. Je sens mon âme mise à nu par le regard des passants qui déambulent à poil sans honte. Après m'être débarrassé du sable humide qui me colle de partout, je dirige mes pas chez mon ami l'Américain qui tient le restaurant végétarien.

— Eh Max, t'as dormi sur la corde à linge ou quoi ? qu'il me demande aussitôt.

— Ouais, que je réponds en enlevant ma chemise.

Une bonne salade de fruits et un jus d'orange vont me remettre sur pied. Pendant qu'il me prépare tout ça, je monte vers mon hamac. J'entends les Canadiens qui ronflent. Je prends du fric dans ma cache sous un rocher. J'en profite pour changer de chemise et faire un brin de toilette. Je constate que ça ne va pas trop mal, que mon bronzage accentue le blanc de mes yeux. Pas si mal pour un gars qui a passé la nuit sur la corde à linge.

En moins de deux, je suis de retour au moment où l'Américain m'apporte mon petit déjeuner. Deux ou trois tables sont occupées. Je m'assois et savoure tranquillement les fruits frais. Ce plaisir divin contraste singulièrement avec les excès de la veille. J'écoute le couple discuter à la table d'à côté, non pas par indiscrétion, mais parce que j'ai rien d'autre à faire. Ces gens parlent français, assurément des Suisses. Laurent s'amène, une tasse de café fumant à la main. Il s'assied à ma table.

— Putain, on a rigolé hier, dit-il. Toi et les deux autres vous aviez l'air d'une bande d'hommes de Cro-Magnon autour du feu.

— Je suis certain que t'en aurais fait autant si n'y avait pas eu la belle Suzie dans les parages.

Il lève les yeux et me fait un sourire qui dit tout.

— Je pensais bien aller nager mais les vagues sont trop fortes, que j'ajoute. Les courants sont dangereux.

— Profites-en pour relaxer un peu. Le cadre est magnifique. Qu'est-ce que tu veux de plus ?

— Rien, je ne sais pas. Ça manque de piquant. J'ai besoin de quelque chose qui me sorte de l'ennui des journées à la plage.

— Les journées sont remplies de petites choses qui font que la vie est agréable. Et ici c'est fantastique, il fait toujours beau. Y en a beaucoup qui donneraient cher pour être à ta place.

— Oui, c'est vrai. À force d'être ici on oublie que là-haut, au nord, c'est l'hiver et que ça prend des antidépresseurs pour passer au travers.

— On se fait une partie d'échecs ? propose-t-il.

— Pourquoi pas.

Autour de nous la plupart des gens ont terminé leur petit déjeuner et sont partis à la plage. James est dans la cuisine en train de fumer un joint. Son rush est terminé. Nous sommes dans l'accalmie de fin de matinée. Nous n'avons rien d'autre à faire que remettre ça pour une autre partie. Pendant qu'on place les pièces, un attroupement se forme sur la plage. Les gens regardent au large.

— Regarde mon vieux, y a quelque chose qui se passe, dis-je à Laurent.

Je vois une tête et des bras s'agiter derrière les vagues. Le pauvre bougre a dû être aspiré par un courant comme cela m'est arrivé l'autre matin. Nous courons rejoindre les autres. Comme les vagues sont hautes et puissantes, personne n'ose s'élancer à la rescousse du malheureux qui ne cesse de se débattre sous l'emprise de la panique. Il disparaît sous l'eau. On se regarde, ébahis. Les secondes qui passent deviennent lourdes de conséquences. On scrute l'horizon, rien, c'en est fait du pauvre. Non, il refait surface à la même distance toujours en agitant les bras comme un déchaîné. Un jeune à la coupe militaire s'est élancé dans les vagues dans un vain effort d'atteindre l'autre qui a sombré à nouveau pour ne plus réapparaître. Le jeune intrépide se retrouve dans la même situation que le malheureux, retenu derrière les vagues par le courant. Grâce à son sang-froid, le nageur ne cède pas à la panique et réussit à attraper une vague qui le projette vers la rive. La vague suivante ramène le corps du premier qui flotte, face à l'eau, les bras inertes de chaque côté de la tête. La fille devant moi se retourne, bouleversée. À ma grande surprise, elle se blottit sur ma poitrine ; mes bras l'enlacent spontanément pour la réconforter. C'est sans doute la plus belle femme que j'ai rencontrée dans les parages. Une Noire au corps élancé et aux courbes bien proportionnées. Je suis subjugué par cette beauté entre mes bras. Pendant ce temps, des témoins ont traîné le corps tout près de nous. Le Suisse de ce matin se dit médecin et entreprend de réanimer le jeune homme par le bouche-à-bouche. Après quelques minutes à pomper la victime, sa femme prend le relais et ainsi de suite pendant de longues minutes. Les extrémités du corps commencent à prendre de drôles de couleurs. Les efforts des Suisses sont louables, ils ont tout essayé mais, peine perdue, le gars est mort. Un Mexicain un peu bedonnant, dans la trentaine tout au plus. Son cousin qui l'accompagnait est sous le choc, les deux mains sur le visage, comprenant l'irréversible réalité. La fille, la tête appuyée sur mon épaule, s'est calmée. Elle s'excuse en me souriant poliment. Elle a un beau sourire et le regard pétillant de la jeunesse.

— Adios, dit-elle simplement.

— Adios, que je réussis à articuler.

Elle s'éloigne en accentuant inconsciemment son déhanchement de femme qui cherche à séduire.

Laurent s'amène.

— Ah putain. T'as vu ça. C'est la première fois que je vois un gars mourir en direct. C'est impressionnant.

— Ça nous montre qu'on n'est pas éternel, il suffit d'un rien et c'est fini, dis-je en essayant de philosopher.

— Eh, en passant, qui c'était cette superbe déesse avec toi ?

— Je n'en ai aucune idée, je devais être au bon endroit au mauvais moment.

— C'est incroyable, ajoute-t-il, incrédule.

— Quoi ? Le mort ou la fille ?

— Le drame auquel nous venons d'assister, putain ! La fille, c'est comme si elle était sortie de l'obscurité de ce tableau.

Laurent s'approche des Suisses qui expliquent en anglais à l'attroupement d'étrangers qui s'est formé autour d'eux et du cadavre qu'ils ont tout essayé pour le ranimer. Le calme qu'ils affichent ainsi que le jargon médical qu'ils utilisent ne laissent planer aucun doute sur la profession qu'ils exercent dans leur pays. Je les imagine les deux en vêtements blancs dans une salle d'hôpital aseptisée à discuter d'un cas terrible comme si c'était une banalité.

Dégoûté, je m'éloigne du petit groupe formé par la tragédie. Je sens une espèce de vague à l'âme, peut-être qu'une petite sieste me fera du bien. J'achète en passant une cruche d'eau et des bananes et je me traîne les pieds jusqu'à mon bivouac. Les autres sont partis, tant mieux. Je m'allonge dans le hamac et me laisse envelopper par la sensation de flottement dans la brise tiède. Le son des vagues est comme une musique apaisante. Je pense au gars mort. Ce matin, il s'est levé comme tout le monde. Il a vaqué à ses occupations habituelles, en toute insouciance, totalement inconscient qu'il vivait le dernier jour de son existence. Peut-être avait-il un pressentiment ou encore avait-il fait un rêve prémonitoire la nuit précédente. Il est trop tard pour le lui demander. Je change de position dans les mailles du hamac. Le sommeil ne vient pas aussi facilement que je l'aurais cru. Et cette fille, d'où sort-elle ? Je ne l'avais jamais vue avant. Tandis que je pense à ce corps magnifique tout contre le mien, je bande. J'imagine cette belle Noire jouir de mon sexe en elle. Je prends ses seins entre mes mains, je les lèche, ses mamelons durcissent et elle commence à gémir. J'en suis à me masturber sans retenue avec cette femme emprisonnée dans mon fantasme. J'émets un râle au moment ou j'éjacule, avant de sombrer dans le sommeil du juste.

Je me réveille à la toute fin de l'après-midi, peu avant le coucher du soleil. Avant d'aller manger des pâtes chez l'Italien, je fais ma toilette, me rase et choisis ma plus belle chemise noire et blanche. C'est la seule encore propre, gardée pour une grande occasion ; semble-t-il que se soit ce soir. Le collier de coquillages blancs que je porte accuse mon bronzage et se marie bien avec ma chemise. Je me sens détendu. Il fait nuit lorsque je me retrouve sur le sentier qui mène au restaurant. Les sept tables sont occupées, ce qu'on appelle une affluence, ici. Laurent me fait signe depuis une petite table en retrait sur le sable. Il est seul et vient vraisemblablement d'arriver. Il y a une pleine bouteille de vin rouge ouverte devant lui. Au passage je me prends un verre au comptoir. Je vois bien que Mario est dans le jus. Le

Belge est heureux de me voir arriver, il n'avait certainement pas envie de rester seul.

— Eh Max, mon pote, t'es habillé pour veiller tard, dit-il.

— Ouais et j'ai la pêche en plus. Tu permets ?...

Je prends le rouge et remplis mon verre.

— Santé, mon ami.

— Santé.

On boit. Laurent prend une cigarette. Je regarde autour les gens attablés. Que des étrangers. Nos amis de la veille, les Allemands, sont assis plus loin. Brigitte m'envoie la main. Je lui réponds d'un geste en prenant garde que ça ait l'air d'une invitation.

— T'as envie de sortir ? que je demande à mon pote.

— Bien sûr. Comme je n'ai pas de nouvelles de Suzie, je ne veux pas me retrouver le bec à l'eau.

— Tu vas sans doute la rencontrer, de toute façon, il n'y a qu'un seul endroit où aller.

— Je ne suis pas certain qu'elle me saute au cou.

— Quoi... vous n'avez pas terminé la nuit ensemble hier ?

— Oui, mais je crois que je me suis échappé un peu vite à son goût. C'était la première fois, je me suis excité trop rapidement, me raconte-t-il, embarrassé.

— C'est vrai que de ne pas être à la hauteur la première fois, souvent ça ne pardonne pas, que j'approuve.

Laurent remplit nos verres et se prend une autre clope. Je demande deux spaghettis bolognaise à Mario lorsqu'il passe en coup de vent.

— Qu'est-ce qui te dis que j'ai envie de bolognaise ?

— C'est qu'ils sont très bons ici et ils iront parfaitement avec ce vin. Je ne voulais pas non plus qu'on soit servis après tout le monde. Je commence déjà à avoir les fourmis dans les jambes.

— C'est parfait, tu m'as convaincu sur toute la ligne.

— Eh ! Comment ça va ? dit une voix aiguë de la table d'à côté.

Je reconnais la jolie tête blonde au visage rougi. C'est Tracy, la femme de Mike, les Anglais avec lesquels j'ai partagé un taxi l'autre jour, hier peut-être, je m'en fous. Ils sont très emballés par leur voyage, tout les enchante. Ils ont rencontré leur bande d'amis anglais et logent à présent avec eux à l'autre bout de la plage. Tracy me dit que si j'allais au bar ce soir, je rencontrerais certainement ses amis qui sont super sympas.

Nous acceptons l'invitation. Nos assiettes fumantes arrivent au même moment. Nous mangeons tout en discutant des événements tragiques de la journée. Les Anglais ont entendu parler de la noyade, mais ne savent rien de plus. Laurent et moi leur confirmons la nouvelle et leur relatons notre version avec détails. Malgré le sujet vraiment triste, le reste du dîner se déroule sur un ton bon enfant et une note de légèreté. Mike est un pince-sans-rire, son flegme fait honneur à ses origines anglaises. Pour couronner le tout, il prend notre addition. Pour ne pas être en reste, nous leur offrirons une tournée plus tard au bar.

Nous marchons sur la plage et nous nous dirigeons vers le halo lumineux où se trouve la boîte. La lune n'est pas encore levée et il fait très sombre. Seul le scintillement des étoiles nous offre un faible éclairage tandis que nous avançons côte à côte en rigolant, un peu éméchés par le vin, en direction des lumières du bar. Du coup, Tracy trébuche sur quelque chose et se retrouve au sol. Nous nous tournons simultanément dans sa direction et volons à son aide. Au moment où je me penche pour aider la jeune femme, j'aperçois la masse sombre sur laquelle elle a trébuché : le noyé. Un frisson glacial me traverse l'échine. À peine quelques secondes plus tard, revenue de la surprise de sa chute, Tracy comprend ce qui vient de se passer et pousse un long cri aigu. C'est l'horreur. Un militaire titubant, qui s'était éloigné pour uriner, s'approche en reboutonnant son pantalon. Je crois comprendre qu'il nous explique de ne pas traîner dans les parages parce que cette situation relève des autorités. Le soldat doit veiller le mort pour éviter que les chiens errants ne viennent le dévorer. On s'éloigne de la scène en aidant Tracy qui vacille sur ses jambes. La plage étant loin des zones urbaines, les autorités n'ont pas eu le temps de récupérer le cadavre. Je dois me souvenir de faire gaffe en revenant cette nuit.

Nous arrivons à la disco, émergeant de l'obscurité de la plage. C'est comme si on sortait du désert pour entrer dans une oasis de plaisir. Le rythme de la musique brésilienne du célèbre chanteur de Talking Heads couvre le silence et l'obscurité telle une bouée qui nous aurait été lancée au moment opportun. Quatre ou cinq danseurs bougent, isolés, au centre du grand carré de sable qui constitue la piste de danse. Les gens arrivent peu à peu de tous les côtés. Tracy, lorsqu'elle les voit, court rejoindre ceux qui doivent être ses amis. Je la vois parler à un gars et une fille en gesticulant. Elle dit quelque chose à mon sujet parce que les autres tournent les yeux dans ma direction. Le gars bien baraqué s'approche et dit :

— Tu parles français ? Moi, c'est Sébastien, je suis québécois, déclare-t-il en me tendant la main.

— Moi c'est Max, que je réponds en lui serrant la main à mon tour.

— C'est vrai, cette histoire de mort sur la plage ? demande-t-il, incrédule.

— Oui, on l'a vu se noyer ce matin, c'était une scène horrible. Tracy vient d'ailleurs de trébucher sur le corps. Faites attention si vous allez par là, il est difficile à voir. Ça fait longtemps que t'es ici ? que je demande, après une pause.

— Un mois, je vis du côté est de la plage.

— C'est pour ça qu'on ne s'était pas vus, nous on est du côté ouest, à l'autre bout. Vous êtes plusieurs ?

— Au début, j'étais seul au Cabañas Del Sol. Puis est arrivé une bande d'Anglais un peu fous. Tu vois la petite qui parle à Tracy. C'est la plus timbrée, elle s'appelle Pétra. C'est ma petite amie depuis quelques semaines. Et là-bas la fille aux gros nichons qui parle au gringalet blond, c'est Suzie.

— Oui je sais, je l'ai rencontrée hier ; et l'autre, c'est Laurent, un Belge.

Pétra s'approche, petit bout de femme énergique au corps athlétique. Elle a un nez en trompette et un regard éveillé d'un bleu intense.

— C'est toi, Max ? Moi, c'est Pétra, dit-elle en français avec un accent du midi.

— Je croyais que tu étais anglaise.

— Bien sûr que je suis anglaise, mais j'ai vécu quelques années en France, à Sète.

— Ouais, elle avait un boy-friend là-bas qui lui a appris la langue, ronchonne Sébastien.

— Eh ! Oh ! Qu'est-ce que c'est que cette crise de jalousie ? Va plutôt nous chercher à boire putaing ! ordonne Pétra.

Sébastien, excédé, lève les yeux au ciel et s'en va au bar non par soumission, mais par gentillesse. C'est un grand baraqué qui ne ferait pas de mal à une mouche. Pétra me transperce d'un regard qui semble lire jusque dans mon âme. J'espère qu'elle aime ce qu'elle voit. Au son de la musique, elle se met à sautiller devant moi de façon saccadée, exécutant des mouvements d'une danse tout à fait incongrue, voire burlesque. Elle se met à faire tourner son espèce de petit chapeau melon d'une main à l'autre puis le lance derrière et, d'un coup de talon, le ramène sur sa tête. C'est étonnant la maîtrise de son geste. Je reste ébahi quelques secondes avant d'éclater de rire. Pétra est de toute évidence un personnage coloré. Suzie et Laurent se sont approchés et assistent au spectacle improvisé de la petite Anglaise. Le Belge a retrouvé Suzie et, du même coup, le sourire. Je sors du cercle de personnes qui s'est formé autour de nous. Je m'approche du bar où quelques clients sirotent des boissons exotiques. Je prends place devant le seul espace libre le long du comptoir. Je regarde vers ma gauche et tombe sur les yeux de cette superbe femme que j'ai si bien réconfortée lors du malheureux événement de la matinée. Elle m'observe, me sourit, encore plus resplendissante dans ce chemisier noir qui ne réussit pas à dissimuler ses formes harmonieuses. Elle porte un pantalon très ajusté. Le gars qui essayait de lui parler se tourne vers moi.

— Désolé, je ne savais pas que vous étiez ensemble. Vous avez de la chance. Elle est magnifique, me dit-il en anglais avant de s'esquiver.

Je me retrouve seul avec cette belle déesse, et tout autour devient flou.

— C'est drôle, mais j'ai l'impression qu'on s'est déjà vus… Je plaisante… ça va mieux ? que je demande en anglais.

— Oui et heureusement que tu étais là. J'allais m'écrouler sur place, me répond-elle candidement avec un accent espagnol.

— Tu es mexicaine ?

— Oui, de Mexico, mais mes parents viennent du Nicaragua. Je m'appelle Isabella, et toi ?

— Max. Je suis canadien.

Le barman se pointe.

— Tu bois quelque chose, Isabella ?

— Merci. Une margarita légère.

J'indique que j'en veux deux au gars qui s'exécute.

— Ta chemise est très belle, et de la même couleur que mon ensemble. On se complète, c'est mignon, dit-elle en rigolant.

— Ça n'a rien d'une coïncidence. C'est un signe qu'on est faits l'un pour l'autre.

Je lui prends la main galamment.

Son rire est spontané, mais d'une timidité feinte. Elle retire sa main de la mienne puis effleure mon épaule de ses doigts. Nos margaritas arrivent dans deux grandes coupes.

Nous nous portons un toast en nous regardant droit dans les yeux. À présent, il n'y a pas de doute, le courant passe entre nous. Il commence à y avoir plus de monde autour du comptoir et la chaleur monte de quelques degrés. Je dis à l'oreille d'Isabella :

— Allons boire sur la plage. On sera mieux.

Isabella se lève et prend les devants. Je la suis en tenant nos margaritas. Je ne peux éviter de regarder le léger string noir qui ondule sous le pantalon blanc diaphane. Je jette un dernier coup d'œil à l'arrière pour croiser les regards ébahis de Sébastien et de Pétra. La jeune femme se dirige vers les cocotiers, moi à ses trousses, ne pouvant pas croire ce qui se passe. Il n'y a plus personne dans les parages, nous nous retrouvons seuls. Quelques complices de la belle sortiront-ils de l'ombre pour me détrousser ? Isabella s'est retournée vers moi, et je peux discerner son sourire qui luit dans l'obscurité. Elle prend son verre, boit ce qui reste et le balance derrière elle. Je fais de même parce que je sens que j'en ai besoin aussi. Il est temps que je prenne une initiative. Elle fait un pas de plus vers moi, je mets mes mains sur ses hanches.

— Tu es tellement belle Isabella.

Je l'embrasse suavement en passant tout doucement le bout de mes doigts sur la cambrure de son dos. Je sens les pointes de ses seins durcir. Nous roulons aussitôt sur le sable, brûlants de désir. Des deux mains, elle descend la fermeture éclair de mon pantalon, et mon pénis en jaillit. Elle s'excite en en palpant la dureté. Elle s'allonge, je retire son pantalon. Je commence tout doucement à mouvoir mon sexe gonflé sur le sien, qui se lubrifie. Lentement, je gagne du terrain dans l'étroit passage. Isabella m'encourage à augmenter la cadence en m'empoignant par-derrière. Quand je la sens frissonner de plaisir, je me retire et j'éjacule sur le sable. Tout a été si subi. Nous nous rhabillons aussitôt. Étant donné la proximité de la boîte, on pourrait être surpris par d'autres couples prêts à succomber à l'exotisme du lieu. On s'éloigne main dans la main en respirant la brise marine. Un gros quartier de lune s'est tout juste levé derrière les montagnes, projetant de longues ombres sur la plage. Nous marchons sur le rivage, nos pieds caressés par la mer. Je suis surpris de me sentir si bien avec quelqu'un que je connais à peine. Après avoir posé nos vêtements sur le sable à l'abri de l'eau, on court dans le remous des puissantes vagues qui viennent s'échouer sur la plage. Le courant nous fait tourbillonner. Enlacés, on se laisse flotter jusqu'au bord, puis on s'embrasse à nouveau, allongés sur le sable aplani par le passage incessant de l'eau. Nous faisons l'amour, cette fois de façon plus voluptueuse. On se sent vraiment bien ensemble. Étrange, notre rencontre, comme si on avait irrésistiblement été attirés l'un vers l'autre. Ce matin, avant même qu'on se soit dit quoi que ce soit, Isabella se blottissait contre moi. Les êtres qui se rencontrent la première fois et qui tombent amoureux croient que c'est la beauté de l'autre, le charisme ou toute autre raison logique qui entrent en jeu, mais en fait les dés sont pipés, l'attirance des partenaires s'effectue à un niveau plus secret et mystérieux.

— Te quiero Max !

— Te quiero Isabella !

Après un moment de détente à regarder les étoiles filantes, nous remettons nos vêtements pour nous protéger de la fraîcheur de la nuit. Je raccompagne ma belle panthère noire où elle loge, à mi-chemin entre la boîte de nuit et ma paillotte. Sur l'insistance d'Isabella, je m'allonge dans le hamac avec elle. On se moule un à l'autre avant de se couvrir d'un drap. Assouvis, nous glissons dans le sommeil en peu de temps.

Je me réveille au chant du coq peu après l'aube. Ce n'était pas un rêve, la belle Mexicaine est blottie contre moi. Son visage aux traits symétriques est détendu par un profond sommeil. Sa beauté resplendit dans la lumière du matin. Je descends du hamac tout doucement pour ne pas la réveiller. Je pars avant qu'elle ne se réveille et qu'elle ne tombe sur ma gueule engourdie aux paupières gonflées. Je vais terminer ma nuit de sommeil chez moi. Ainsi, je vais pouvoir me présenter à elle plus tard, frais et dispo.

Tout au long du chemin, je ressens intensément le bonheur d'avoir rencontré cette fille sublime. Je me dis pourquoi moi ? Pourtant je dois le reconnaître, j'ai une belle gueule, les cheveux châtains aux mèches blondies par le sel et le soleil. Peut-être ne suis-je pour elle qu'une conquête de plus, et que, sitôt levée elle m'aura oublié. Ou peut-être qu'au contraire elle se languira de me voir revenir.

C'est avec toutes sortes de pensées au sujet d'Isabella que je me tourne et me retourne dans mon hamac pour trouver le sommeil. À mon réveil au milieu de la matinée, j'aperçois Jack et Dave assis sur le banc, à l'ombre, se délecter de papayes et de bananes. Je me joins à eux en pleine forme.

— T'as l'air d'avoir la pêche. T'es rentré tôt ce matin, où t'as passé la nuit ? me lance Jack.

— J'étais à la disco.

— Et après ! Allez raconte ! insiste Dave.

— J'ai rencontré une fille, une Noire, magnifique.

— Quoi, pas cette fille au bikini blanc ?! dit Jack en bondissant.

— Oui, c'est ça.

— C'est une fille de rêve ! C'est pas croyable, t'as couché avec elle ? demande Dave sans y croire.

— Je peux vous dire qu'on a passé une belle nuit romantique.

— Putain, il l'a baisée..., marmonne Jack.

Les gars rigolent un peu, ils me regardent, admiratifs. Je suis devenu à leurs yeux le grand séducteur, moi qui avais été plutôt calme de ce côté au cours des dernières semaines. Nous dégustons les fruits dans le calme de la matinée. Le silence qui s'ensuit nous fait comprendre à quel point tout va changer maintenant.

— Demain nous partons, Dave et moi, pour le Guatemala, dit Jack. J'imagine que tu vas rester ?

Ce n'est pas le temps de lever les voiles, juste au moment où le vent commence à souffler pour moi. Ça fait plus d'un mois que je traîne avec eux et ça me fera du bien de me retrouver seul un peu.

— Oui, je reste.

Je me lève, m'étire le corps. Ça craque un peu. Je prends ma serviette et la savonnette et m'en vais à la douche. L'eau qui s'écoule du pommeau est fraîche et vivifiante. Je lâche la corde reliée à une poignée de frein de bicyclette et le jet s'arrête. Je me savonne tout le corps. Comme je n'ai pas de shampoing, je me sers de la savonnette pour les cheveux. C'est plus long à faire mousser mais le résultat est excellent. C'est tout revigoré que je reviens m'habiller. Il n'y a personne. Les deux autres doivent être partis à la plage. Je me souviens que je n'ai plus de vêtements propres en voyant le tas au pied d'une poutre. Je n'ai pas le choix, je dois faire la lessive. Je prends deux chemises à motifs de couleurs vives, deux shorts. Je mets le tout dans un seau en y ajoutant du savon emprunté à Dave. Je vais au puits pour y mettre de l'eau. Ensuite, je mélange bien les vêtements, l'eau et le savon. À côté du puits est posée une espèce de cuvette de béton au fond bosselé. Ça s'appelle un lavadero. C'est là qu'à l'aide d'une brosse, je nettoie mes affaires. Après je rince amplement avec l'eau du puits. J'essore chaque morceau et les étends sur les fils de nylon à cet effet. Ça n'a pas pris plus de vingt minutes et, à cette heure du jour, il ne faut pas plus de trente minutes pour sécher. Le temps de passer un coup de balai sous mon toit de paille pour ramasser les objets et les déchets qui traînent un peu partout. À mesure que tout rentre dans l'ordre, mes pensées s'éclairent. Je trouve un flacon de crème solaire que j'avais perdu. Un truc à la carotte à l'odeur de coco. Je m'en enduis tout le corps sauf un certain triangle au milieu du dos, la partie inatteignable sans l'aide d'autrui. Je me demande comment ça va se passer lorsque je reverrai Isabella. L'euphorie de la première soirée est passée, nos rapports risquent peut-être d'être plus distants. Je récupère mes vêtements. J'enfile une de ces chemises de plage aux couleurs vives et un short. Sous ces latitudes, je ne mets jamais de caleçon, c'est trop chaud et inconfortable. Je me regarde dans le miroir fixé au poteau. L'image qui m'est projetée est celle d'un visage hâlé, bien proportionné. Le front est généreux, le regard vert pénétrant, les pommettes saillantes, le nez fort, la bouche, belle et charnue, esquisse un demi-sourire fier. Le col de la chemise est ouvert sur mon collier de coquillages blancs. Je mets mes lunettes de soleil. J'y vais maintenant, je n'en peux plus d'être dans l'expectative de revoir cette femme. Je descends de ma butte au galop, profitant de la pente. Je vois au passage quelques têtes connues au resto végétarien mais je continue mon chemin. J'ai autre chose à faire que des mondanités. C'est d'un pas déterminé que je parcours les quelques centaines de mètres sur le sentier menant à l'endroit où loge ma belle. Sous la palapa, il n'y a personne à part un touriste allemand qui boit une bière en lisant. Je regarde du côté des hamacs, ils sont inoccupés sauf celui d'Isabella. Je vois sa chevelure bouclée, noire, dépasser des mailles du hamac.

— Hola Isabella, que je dis en approchant.

Cependant mon cœur fait une pause lorsque je remarque une jambe poilue qui dépasse à côté d'elle. Le visage d'un gars avec un bandeau sur la tête et une moustache apparaît.

— Un moment, me dit-il.

Il parle tout doucement à Isabella en se collant sur elle. Je sens la chaleur me monter au visage et la honte envahir mon cœur. Qu'est-ce que je fais ici ? Qu'est-ce que ce pirate fait là dans les bras de ma belle ? Comment ai-je pu être aussi naïf de m'amouracher ainsi d'une fille pareille ? Je suis là, planté à trois mètres en train de passer du blanc au rouge. Isabella daigne tourner la tête pour me faire face.

— Bonjour, dit-elle, tu dois être Max, ma sœur est à la plage.

C'est comme si je manquais d'air et qu'au moment d'étouffer quelqu'un ouvrait une valve d'oxygène. Mon expression doit se détendre puisqu'elle me dit en souriant :

— Moi, c'est Martha.

— Et moi, Antonio, ajoute l'autre.

Martha ressemble beaucoup à Isabella, elles ont presque le même visage. Mais tout est plus petit chez elle : ses seins, ses jambes, son corps. Elle est plus délicate et elle semble moins sensuelle que sa sœur.

— Enchanté, que je réponds après une hésitation.

Pour faire bonne figure j'ajoute :

— Vous voulez une bière ?

— Là tu parles un langage que j'aime bien, amigo, dit Antonio le pirate, avec un sourire qui laisse briller une dent en or.

Je me rends au comptoir désert et prends deux bières dans le frigo. J'inscris dans le cahier ouvert sous les autres noms : Max / / cervezas. J'emploie des petites lignes verticales au lieu de chiffres, c'est plus facile car, si je me sers encore, je n'ai qu'à rajouter des traits. Je leur rapporte les bières en leur disant que je vais voir Isabella. Je laisse mes sandales sur place pour pouvoir sentir le massage du sable chaud sur la plante de mes pieds. Je ne suis pas long à la trouver, elle est allongée sur une couverture mexicaine à l'ombre d'un parasol de feuilles. Elle porte son magnifique bikini blanc. J'imagine que le maillot en lui-même n'a rien d'extraordinaire, c'est celle qui le porte qui lui donne toute sa forme. En m'apercevant, elle bondit littéralement en manifestant sa joie. Elle court me rejoindre, m'enlace de ses longs bras. Je mets mes mains sur ses hanches. On se regarde en souriant un instant avant de s'embrasser. Quel accueil, je suis aux anges et n'aurais pas pu souhaiter meilleur scénario.

— Je me suis demandé si tu allais revenir, dit-elle d'une voix attendrissante.

— Je me suis dépêché de finir quelques tâches pour ne pas te faire attendre.

En fait, je constate qu'elle vivait les mêmes inquiétudes que moi à l'égard de la nature de nos sentiments l'un pour l'autre. Nous nous mettons à l'ombre sur la couverture. Isabella met son appareil de musique à piles en marche. Une mélodie douce, accompagnée d'une guitare lancinante. Ça me prend quelques secondes pour reconnaître le son particulier de la guitare de Carlos Santana. La black magic women de la chanson se confond avec Isabella, magnifique. J'ai l'impression de fondre à mesure que s'écoule cette musique. Elle me sourit et cet instant me semble infini. Beaucoup de gens se demandent pourquoi la vie est si belle, c'est parce que la vie est la seule chose qu'on ait, la seule chose qu'on possède. Parce qu'elle est partout jusqu'au jour où elle nous échappe comme une plume qui nous glisse entre les doigts au moment où l'on croit pouvoir encore l'attraper. Peut-être que j'atteindrai mon plein potentiel humain à l'instant même où je rendrai mon dernier souffle. Ce qui est certain, c'est que ma vie n'aura pas été vaine. Pour l'instant, le regard intense d'Isabella est rivé dans mon âme. Elle me sourit et j'ai l'impression qu'elle comprend tout ce que je ressens. Je vis ces moments intensément, sachant qu'il serait futile d'en parler puisque tout pourrait s'évaporer à trop vouloir posséder.

Le taxi s'éloigne, me laissant seul et perdu dans un nuage de poussière. Isabella sort la tête et me regarde rétrécir et ratatiner sur moi-même. Elle m'envoie son dernier sourire, le genre de sourire ravageur qu'elle a tout le temps pour moi. Nous avons vécu ensemble deux semaines de bonheur. Les vacances sont terminées pour ma sirène exotique, qui doit retourner travailler pour son agence de casting dans la grande ville de Mexico.

Tout a changé depuis qu'Isabella est partie. Il est difficile pour moi de retrouver ma routine qui n'en était pas vraiment une. Mes amis canadiens ont continué leur périple vers le sud, vers l'inconnu et l'imprévisible. Les après-midi, quand l'air est saturé de la chaleur solaire et que la brise marine se fait timide, je me prélasse dans mon hamac à l'ombre de ma paillote. Parfois, je fume des joints en compagnie de Laurent le Belge, la plupart du temps les pièces de l'échiquier prennent position avec lenteur en harmonie avec ces journées qui s'éternisent. La récompense céleste pour avoir fait preuve de tant de patience se manifeste par des couchers de soleil qui nous éblouissent de leur magnificence.

Depuis quelques jours, en bonne partie par ennui, je passe mes journées au repère des Anglais à l'autre bout de la plage. La bande est constituée de Mike et Tracy, le couple avec lequel j'avais partagé le taxi, et de Rupert, un gay aux allures d'aristocrate toujours habillé avec goût et sentant l'eau de Cologne de qualité. Ses manières et sa façon de s'exprimer laissent penser qu'il est issu d'une famille bourgeoise et qu'il a fréquenté les meilleures écoles. Il y a aussi la plantureuse Suzie (l'ex du Belge), longs cheveux noirs, yeux d'un bleu ciel clair et paire de miches qui doit nuire à son centre de gravité. Sébastien le Québécois, seul non Anglais du groupe, forme un couple avec Pétra qui, de par sa personnalité flamboyante et charismatique, est le chef incontesté de la bande. Sébastien est très heureux de ma présence parmi eux. Il doit être ennuyé de toujours communiquer dans la langue de Shakespeare, qu'il ne maîtrise pas.

Ici, le programme est le même : flemmarder dans les hamacs en attendant la brise de fin de journée, boire des bières fraîches et déconner pour meubler l'absence totale de contraintes. Avoir des responsabilités, c'est contraignant, ne pas en avoir, c'est monotone. Cela dit, Pétra et Sébastien sont très actifs. En plein soleil sur la plage, ils pratiquent des mouvements de gymnastique et d'équilibre. Pétra, telle une gymnaste olympique, s'élance en effectuant des pirouettes pour terminer sa course, le corps arqué et les bras pointant vers le ciel, juchée sur les paumes de Sébastien qui est tendu comme une statue grecque. Il émane de Pétra une telle intensité que j'en ai des frissons. Tout ce qui sort de ce petit bout de femme est intense. Son corps est petit, compact et extrêmement ferme je suppose, débordant d'énergie. Je me dis en l'observant que cette femme a eu, a et aura tout ce qu'elle veut de la vie. Elle s'est mise dans la tête de faire de moi un saltimbanque. Terminé pour moi les siestes dans le hamac, et le désœuvrement des chaudes journées. Avec l'aide du Québécois, elle me fait faire toutes sortes de cabrioles et de pirouettes. Tant que le mouvement n'est pas réussi, elle me fait recommencer inlassablement. Mon corps sue toutes les toxines que j'ai ingérées récemment.

— Putain Pétra, j'en ai marre, il fait chaud.

— Arrête de te plaindre, c'est dur parce que c'est le début, tu te sentiras mieux après. Regarde Sébastien comment il est beau. Tu vois son corps d'Apollon, eh bien dis-toi qu'il ne l'a pas bâti en flemmardant comme les autres là-bas.

— Sébastien n'a pas bâti son corps en s'exténuant sur la plage, que je rétorque, ça fait des années qu'il travaille dans la construction au Canada. Pas vrai, Seb ?

— Ben ouais ! répond-il en se retournant vers son inflexible entraîneur.

— Mais là, Max, on est ici et maintenant et tu vas pas nous lâcher. Tiens, pour te reposer, prends les citrons et exerce-toi à jongler, moi je continue avec Sébastien.

J'ai le choix, prendre les citrons et m'exécuter ou encore rejoindre les autres occupés à ne rien faire. Malgré l'envie que j'ai d'aller les retrouver, j'obéis à Pétra. Je me sens beaucoup plus d'affinités avec ces deux-là qu'avec le reste de la bande, pas seulement grâce au français qui aide grandement à nos échanges, mais parce que je sens qu'une complicité s'est établie lors de notre premier contact à la disco il y a plus d'un mois. J'ai l'impression que ça fait une éternité, hors du quotidien c'est fou comme le temps se dilate, me dis-je en essayant de garder ma concentration sur les fruits qui tournoient devant mes yeux.

— Max, qu'est-ce que tu fais ? C'est pas comme ça que je t'ai montré à jongler. T'as l'air ailleurs, concentre-toi, s'écrie Pétra, avec fermeté.

Dans le regard de Sébastien, je peux lire toute l'empathie dont il fait preuve à l'égard de mon air hébété. Il sait comme moi que Pétra est rigoureuse avec les autres comme avec elle-même. Je reprends mes citrons et m'efforce de faire de mon mieux. Après quelques ratés, les citrons virevoltent au-dessus de ma tête dans un mouvement fluide. J'y vais même de quelques figures pour varier : deux citrons en haut, un en bas et ainsi de suite. Entre deux cabrioles, Pétra me montre comment passer un fruit sous la jambe pendant que les autres sont dans les airs. Elle le fait avec une telle aisance que ça semble facile. À force d'essayer, j'y parviens. Après tous ces exercices, je me lance à la mer pour rafraîchir mon corps. Les deux autres me rejoignent comme si j'avais donné le signal de départ. En cette fin d'après-midi, nous nageons dans l'eau bienfaisante. Les prémices du crépuscule ajoutent bientôt à la magie du moment. C'est sublime.

CHAPITRE 4

Je me sens seul à l'autre bout de la plage, chez Gloria où j'habite actuellement, surtout depuis que Laurent le Belge, mon seul pote du coin, est retourné au pays de Hergé. J'ai donc décidé de déménager mes pénates dans la paillote de ma nouvelle bande qui m'accueille avec joie. Pour l'occasion, sur la proposition de Pétra, ils préparent un repas de poissons grillés sur le feu sous les étoiles. Je suis heureux, je me sens accepté par ces gens que je considère déjà comme des amis, comme ma famille. Je fais partie intégrante de cette fraternité de gens qui, à peine quelques semaines auparavant, ne se connaissaient pas et pour qui maintenant il est difficile d'imaginer se quitter un jour. C'est incroyable à quel point, dans l'univers du voyage, les liens entre inconnus se tissent spontanément. Nous sommes tous assis autour du feu et nous mangeons gaiement le poisson avec nos mains. Le bonheur est palpable, la bouteille de tequila passe d'une main à l'autre. Nous buvons à même le goulot sous ce ciel sans lune. Semblant profiter de cette absence, les étoiles percent la voûte de leur scintillement. Une longue strie bleue traverse le ciel, non pas comme une étoile filante, mais de façon suffisamment persistante pour que tout le monde la remarque. Le phénomène me paraît tout à fait exceptionnel. Je me dis, que, sous les Tropiques, ces phénomènes célestes sont amplifiés. La croyance populaire nous a enseigné à faire un vœu à la vue d'une étoile filante. Mais avec un truc si gros, que doit-on faire ? Pendant que toute la bande reste éberluée par ce qui est vraisemblablement une météorite, je croise le regard intense de Pétra rivé sur moi. Ses yeux azur me disent qu'ils cachent un souhait qui n'est pas étranger à ma personne.

Les jours se succèdent, les semaines aussi. Le temps s'est figé sur cette plage où la vie défile au rythme régulier des vagues qui se rompent sur la berge en toute insouciance du monde des hommes. Une certaine lassitude s'empare des membres du groupe, surtout durant ces interminables journées où le temps s'écoule grain par grain dans le sablier, amorti par cette lourdeur humide de l'air. Néanmoins, lors des nuits sous les étoiles à faire la fête, les heures s'écoulent comme les remous d'un torrent déchaîné.

Ce soir nous avons allumé un feu de joie, toute notre bande et plusieurs autres s'égayent autour. Je me suis assis un peu à l'écart, face à la mer, et j'en suis à penser qu'il serait peut-être temps pour moi de quitter ce lieu où la ligne entre la folie et l'équilibre est si mince que tout paraît bizarre, magique et presque irréel. Je me sens bien avec Pétra, Sébastien et les autres, mais en même temps je vois lentement mes réserves d'argent diminuer. L'idée de retourner à Puerto Loco fait son chemin dans ma tête, les occasions de faire des affaires y seront meilleures.

— Max ! Qu'est-ce que tu fais là tout seul ? me demande Pétra en s'approchant.

— Rien. Je regarde l'horizon

— Viens avec moi, je vais chercher quelques bières chez l'Américain au bout de la plage.

— Pourquoi pas.

Nos pieds nus traînent sur le sable qui garde une petite chaleur du jour. Les habitants de la plage, pour la plupart des routards à sac à dos, sont presque tous en train de prendre leur repas sous les paillotes. Nous sommes seuls à longer le rivage à cette heure où les étoiles s'illuminent une à une. Pétra me prend la main, je la regarde, un peu surpris. Nous nous arrêtons pour nous faire face, et nos visages se rapprochent en un baiser passionné suivi d'une étreinte où la pulsion prend le dessus sur la raison. Après quelques minutes à rouler dans le sable, j'interromps ce jeu en reprenant mes esprits.

— Qu'est-ce que tu fais ? Ça ne te plaît pas ? s'enquiert Pétra.

— Oui, Pétra, beaucoup, mais que fais-tu de Seb ?

— Putain, Max, tu me plais, je t'ai dans la peau. Je m'en fous, de Sébastien.

— Bien pas moi, c'est mon meilleur ami, que je me surprends à répondre.

— Il y a pas plus de quelques semaines tu ne le connaissais pas et moi non plus.

— Écoute, Pétra, tu me plais aussi, mais peut-être aurions-nous intérêt à en rester là, lui dis-je en l'aidant à se relever.

Pendant qu'on se secoue pour faire tomber le sable qui a adhéré à nos corps, je me demande comment j'ai pu résister à une telle montée de désir. Je préfère garder deux amis que risquer de tout perdre pour une passion éphémère. Les ménages à trois, ce n'est pas mon truc. Je crois bien que Pétra a compris, du moins elle n'insiste plus. Nous achetons à l'Américain une caisse de ses grosses bières d'un litre. Au retour, au lieu de nous tenir la main, nous marchons de chaque côté de la lourde caisse que nous nous concentrons à porter. Nous retrouvons devant le feu John qui joue de vieux airs rock, accompagné de Sébastien au bongo. Quelques inconnus attirés par les flammes se sont joints au groupe. Il y a même un artisan qui a étendu son tapis noir au sol pour vendre ses colliers et bracelets faits de fils de couleurs et de coquillages. Le gars a une longue chevelure blonde, un sourire et une cigarette aux lèvres. Il a étalé sur son présentoir à même le sol des pétales de fleurs entre les articles à vendre, les filles de notre bande se sont agglutinées autour, piquées par la curiosité.

— Tu as l'air de faire de bonnes affaires, lui dis-je en anglais lorsque Suzie et Tracy, tout sourire, s'éloignent avec de nouveaux colliers.

— C'est pas toujours comme ça, me répond-il toujours avec le même sourire. C'est quand j'ai la bouteille et le ventre vide que les affaires reprennent.

— Au fait, je m'appelle Max. Tu parles français, lui dis-je, affirmant plutôt que demandant, ayant reconnu son accent québécois malgré son anglais de qualité.

— Ouais ! T'as l'oreille, Max. Je suis Patrick et je suis enchanté de faire ta connaissance.

Il se lève et me fait l'accolade comme si nous étions de vieux amis. Je lui offre une bière et je le présente d'abord à Sébastien. Patrick s'avère un joyeux boute-en-train, il raconte à l'assemblée autour du feu des blagues et des histoires rocambolesques qui lui sont arrivées ces dernières semaines. Par exemple, celle du bus en route vers Puerto Loco, alors que le véhicule s'est immobilisé à la suite d'une avarie mécanique. Profitant de cet arrêt, Pat, comme on le surnomme, est sorti dans la nuit pour aller pisser et il s'est mis à observer les lucioles qui se confondaient aux étoiles. En pleine contemplation, il a entendu le bus qui repartait. Il s'est mit à crier et courir en direction du bus, mais ses cris étaient couverts par le bruit du moteur puis il a vu disparaître les feux arrière dans la nuit. La première chose à laquelle il a pensé a été son sac à dos et son contenu, son précieux matériel d'artisanat. Il a vite compris qu'il était au milieu de nulle part, à quelques centaines de kilomètres de sa destination. Il s'est alors adossé à un amandier sur le bord de la route pour attendre le prochain véhicule. Il raconte à l'auditoire captivé qu'il a commencé à entendre toutes sortes de bruits suspects dans l'obscurité. La terreur est arrivée à son comble lorsqu'il a cru voir les yeux d'une bête sauvage briller dans la nuit. Par chance, le premier véhicule qui est passé après cette interminable attente s'est arrêté. Il s'agissait d'une bande de quatre amis de Mexico qui allaient justement faire une virée à la plage de Puerto Loco. Ils ont bu de la tequila en écoutant du rock mexicain et en roulant vers le levant. C'est à moitié ivre, au jour naissant, que Patrick a eu l'agréable surprise de récupérer son sac à dos à la station de bus. L'histoire comme telle n'est pas si loufoque et passionnante, mais elle consacre aussitôt l'excellent conteur qu'est Patrick.

L'artisan s'est joint à nous, il a accroché son hamac près du mien au Cabañas Del Sol. Le jour, il se refait un stock de colliers pour les vendre au cours de la soirée. J'en profite parfois pour l'observer travailler dans l'éventualité de m'y mettre. Il m'enseigne aussi la technique qui consiste à faire des tresses dans les cheveux à l'aide de fils de couleurs et de coquillages. Le matin, quand nous n'avons pas trop la gueule de bois, nous partons à la recherche de coquillages et de coquerelles de mer, sorte d'animal marin d'un ou deux centimètres de long qui s'accroche aux rochers sous l'eau et dont la carapace, qui nous rappelle celle du tatou, sert à faire de beaux pendentifs pour les colliers. Au retour de ces expéditions matinales, nous enlevons la chair des coquerelles et nettoyons bien les coques vides pour ensuite les laisser sécher au soleil. Nous laissons macérer quelques minutes la chair de ce petit animal dans du jus de lime pour ensuite la déguster comme petit déjeuner. C'est répugnant, mais tout à fait succulent.

Depuis quelques jours, l'idée de gagner le Guatemala circule dans le groupe. À ce que l'on dit, il y a quelque part dans les montagnes de ce pays un lac aux eaux émeraude ceinturé de volcans endormis. Quelques communautés mayas bordent ses berges. Dans cette région de printemps éternel, la vie est douce et le bonheur palpable. Mes amis sont très emballés à la possibilité de visiter un tel lieu. Pétra décrète que le départ se fera le lendemain matin. Je prends la décision de ne pas continuer avec le groupe. Je dois me poser quelque part où je pourrai faire un peu d'argent pour survivre au jour le jour en attendant le vrai printemps au nord. Patrick m'a raconté qu'il faisait de bonnes affaires à Puerto Loco et qu'il comptait y retourner sous peu. Je connais l'endroit car, quelques mois auparavant, Jack, Dave et moi en avons décampé sans demander notre reste. Je me dis que depuis tout ce temps la poussière doit certainement être retombée. Demain nous ferons ensemble les quelque cent kilomètres qui nous séparent de ce magnifique hameau.

Le soir venu, à la demande de Pétra, Maria la patronne du Cabañas Del Sol prépare une chaudrée de fruits de mer pour le repas d'adieu. En cette dernière soirée, une morosité plane au-dessus de la bande réunie autour de la même table. Après plusieurs semaines à vivre sur cette mystérieuse plage en toute insouciance, l'ambiance, pour la première fois, est chargée de mélancolie. Pour ma part, je sens qu'une page importante de ce voyage est en train de se tourner. Des souvenirs impérissables de ces quelques mois vivront en moi, à jamais marqués dans mon esprit.

CHAPITRE 5

DEPUIS mon retour à Puerto Loco, je me livre quotidiennement à la pêche aux huîtres avec Felipe, un pêcheur péruvien que m'a présenté Patrick. Tous les matins à l'aube, nous nous rendons sur la plage avec notre équipement. Après un réchauffement musculaire, nous entrons dans la mer. Felipe m'a tout appris sur la pêche en apnée. Le matériel se compose de palmes, de masques, d'une chambre à air de roue de camion à l'intérieur de laquelle est fixée un filet, et, enfin, d'une baréta, c'est-à-dire une tige de métal d'un mètre de longueur aux extrémités plates. Pendant qu'un des deux plongeurs est au fond de l'eau à la recherche d'huîtres qu'il décolle des parois rocheuses à l'aide de la baréta, l'autre reste au-dessus, près du flotteur. Quand le premier remonte avec des huîtres, il les lance au second qui les met dans le filet. Le plongeur fatigué laisse ensuite sa place à l'autre. C'est ainsi que chaque matin, Felipe et moi rapportons une centaine d'huîtres, que nous mangeons sur la plage pour ensuite vendre ce qui reste aux touristes.

J'aime aller pêcher en apnée et pas seulement pour les prises. Le seul fait d'être sous l'eau dans un silence englobant est une expérience. Contempler les fonds marins me procure une impression de béatitude, un sentiment de sécurité, une sorte de protection maternelle. Rien d'autre n'existe que la mer, que le présent sans passé ni futur. Le silence s'impose à mon esprit, tout n'est qu'action dirigée par l'instinct. La pensée fait place à l'acuité des sens.

Une tape sur l'épaule me sort de mon état contemplatif. C'est Felipe qui vient de repérer un banc d'huîtres sur une paroi rocheuse. D'un geste, il m'ordonne d'aller prendre position au flotteur à la surface. Quelques secondes après, il refait surface à quelques mètres de moi et me lance deux huîtres. Je les laisse tomber à l'eau pour ne pas me blesser une main en les attrapant, car Felipe m'a bien mis en garde en me montrant une cicatrice de cinq centimètres sur sa paume droite. J'ai vite fait de récupérer les huîtres que je dépose tout de suite dans le filet. Pendant ce temps, Felipe replonge tandis que j'observe l'horizon au cas où une grande vague déferlerait sur nous. Dans ce cas, je dois avertir mon partenaire en tirant deux coups rapides sur une corde qui relie la tige de métal au flotteur. Je plonge alors sous la vague et Felipe retarde sa remontée de quelques secondes pour éviter d'être projeté sur les rochers. Au bout d'une demi-heure de cet exercice, c'est à mon tour d'aller à la baréta. Felipe prend ma place pour récupérer un peu. Je respire profondément à deux ou trois reprises puis je plonge vers le fond. Je longe le fil pour arriver à la tige de fer, à savoir la baréta, à plus de deux mètres de la surface. Je sens mes tympans accuser la pression, et une légère douleur aux tempes. Je repère avec peine une huître bien incrustée qui se fond dans la roche. En me servant de la tige, je tente de la décoller avec trop de force et elle se brise. Le temps presse, je vais manquer d'air. Je discerne une autre huître et je place aussitôt la pointe de la baréta dans un creux sous le mollusque. Cette fois, je ne mets pas toute la gomme et j'appuie plus fort quand je suis certain que le bout de la tige est bien inséré. L'huître se déloge, je la ramasse et remonte en vitesse. Dès que ma tête émerge, j'aspire l'air comme un nouveau-né à son premier souffle. Felipe rit de bon cœur. Près de deux heures plus tard, notre filet est rempli. Il est temps pour nous de revenir sur la plage. Il faut dire que le Péruvien a été plus efficace que moi ; l'élève n'est pas encore prêt à dépasser le maître et je doute qu'il le soit jamais. Je suis épuisé et il m'est difficile de faire les trente derniers mètres qui nous séparent du rivage. Nous profitons d'une vague qui ce casse pour nous laisser entraîner par les flots, portant ensemble notre cargaison qui s'alourdit à mesure que nous avançons vers le rivage. Aujourd'hui la mer a été bonne, nous avons récolté dix douzaines d'huîtres. Après tant d'efforts, nous sommes affamés. Assis en indien sur le sable, et chacun muni d'un couteau, nous commençons la besogne de les ouvrir. Je mange la première douzaine en ayant pris soin de l'asperger de jus de lime. Quelques promeneurs nous observent avec curiosité.

— Des huîtres fraîchement pêchées, messieurs dames. Cent pesos la douzaine, ouverte avec lime et sauce piquante, que je dis assez fort pour bien me faire entendre.

Un Américain dans la cinquantaine m'en demande une douzaine.

— Yes sir, que je lui réponds en lui tendant l'assiette de plastique remplie de douze belles huîtres juteuses et de quartiers de lime.

— Dépêchez-vous pendant qu'il en reste, c'est bon pour la santé, c'est une bonne façon de mettre de l'encre dans sa plume.

Un couple de Français s'en partage une douzaine, suivi bientôt par d'autres, de plus en plus nombreux. Nous réussissons à tout vendre en peu de temps. Nous restons ensuite étendus au soleil, heureux, le vent dans les cheveux. Le groupe s'est dispersé. Felipe a le sourire imprimé au visage. Son nez aquilin et son teint foncé propres à beaucoup de Latino-Américains de souche autochtone lui donnent l'air d'un guerrier inca sorti tout droit d'un livre d'histoire. Il me dit :

— Avec un peu plus de pratique, je vais réussir à faire de toi un bon pêcheur, mais pour les vendre, y a pas de doute, t'es le meilleur.

— Regarde, mon vieux, on a huit cents pesos et si on fait attention, on est bons pour une semaine.

— Tu sais très bien qu'il ne nous restera rien demain et qu'on devra retourner pêcher, me répond-il en rigolant.

On pense déjà à la super fiesta qu'on se fera ce soir. Nous irons dans l'une des deux boîtes sur la plage, le choix n'est pas énorme mais le renouvellement de la clientèle, constant. Sans doute, je me laisserai séduire par une de ces touristes en quête d'aventure. Ici, sous les Tropiques, le masque de froideur qu'elles arborent de coutume fond comme neige au soleil. Moi, j'ai la testostérone qui bouillonne dans les veines et, avec toutes les huîtres que j'ai ingurgitées, je ne manquerai pas de munitions pour faire face à la musique. Bien heureuse sera la beauté qui m'offrira un verre car je consentirai peut-être à l'honorer. Que ce soit dans sa chambre d'hôtel cinq étoiles ou dans quelque recoin sombre de la plage, elle vivra des moments d'exotisme intense où fantasme et réalité feront corps. Pour l'instant, le soleil est à son zénith, je vais aller fumer mon premier joint de la journée en me détendant dans le hamac.

Je me balance doucement sous la brise à l'ombre de la palapa devant ma cabane. Un peu plus loin Felipe fait de même devant sa cabane à lui, voisine de la mienne. J'entends bientôt le léger ronflement de mon ami. Mes paupières s'alourdissent, je ressens l'engourdissement qui précède le sommeil, accentué par l'impression de flottement que provoque le hamac.

En soirée, nous nous retrouvons à la discothèque sur la plage pour boire un verre et pour nous amuser un peu. Patrick, qui respire le bonheur, s'est joint à nous. Il réitère sa joie d'être ici loin de l'hiver rigoureux du Québec à se la couler douce sous le chaud soleil. Il ne cesse de répéter sa devise : « Je préfère être le ventre vide au chaud que rassasié en me gelant les couilles. » C'est mon avis aussi et, ici, si j'ai faim, il y a la mer, les bananiers et les cocotiers. Si j'ai besoin d'argent, je peux compter sur les touristes qui ne demandent qu'à dépenser leur fric. Toutes les combines sont bonnes, il suffit d'avoir un peu d'imagination. De toute façon, c'est quand il se retrouve face au mur que l'humain devient le plus performant.

Comme tous les soirs, l'ambiance est à la fête et de nouvelles têtes se sont ajoutées. La soirée démarre sur un fond de musique latine, ça promet. Patrick me montre un pétard et demande :

— Ça te dit ?

— Pas vraiment, et puis je ne crois pas que ce soit une bonne idée dans les parages.

— Ne t'en fais pas, ça fait plusieurs fois que je le fais, y a rien à craindre, on ira sur la plage un peu plus loin.

— Je t'accompagne si tu veux, mais je ne fumerai pas, j'ai envie d'avoir les idées claires.

Felipe se lève et me dit :

— Peux-tu me refiler le fric ? Je vais chercher à boire.

— Tiens, et commande pour nous, on revient dans quelques minutes.

Nous marchons jusqu'au rivage. On entend les vagues se rompre à un rythme régulier, sous le ciel étoilé saturé d'air salin. Patrick allume le joint, en aspire quelques bouffées et me le tend. Je lui fais signe non de la main. Tout à coup, je perçois des ombres furtives dans l'obscurité, quelques silhouettes qui s'approchent rapidement. Patrick lance le joint à l'eau mais tout de suite nous nous retrouvons encerclés par quatre policiers en uniforme marron. Mon cœur s'emballe, j'ai le souffle court. Un des flics s'adresse à nous mais je n'ai pas conscience de ce qu'il dit. Un autre revient avec le joint mouillé qu'il a retrouvé, allez savoir comment. Ils se mettent à nous fouiller sur place. Moi, j'ai seulement un briquet et quelques pièces de monnaie. Patrick a son sac dans lequel il transporte son artisanat. Un des flics en retire une boîte à cigares dans laquelle il trouve une petite quantité d'herbe. Parce qu'on n'a pas d'argent à leur offrir en échange de notre liberté, ils nous emmènent sans ménagement à la prison municipale à seulement quelques centaines de mètres de là. C'est un petit bâtiment muni de fenêtres aux barreaux rouillés qui donnent sur l'extérieur. Après avoir entassé tous les détenus mexicains dans la même cellule, un des policiers nous fait signe d'entrer dans l'espace libéré. Nous hésitons, nous avons peur. Il sort une matraque et fait mine de nous frapper. On se précipite à l'intérieur. La serrure fait un bruit de ferraille assourdissant quand nos geôliers tournent la clef pour nous enfermer. Puis ils s'en vont sans rien dire. Il n'y a pas de lumière, il fait noir. L'odeur est fétide, l'insalubrité, évidente. On peut voir les touristes qui déambulent de façon nonchalante sur l'avenue piétonnière qui longe la plage. Ils ne peuvent pas nous voir et n'ont pas conscience de ce que nous vivons. Nous partageons un vieux morceau de carton que j'ai trouvé pour nous asseoir.

— Qu'est-ce qu'on va faire, Max ?

— Attendre et essayer de dormir, ils nous libéreront demain matin, que je réponds, voulant me faire rassurant.

Nous nous assoyons dos à dos pour éviter de toucher les murs crasseux. Je garde mon calme malgré l'incertitude de notre sort. Ce n'est pas le temps de flancher et de se laisser aller à un désespoir inutile. Mais être emprisonné dans un pays étranger sans savoir si les droits de l'homme sont respectés n'a rien de rassurant. C'est même très inquiétant. J'imagine plusieurs scénarios, allant d'une incarcération de longue durée à l'extradition dans le meilleur des cas. Malgré l'heure tardive, le sommeil se fait attendre. Je sens Patrick dans le même état d'agitation. Le temps devient palpable, le silence se fait bruyant. L'obscurité ambiante pénètre mon esprit. Je vois une lueur orangée. Je ne sais pas si elle est réelle, je me concentre dessus. Tout devient orangé ; même en fermant les yeux, je me laisse réconforter par cette lueur, je m'assoupis…

Je sens ma joue gauche appuyée au sol, j'ouvre les yeux, un rayon de soleil pénètre mon œil droit, je me redresse. Il fait jour. Sans grande surprise, je constate la malpropreté de la cellule. Patrick, qui a les traits tirés, est adossé au mur. Je lui fais un sourire, à présent persuadé qu'on nous libérera. Mon enthousiasme grandit à mesure qu'avance la matinée. La lumière a le même effet sur mon copain, qui se lève et qui commence à graver quelque chose sur un des murs sales. Si bien qu'après plusieurs minutes de travail, il a dessiné une fleur de lys, emblème de notre Québec natal.

Nous passons cette attente qui nous semble interminable à regarder derrière les barreaux rouillés l'animation qui se déploie plus loin dans la rue. On peut entendre aussi des ronflements qui viennent de la cellule adjacente. Nos voisins n'ont pas à s'inquiéter outre mesure, ils n'ont dérangé l'ordre public que parce qu'ils ont levé le coude en peu trop. Une camionnette blanche style pick-up arrive avec deux policiers en bleu qui en descendent.

— Señor, vous venez nous libérer ? On n'a rien fait de mal !

Voilà que je l'implore avec mon espagnol encore boiteux.

— Pas tout de suite, on revient vous transférer plus tard.

Puis ils libèrent les gars d'à côté qui ont été réveillés par le remue-ménage.

— Qu'est-ce qu'il a dit ? J'ai mal compris, que je demande à Patrick.

— Transferir, ça ressemble à transférer. Ah! Putain, c'est un cauchemar.

Nous voyons les trois ex-détenus s'éloigner en se tapant dans les mains, ils s'en vont fêter ça à la grosse bière. Les flics sont repartis aussi. Pendant que je m'accroche aux barreaux pour ne pas m'effondrer, mon cerveau cogite à deux cents à l'heure. Tout à coup je distingue une silhouette familière plus loin dans la rue. Je reconnais la dégaine de cow-boy mexicain de mon ami Nova à mesure qu'il s'approche. Je hurle de toute la puissance de mon désespoir.

— Novaaa! Nova!

Il se tourne en sursautant vers les cris et nous voit agiter les mains comme des damnés dans notre cage. Sur ses gardes, il observe, puis s'approche et me reconnaît.

— Eh Max! Qu'est-ce que tu fous là? Es-tu là depuis que t'as disparu?

— Non, non, depuis hier soir seulement, on s'est fait prendre à fumer sur la plage.

— C'est tout? Et pourquoi t'as foutu le camp l'autre fois?

— Je t'avais emprunté un peu d'herbe et pendant qu'on était à la plage, les flics ont passé et ont trouvé un mégot de joint presque encore fumant.

— Tu as paniqué pour rien, c'était mon cousin. Il n'y a pas de problème, ici on est comme une famille, on se connaît tous.

— Peux-tu nous sortir de là? que je demande alors, avec une lueur d'espoir.

— C'est comme si c'était déjà fait, le chef de police est mon oncle et le père de mon cousin. Tu sais, pour eux, la police est une histoire de famille.

Sur ces mots, il éclate de rire.

Patrick et moi trépignons de joie en exultant ce stress des dernières douze heures.

— Ne vous inquiétez pas, ça sera pas long.

Nova part d'un pas décidé vers le bureau de la mairie juste à côté. Tout un coup de bol, la chance des désespérés. Je me sens tellement rassuré que nous attendons en discutant de ce que nous ferons de cette liberté à venir. Il est question de filles, d'alcool et de plaisirs, mais surtout pas de marijuana.

Moins d'une demi-heure plus tard, Nova réapparaît accompagné d'un policier qui me semble, en effet, être son cousin. Il lui dit de se dépêcher à ouvrir pour nous libérer. Le cousin s'exécute et déclenche la serrure qui fait le même bruit de ferraille que la veille, mais cette fois porteur d'espoir. Je donne une accolade de reconnaissance à Nova en me disant que pour la deuxième fois en quelques mois, il a été là au bon moment. Il fait une remarque sur mes agissements et nous quitte sans rien attendre.

— Où est-ce que je récupère mon sac ? demande Patrick à l'officier.

— Quel sac ? répond l'autre avec un sourire qui ne laisse aucun doute sur le sort du sac.

— Mes colliers, mes affaires, quoi !

— Laisse tomber, on se tire, lui dis-je, conscient que mon ami devra oublier son sac.

Nous sommes heureux de retrouver notre liberté. C'est fou, je ne me suis jamais senti aussi libre, j'ai l'impression que mon corps pourrait se disperser dans tant d'espace. Pour ma part, l'herbe, c'est fini, je n'ai pas besoin de ça pour me sentir bien. Patrick retourne à la chambre qu'il loue au mois chez une famille de Mexicains. Il doit bosser pour se refaire.

Après cette mésaventure, rien ne peut m'arrêter. Avec mes derniers dollars, je loue pour un mois une jolie maisonnette au toit de feuilles de palmier, tout en haut d'une colline surplombant la plage. Une grande terrasse à l'ombre devant l'entrée offre une vue époustouflante sur la baie des pêcheurs. Je donne l'argent à la señora qui me remet les clefs en me souhaitant un bon séjour. Elle semble se dire qu'elle fait une bonne affaire avec moi. En fait, je suis fauché, je n'ai pas de travail, aucune perspective d'avenir, j'ai manqué mon vol de retour quelques mois auparavant et je n'ai pas l'intention de rentrer de sitôt. Mais, pour le prochain mois, je trouverai bien une solution. La vie est trop belle ici.

Je récupère mes valises dans la mignonne cabane que j'habitais sur la plage, néanmoins trop chère à long terme. Suant à grosses gouttes, une valise dans chaque main, je croise Felipe occupé à ne rien faire. Son visage s'illumine à ma vue.

— Où étais-tu ? Où vas-tu ? J'ai tout dépensé l'argent, il faut aller chercher des huîtres.

— Où j'étais ? Je t'expliquerai. Je vais m'installer dans la baraque que je viens de louer, tu sais celle qui me plaisait en haut de la côte.

— Ça te va si je m'installe avec toi ?

— Évidemment, ça me fait plaisir.

Et déjà, il part chercher ses affaires où il loge, pour le plus grand bonheur du proprio. Je crois que le vieux était écœuré de se faire payer le loyer en poissons ou en douzaines d'huîtres. Une demi-heure plus tard, je traîne mes valises, haletant derrière Felipe qui avance d'un pas alerte. Comme il a mis tous ses trucs dans son sac de couchage qu'il tient d'une main par-dessus l'épaule, il a l'aspect comique d'un père Noël aborigène en retard à un rendez-vous. Ce qui est incroyable avec lui, c'est qu'il est toujours en mouvement, passant d'une activité à une autre sans autre préambule. Quand une bonne idée lui vient, il met tout en branle sur-le-champ pour l'exécuter.

Le site de notre nouvelle piaule est fantastique, un terrain parsemé d'arbres fruitiers, des bananiers, deux grands manguiers aux fruits encore verts et un arbre remplis de limettes prêtes à adoucir la tequila, que je me promets d'acheter bientôt. Felipe ne perd pas de temps et attache son hamac à l'ombre des manguiers. Il n'a pas choisi les cocotiers qui sont mieux placés, car il a l'expérience des Tropiques. Une noix de coco qui tombe sur la tête pendant la sieste d'après-midi peut être mortelle. De mon côté, j'aménage la terrasse pour notre plus grand confort : je secoue les coussins poussiéreux de la vieille causeuse adossée au mur, replace la table pour optimiser l'espace. Je fais aussi un grand ménage à l'intérieur, où j'enlève les toiles d'araignées. En déplaçant un des lits, je débusque un scorpion qui déguerpit à toute allure. Je sursaute à reculons plus par surprise que par peur. En balayant le sol, je remarque qu'il est jonché d'excréments que je crois être de souris, mais qui sont en fait ceux de petits lézards beiges. Ce qui distingue ces crottes de celles des rongeurs, c'est qu'elles ont un petit nodule blanc à leur extrémité. Qu'est-ce que ces petits machins blancs sur ces merdes ? Je n'en sais rien mais un biologiste en a certainement fait le sujet de sa thèse de doctorat. Il y a tellement de trucs à faire dans cette baraque que nous y passons le reste de l'après-midi.

En fin de journée, une fois que tout est propre et que nous sommes bien installés, on relaxe sur la terrasse. Nous dégustons une papaye que Felipe a dérobée où nous habitions. Il m'assure en rigolant que ce fruit lui était destiné parce que, tout le temps qu'il a vécu là, il a arrosé l'arbre chaque soir en pissant dessus au retour de la discothèque. Le coucher de soleil est magnifique, son reflet dessine une passerelle d'or sur l'eau. Ce qui est merveilleux avec les crépuscules, c'est qu'il y en a toujours un pour surpasser en beauté le précédent. Il n'y a pas de limites à l'émerveillement, et c'est notre pensée qui souvent nous empêche de voir les choses telles quelles sont. Quand on réussit à faire taire notre voix intérieure, les merveilles de la vie se découvrent à nous. On peut sentir la paix et la sérénité de ce nouvel endroit. C'est comme si cette cabane, ce terrain, ces arbres, ce ciel nous disaient : taisez-vous et vivez ce moment d'éternité.

CHAPITRE 6

CHAQUE jour, nous pêchons les huîtres au centre de la petite baie des pêcheurs, là où se trouvent les fonds rocheux. Depuis quelques jours, les prises diminuent et on doit s'éloigner des côtes pour aller pêcher dans de plus grandes profondeurs. C'est très difficile, la pression me donne mal à la tête. Felipe se fatigue plus vite à cause du surcroît de travail. Il en est autrement pour les pêcheurs locaux qui possèdent une plus grande connaissance de la baie. Felipe a remarqué que les locaux ne s'aventurent pas aux alentours des caps rocheux aux extrémités de la baie. Ils ont peur des vagues qui percutent contre les rochers. Un homme qui serait pris dans ces tourbillons se fracasserait les os contre ces murs de pierres. Pourtant, ce secteur peu profond et inexploité doit receler de grandes quantités d'huîtres. Il nous suffirait de faire preuve de prudence et de bien communiquer entre nous. Nous décidons de tenter l'expérience un matin de mer plus calme. C'est avec la peur au ventre que nous nageons jusqu'à la pointe rocheuse. Plus on approche et plus j'ai le souffle court, je sens mon cœur battre au maximum sous l'effet du danger. Nous nous positionnons juste avant la ligne de cassure des vagues. Je les entends frapper les rochers avec un bruit spectaculaire. Il s'en faut de peu que Felipe fasse son entrée au paradis des pêcheurs, quand il doit se retenir *in extremis* à la tige de fer qui s'est coincée dans une aspérité du sol. Mon ami reprend position, le synchronisme s'installe entre nous et les vagues qui passent à une cadence régulière. On ne s'était pas trompés, l'endroit regorge d'huîtres ; en peu de temps le filet est plein. À mon grand soulagement, on peut revenir à la terre ferme. Nous venons de découvrir une zone inexploitée qui va nous permettre de poursuivre notre activité quotidienne.

Depuis quelques jours, nous avons décidé de pêcher aussi l'après-midi afin de fournir les restaurateurs qui nous en achètent plusieurs douzaines. L'argent gagné par ce petit commerce nous sert aux dépenses quotidiennes de nourriture et une grande part va évidemment à nos nuits imbibées d'alcool. J'adore aller danser au club sur la plage sur des airs de reggae et de salsa. C'est l'occasion de voir de jolies femmes, aperçues plus tôt à la plage, vêtues de leurs plus belles robes, se déhancher sur la piste de danse. Très souvent, je raccompagne une de ces beautés après la fête. Les boissons alcoolisées et l'exotisme des lieux ne font qu'attiser le feu qui brûle déjà en elles. Pour la suite, l'histoire se répète, nous roulons dans le sable dans une étreinte passionnée. Je me dis parfois que c'est trop facile, que le challenge s'atténue. En réalité, c'est moi qui suis pris au piège de cette vie de rêve et de facilité où tout est prétexte à l'aventure et où l'imprévisible fait partie du quotidien.

Ce soir nous carburons au rhum. Le choix ne manque pas. Nous dégustons des piñas coladas et attrapons les regards furtifs au passage. Felipe a bien appris la leçon, il arbore un sourire désinvolte affectant l'indifférence comme je le lui ai enseigné. Je me lève et vais faire un tour sur la piste de danse. Très détendu, je me déhanche sur une chanson de Bob Marley. La musique et le rythme prennent possession de mon corps.

Patrick a rejoint le Péruvien à la table. Il est accompagné de deux Américaines qui portent des colliers et des bracelets qui semblent faits par lui. Je suis content qu'il ait réussi à vendre, comme ça il va pouvoir picoler sans emmerder personne. Je suis heureux, j'aime la vie, j'aime le reggae. Une jolie brune se plante devant moi et me dévisage en souriant. Je lui mets les mains sur les hanches et l'entraîne dans mon mouvement de danse. Après quelques pas, je lui dis en espagnol :

— Tu danses bien, d'où viens-tu ?

— Fais pas le malin, tu sais bien que je ne parle pas espagnol, dit-elle en anglais.

À mon air embêté, elle comprend vite que je ne la reconnais pas.

— C'est moi ! Andrea, toi et ton pote m'avez vendu des huîtres l'autre matin sur la plage.

— Oh, excuse-moi. Il fait sombre je ne t'avais pas reconnue.

— T'en fais pas, viens, je t'offre un verre.

Andrea commande deux piñas coladas au barman derrière le comptoir de bambou. Je me demande si c'est grâce aux généreux pourboires que j'ai l'habitude de laisser ou au décolleté en V majuscule d'Andrea, mais Tarzan derrière le bar nous sert illico. De toute façon, je n'ai pas à m'en faire, je vois bien que cette superbe Allemande n'en a que pour moi. Elle me raconte qu'elle a pris une année sabbatique après avoir terminé l'université. J'écoute distraitement ce qu'elle dit, je regarde plutôt ses lèvres de rêve qui semblent avoir un tout autre discours qui n'a rien à voir avec ses propos. Elle a décroché un diplôme en archéologie et s'est spécialisée en cultures précolombiennes de la Méso-Amérique, grande zone qui, m'explique-t-elle, s'étend du nord du Mexique jusqu'aux confins de l'Amérique centrale. Elle sera servie à souhait, avec toutes les ruines et vestiges d'anciens peuples partout présents ici. La pêche aux huîtres semble également beaucoup l'intéresser ; une question n'attend pas l'autre. Moi, je me sens davantage disposé à m'amuser et, pour mettre un terme à cette discussion, je lui propose de plonger avec nous le lendemain matin. Car je sais que plus on discutera de choses sérieuses, moins nous aurons envie de baiser. Le but de la manœuvre demeure des ébats sans lendemain.

Aux premiers accords d'un tube salsa, j'entraîne Andrea sur la piste de danse. Elle ne connaît pas grand-chose à ce type de danse, mais je la guide au début en lui montrant la série de pas à faire et en la faisant tournoyer. Elle me plaît, elle me sourit de bonheur. Nos mouvements s'harmonisent bien. C'est signe d'une compatibilité physique qui laisse présager une fin de soirée comme je les aime. Je me demande quand sera le moment idéal de l'emmener sur la plage pour s'asseoir à l'écart des regards indiscrets. C'est ce qu'il y a de plus important, le moment de passer à l'action. Si c'est trop tôt, elle va s'effaroucher, si c'est trop tard, elle va se lasser. Elle me tend une perche en me disant par-dessus la musique qu'il fait chaud. J'en profite pour lui proposer d'aller marcher sur la plage, où la brise nous rafraîchira. C'est d'accord, l'idée d'être seule en ma compagnie semble l'exciter grandement. Il y a longtemps que j'ai appris à décoder le langage non verbal des gens. Au moment où nous partons, Felipe m'appelle.

— Eh ! Mon vieux ! crie-t-il en me faisant un signe.

Je dis à ma jolie archéologue de m'attendre un instant.

— Qu'est-ce qu'il y a ? que je lui demande, agacé.

— T'as vu la belle Américaine que j'ai rencontrée, elle te plaît ?

Chaque fois qu'une femme lui plaît, il me demande mon avis. Si mon avis est favorable, il n'hésite pas un instant et tente de la séduire. Si par malheur la fille ne me plaît pas, il va argumenter en sa faveur jusqu'à ce que j'admette qu'elle est pas mal. Vu les circonstances actuelles (Andrea fait le pied de grue à m'attendre), je lui dis :

— Oui, elle est très belle, fonce Felipe.

— Bon, je vais l'emmener à la maison, tu peux aller dormir ailleurs ce soir ?

— Ça va pas, non ? Baise-la dans sa chambre d'hôtel.

— Il y a Patrick qui y va avec sa copine, elles partagent la même chambre.

— Comme tu veux.

J'abrège de peur qu'Andrea se refroidisse à attendre.

— Et donne-moi le fric, que j'ajoute, c'est à mon tour ce soir.

Je rejoins ma chérie d'une nuit qui m'attend docilement. Je la prends par la main et nous commençons cette marche romantique pour elle, pleine de promesses pour moi. La voûte céleste est comme une passoire à spaghettis derrière laquelle une intense lumière brille. C'est une de ces nuits sans lune. Sans les étoiles qui brillent avec autant de magnitude, il serait impossible de discerner la ligne d'horizon tant le ciel et la mer sont noirs. Nous marchons main dans la main, sans parler, envoûtés par la splendeur qui nous entoure. Nous nous asseyons sur le sol en nous collant l'un contre l'autre pour nous protéger de cette grandeur environnante. Dans l'obscurité, nous percevons nos regards, ceux de deux êtres dans l'immensité, qui communiquent au-delà des mots, au-delà du temps… Nous nous embrassons tendrement en nous faisant de douces caresses. Nous frémissons de plaisir. Le sable, lit de nos ébats, conserve la chaleur du jour. Les caresses que je lui prodigue avec douceur au début éveillent le désir en elle et en moi. D'un coup de dents expert, je déchire l'enveloppe du condom que je garde toujours dans la poche intérieure de mon short. Lentement, j'entre en elle, Andrea jouit de plus en plus des assauts de mon sexe jusqu'au moment de l'extase mutuelle. Alors nous relaxons sur le dos, les yeux au ciel à contempler les étoiles. Maintenant que la pression est descendue, le froid de la nuit nous enveloppe.

— Allons prendre une bonne douche chaude à l'hôtel, me propose-t-elle.

— Ouais, bonne idée, ça fait une éternité que je me suis douché à l'eau chaude.

Je m'habille sans même enlever le sable collé un peu partout sur mon corps. Avec un geste de galanterie, je couvre Andrea de ma chemise à fleurs malgré les frissons que je camoufle avec peine. En marchant, je lui mets un bras autour des épaules, plus pour me réchauffer que pour manifester de la tendresse à son égard…

Sa jolie chambre est équipée d'un poste de télé et d'un balcon avec vue sur la mer. Elle doit payer pour une nuit ce qu'il m'en coûte pour un mois.

On saute dans la douche. Le jet bouillant nous ravive et c'est reparti pour un autre tour de manège avec éclaboussures. Après nous être essuyés mutuellement, nous nous allongeons sur le lit où le sommeil nous gagne sans peine.

Le lendemain, après un copieux petit déjeuner à l'hôtel, nous descendons à la plage. Heureux et bien réveillés, car il y n'a rien de mieux que le sexe pour tenir la forme. Nous apercevons Felipe qui semble être arrivé peu de temps avant nous car il est déjà en train de préparer l'équipement. Il a la tronche du gars qui a fini la soirée en solitaire. Je ne sais pas comment je peux voir ça, mais ça ne trompe pas. C'est comme si on pouvait lire sur son front « J'ai pas baisé » en lettres scintillantes. J'ai la délicatesse de ne pas faire de commentaires. Andrea est tout excitée à l'idée de plonger avec nous et tente maladroitement de se rendre utile. Felipe m'envoie des regards qui me demandent « Qu'est-ce qu'elle fait là, celle-là ? » Moi, je lui réponds de la même façon : « Pose pas de questions et je ne t'en poserai pas. » Je suis quand même assez inquiet. Je me demande si elle va être à la hauteur. Je sais très bien qu'elle est bonne nageuse, ça se voit à son physique de sportive. Mais si, une fois en position près des rochers, elle perd son calme et panique parce que la mer s'agite, je ne donne pas cher de sa peau. Comme chaque fois, en bon chrétien, le Péruvien fait un signe de croix, ce qui donne le signal du départ. Nous nageons jusqu'à notre zone de prédilection. Je dis à Andrea de s'appuyer au flotteur et de garder la même position pendant que nous plongeons. Elle est très impressionnée par le danger mais garde son sang-froid. Felipe et moi, on se relaie à l'extraction et, en moins d'une heure, le filet regorge d'huîtres. Il était temps parce que notre pêcheuse d'un jour a son compte. On s'arrache à la mer avec nos dernières forces avant qu'elle ne nous entraîne dans ses courants.

Nous sommes assis en rond sur le sable chaud, une petite montagne d'huîtres au centre, exténués mais heureux de vivre si intensément. Andrea et moi éclatons de rire en voyant les torsions faciales que Felipe fait quand il ouvre les huîtres à l'aide de son couteau. Je sélectionne les plus beaux spécimens que je dispose sur un plateau et que j'offre à Andrea. On se régale. Nous étions affamés après tant d'efforts. Je prends deux douzaines non ouvertes et vais voir Marcos, un restaurateur espagnol qui est toujours preneur. Il est assis sur le banc à l'extérieur de son resto. Il a le dos courbé, la tête penchée vers le sol. Le soleil fait briller le haut de son crâne dégarni. Il a l'air déprimé, ce qui est étonnant de sa part, lui qui est toujours enjoué.

— Qu'est-ce que t'as, Marcos ? La nuit a été difficile ?

— Ah non, ce n'est pas ça. Les affaires vont mal. Y a plus beaucoup de clients qui viennent. Je ne sais plus quoi faire. Peut-être que je vais fermer et rentrer en Espagne.

— C'est plein de monde sur la plage. Y a sûrement un moyen de les attirer ici ! Ils sont en vacances, ils ont juste ça à faire aller au restaurant et dépenser leurs dollars, lui dis-je en cherchant à le motiver.

— C'est pas facile, y a plein d'autres restaurants, me répond-il dans un soupir.

— Laisse-toi pas abattre, attends, j'ai une idée. Prépare une de tes succulentes paellas aux fruits de mer pour ce soir et fais une bonne réserve de tequila.

— Qu'est-ce que tu veux faire ?

— Fais ce que je te dis. Moi, je m'occuperai de trouver des clients.

Je lui dis ça avec cette assurance qui ne laisse pas de place à l'échec.

— Bon d'accord. Va pour la paella.

— Et la tequila, que j'ajoute.

— Et la tequila, qu'il répète.

— Tiens, c'est pour toi. Je lui remets les huîtres. Je reviendrai au début de la soirée.

Je monte en vitesse à ma maison et, sur du papier, je dessine un feuillet publicitaire annonçant une soirée paella avec de la tequila offerte par la maison au restaurant espagnol. Tout ça en lettres stylisées et accompagné de quelques dessins, une crevette, un poisson et une bouteille de vin. Je fais faire des copies sur papier couleur à l'imprimerie du coin et paie avec les derniers pesos qu'il me reste. Ensuite, je me dépêche de rejoindre les autres sur la plage. Andrea fait la crêpe les seins à l'air et Felipe, avec un demi-sourire, est fier de se montrer en si bonne compagnie. Quand il me voit, il se lève et dit :

— Qu'est-ce que tu fais ? On a tout vendu, il faut aller en chercher d'autres.

— Laisse faire les huîtres, j'ai un autre filon.

Je remets une pile de feuillets à Felipe et Andrea. Ils s'occuperont de les distribuer aux touristes sur le côté nord de la plage. Je leur demande de bien expliquer aux gens où se trouve le resto. Andrea parlera aux Allemands et aux anglophones tandis que Felipe s'occupera des latinos et des francophones. Moi je ferai l'autre partie de la plage. Je parle français, anglais et maintenant espagnol et j'adore communiquer avec les gens, surtout les vacanciers qui ne demandent qu'à connaître les endroits où ils peuvent dépenser leur argent tout en s'amusant. Nous consacrons le reste de l'après-midi à cette activité. C'est très agréable, les touristes sont très réceptifs et souvent m'offrent à boire.

C'est tout joyeux que je retrouve mes deux comparses qui semblent s'être bien amusés aussi. Le soleil entreprend sa descente à l'horizon, il va visiter nos amis japonais pour la nuit. Felipe et moi décidons d'aller nous doucher et nous habiller avant de nous présenter au restaurant de l'Espagnol. Andrea nous accompagne, elle veut voir notre piaule. Pendant que Felipe est dans la douche, Andrea et moi attendons sur la véranda. Elle en profite pour baisser mon froc et engloutir mon sexe dans sa bouche. Elle y va goulûment tout en me caressant les testicules d'une main agile. Pendant ce temps, je vois sa tignasse brune s'agiter frénétiquement avec des tremblements saccadés. J'ai une main derrière le dos appuyée sur la table et l'autre est agrippée à la corde du hamac. Je suis surpris par l'explosion précoce de mon plaisir.

Andrea s'éclipse en promettant de faire un tour au resto plus tard. Je la regarde s'éloigner, j'entends encore la douche couler. Je suis debout, les chevilles menottées par mon short, le sexe qui pendouille. Je me déshabille et m'en vais me laver au puits.

Peu de temps après, Felipe et moi sommes frais et dispos. Nous empruntons le chemin qui nous mène au restaurant. Il fait presque nuit, si ce n'est une faible lueur orangée à la ligne d'horizon. Nous marchons à une cadence accélérée, anxieux de savoir si notre publicité a fonctionné. Déjà au loin, on voit des gens qui attendent à l'entrée du resto. C'est très drôle de voir Marcos se démener comme un diable dans l'eau bénite pour placer tout le monde. Il est visiblement soulagé de nous voir arriver. Il demande à Felipe de s'occuper de la cuisine, sachant que c'est le métier qu'il exerce au Pérou. Il me propose de faire le service et me donne une bouteille de tequila avec des gobelets jetables. Je me mets à servir la boisson aux gens qui attendent pendant qu'il prépare les tables. Marcos s'active, il est partout en même temps. Je le vois se frotter les mains avec un sourire de satisfaction. Il serre la main des hommes et fait des courbettes pompeuses aux femmes. De mon côté, je distribue le bonheur en bouteille d'un groupe à l'autre. Une fois que les tables sont montées et que les clients sont installés, Marcos et moi prenons les commandes. Esperanza, la femme du patron, prépare les cocktails derrière le comptoir. Felipe s'en tire très bien à la cuisine. La plupart des gens veulent essayer la fameuse paella, ce qui facilite la tâche du Péruvien. Malgré le manque de préparation, on réussit à coordonner notre travail pour assurer le succès de cette soirée. Vers vingt-trois heures, ça se calme un peu. Tout le monde a été servi. La plupart des clients, la tequila aidant, sont joyeux et dansent ou tapent des mains au rythme de la musique. Je suggère à l'assemblée d'aller à la discothèque sur la plage, le temps que nous fermions, nous les rejoindrons. Un peu plus tard, Felipe, Marcos et moi sommes assis au comptoir du resto déserté. Marcos compte l'argent, la cigarette au bec. Il jubile.

— Écoute, si tu veux, ça peut être comme ça tous les soirs, que je lui propose.

— Pour sûr que je veux hé, hé !

— Tu nous donnes vingt pour cent de la caisse et on continue avec toi.

— Quoi ! Ça va pas ? glapit-il.

— Tu vois tout le fric que t'as là ? Eh ben, sans nous, il n'y aurait presque rien et tu le sais.

— Je vous donne quinze pour cent, c'est le mieux que je peux faire.

— Et nous gardons les pourboires aussi.

— C'est d'accord, je compte sur vous demain.

En chemin vers la boîte, nous crions notre bonheur. Nous avons gagné ce soir ce que nous faisons en une semaine de pêche. Nous marchons rapidement à la poursuite des plaisirs qui nous attendent. On va s'éclater. Nous allons noyer cette exaltation qui nous possède, et ce désir brûlant de dépenser cette liasse de billets qui gonfle nos poches.

La plupart des clients qui étaient au resto sont sur la piste de danse à sautiller sans cohésion. Une bande de touristes au pays de la salsa. La tequila que j'ai généreusement distribuée plus tôt fait bien son travail. Ceux qui étaient tranquilles au restaurant sont maintenant devenus une bande de fêtards en délire chez qui toute trace d'inhibition a disparu. Notre arrivée est saluée par des exclamations de joie. On scande mon nom en tapant des mains, on fait la queue pour nous offrir à boire. On rit, on danse, on chante et surtout on consomme énormément d'alcool. Ramon, le patron du bar, observe la scène. Il s'approche de moi et me demande :

— Eh ! Le Français, tu connais tous ces gens ?

Le temps de reprendre mon souffle, une idée me vient à l'esprit.

— Oui, ce sont les clients que nous avions au restaurant espagnol à la fermeture, je les ai envoyés ici.

— Vous travaillez là ?

— Oui, le jour nous faisons la publicité sur la plage et le soir je fais le service et Felipe fait la cuisine.

— Ça te dirait de rabattre votre clientèle comme ça chaque soir ?

— Et qu'est-ce que tu nous donnes en échange ? que je demande.

— La boisson à volonté, et là, je fais un effort parce que je sais de quoi vous êtes capables tous les deux.

Une serveuse au teint caramel et au parfum de coco me met sous les yeux un plateau rempli de différents cocktails.

— Prends ce que tu veux, c'est offert par la bande de gringos, dit-elle avec un sourire et un regard qui signifie « Wow ! Tu me plais blondinet ».

— Gracias guapa (beauté).

Je me tourne vers Ramon et ajoute :

— Pour les boissons ce n'est pas nécessaire, on sait y faire. T'as pas une offre plus sonnante ?

— T'es un petit malin toi, si je te donne en argent ce que vous vous faites offrir, ça va ?

— Ah, là tu parles un langage que je préfère. C'est bon, il y a un bénéfice à faire, que je réponds avec un visage rayonnant.

Plus tard, au milieu de la nuit, nous marchons en titubant sur le chemin qui mène à notre maison. Pour une des rares fois, il nous reste de l'argent, et les perspectives d'avenir sont meilleures. Une papaye bien mûre à la cime d'un arbre attire mon regard dans son reflet lunaire.

— Regarde Felipe, tu vois la papaye.

— Ouais, qu'elle est belle.

— Allez, donne-moi un coup de main.

— Monte sur mes épaules, me dit Felipe qui m'a rejoint.

Avec quelques difficultés, je réussis à me hisser sur ses épaules en gardant mon équilibre avec une main sur l'arbre. Je suis encore loin du fruit mais je réussis à m'accrocher le long du tronc ; je tends la main vers la papaye, je peux l'effleurer du bout des doigts. Je m'agrippe du mieux que je peux et, dans un ultime effort, m'élance sur la papaye que je réussis à saisir. Au même moment, le fruit cède et je tombe tête première. Avec un réflexe salutaire, Felipe se place sous mon point de chute afin d'amortir l'impact, ce qui me sauve la vie ou du moins d'une grave blessure. Je me retrouve au sol en position fœtale, tenant la papaye tel un joueur de rugby avec son ballon. Je suis indemne mais Felipe se tord de douleur. Les lumières de la propriété où se trouve l'arbre s'allument et un vieux en caleçon sort sur le balcon en proférant des menaces. J'empoigne mon ami.

— Allez, vite, on se casse.

Nous cavalons dans la nuit sans regarder derrière. Quelques instants plus tard, nous sommes sur notre terrain, le souffle court provoqué par cette poussée d'adrénaline. Nos corps sont secoués d'un rire incontrôlable. Entre deux saccades, Felipe ne peut réprimer une grimace de douleur. Son épaule droite le fait souffrir quand il bouge le bras. Ce doit être une entorse. Nous rentrons dans la piaule pour que je lui prépare une écharpe afin d'immobiliser son bras. Je découvre une enveloppe près de la porte qui m'est destinée. Cela peut paraître normal de trouver des enveloppes laissées par le facteur, mais ici, dans ce petit hameau du Pacifique, le service de poste est inexistant. C'est Andrea, la très émancipée archéologue allemande, qui m'a écrit une lettre d'adieu. Elle m'explique qu'elle doit continuer son voyage, qu'elle a passé de bons moments en ma compagnie, qu'elle n'oubliera jamais, bla, bla, bla... Je suis déçu de perdre une si charmante compagne et en même temps soulagé de ne pas avoir eu à faire des adieux. Je déteste les adieux. On ne sait jamais quoi dire, il y a malaise et impression de rupture, souvent on ment par politesse en disant qu'on s'écrira ou qu'on se rendra visite quand on passera près de chez l'autre. En réalité, je sais très bien que je serai entraîné par la cascade de mon existence tumultueuse et qu'avant longtemps, Andrea ne sera plus qu'un vague souvenir. Bienvenue, ma chère, dans ma mémoire, tu n'es maintenant qu'une odeur, un sourire, un fantasme ou quelque autre souvenir digne de s'incruster dans ma matière grise.

Avec une taie d'oreiller, je réussis à fabriquer l'écharpe pour Felipe. Je l'aide à s'allonger dans le hamac sur la véranda. Je coupe cette foutue papaye en petits triangles et vais m'asseoir sur le canapé aux côtés de mon ami. La lune luit, mince croissant brillant. Le relief obscur des montagnes se découpe dans le ciel. À part quelques aboiements épars au loin et l'incessant roulement des vagues sur la berge, c'est le calme humide et tropical.

— Je tiens à te remercier Felipe, tu m'as sauvé la vie.

— C'est rien vieux.

— Si, si, je te remercie, j'ai une dette envers toi et un jour je te rendrai ça, lui dis-je avec sérieux.

— Si c'était à refaire, je le referais. Un jour, quand je serai un vieillard, si j'ai une petite douleur à l'épaule, je me souviendrai que quelque part sous les Tropiques j'avais un ami et je rirai au souvenir de nos péripéties. J'aurai alors la certitude que ce qui nous unis n'a pas de prix. Quand tu dis que tu me dois quelque chose, je te réponds que ce que tu me dois, tu me l'as déjà rendu.

Je le regarde en silence, ému. Ses pupilles luisantes reflètent deux croissants de lune brillants. J'avale ma salive pour faire passer cette boule d'émotion que j'ai dans la gorge. À cette heure tardive, juste avant l'aube, le temps se suspend dans sa course puis bascule dans les premières lueurs du jour naissant. L'astre nocturne se couche derrière la mer. Les chiens se sont tus. Les coqs chantent.

CHAPITRE 7

Les jours suivants, nous nous consacrons à notre nouvelle occupation. Je n'ose qualifier notre activité de travail, on s'amuse trop pour ça. Felipe se rétablit assez rapidement de sa blessure. Cuisiner d'une main ne l'a pas empêché d'être efficace. Je le sens impatient de renouer avec la pêche, je ne pourrai le retenir encore longtemps.

Depuis que j'ai quitté mon boulot pour voyager sous les Tropiques, ma vie a pris un sens nouveau. Boucler les fins de mois ne fait plus partie de mes soucis. J'ai quitté ma peau de commis de bureau et le costard qui l'habillait. Il me serait impossible de réintégrer ce monde où le mot bonheur est synonyme de pouvoir d'achat. Mon nom ici c'est Max, mon but dans la vie consiste à faire le bonheur des touristes. Mon adresse se trouve quelque part dans ce pays, une petite cabane en haut d'une colline. Je n'ai pas d'adresse courriel, pas d'ordinateur, pas de télé, rien de ce qui peut paraître essentiel au mode de vie occidental. Je ne sais pas ce qui se passe dans l'actualité, je sais seulement que ça chauffe. Ici le temps s'est figé en ce lieu qui semble immuable dans la coulée douce des saisons et des jours.

Depuis quelque temps, au resto, deux Italiennes viennent manger ou prendre un verre tous les soirs. Chaque fois, elles insistent pour que je les serve et que je m'occupe d'elles, ce que je m'empresse de faire en pensant aux généreux pourboires qu'elles me laissent. Je ne suis pas insensible aux regards aguichants et aux sourires complices d'une d'entre elles. Elle s'appelle Renata. De type méditerranéen, elle est grande et mince avec des yeux noisette, un visage anguleux aux pommettes saillantes. Avec Georgia, sa copine, elles me font part de leur intention d'aller danser ce soir et me demandent de les accompagner, la plage étant peu sûre la nuit. Elles n'ont pas tort ; à cette heure de la soirée, deux jolies étrangères font de parfaites victimes pour certains voyous du coin. J'accepte. Felipe se fera une joie de venir avec nous. Il se chargera de Georgia, très mignonne elle aussi.

Marcos nous regarde partir, l'air quelque peu envieux. Tous les quatre, nous marchons sur la plage. On entend le roulement incessant des vagues sur la berge. Le ciel est criblé d'étoiles. Felipe semble très heureux et très fier à l'idée de boire un cocktail sous les palmiers en si bonne compagnie. Renata et Georgia communiquent avec nous en un mélange d'espagnol et d'italien, ce qui ne nuit nullement à nos échanges. C'est incroyable comme le langage parlé n'a plus d'importance lorsque le jeu du désir se manifeste au travers des gestes et des attitudes. Renata et moi sommes attirés l'un vers l'autre par une complicité naturelle. Elle n'est pas indifférente lorsque je lui prends la main. Je la regarde dans les yeux et j'y vois une invitation à l'amour. La musique qui émane de la boîte de nuit va en s'amplifiant à mesure que nous approchons. Plusieurs clients nous saluent, je sers des mains et donne quelques tapes dans le dos pour bien montrer à Ramon, qui m'observe, que je n'ai pas chômé. Nos deux jolies Italiennes se dirigent vers la piste de danse. Aussitôt, des tas de regards convergent vers elles. Felipe et moi nous disons d'un regard qu'il faut faire gaffe pour ne pas laisser ces jolies perles être distraites par quelques beaux parleurs.

— Elle est tellement belle, je ne pourrai jamais l'avoir, me dit Felipe.

— Aie confiance, j'ai vu que tu lui plaisais.

— Tu crois ?

— C'est l'évidence. T'as pas remarqué que toutes les fois où tu lui parles, elle rigole. Eh bien, tu sais quoi ? Ça veut dire que tu lui plais et que t'as la cote, que je lui explique, tout à fait convaincant.

— Ouais ! lâche-t-il, avec un sourire béat.

À ce moment, mon regard est frappé par celui de Renata. Ses yeux me disent qu'elle veut que je la rejoigne pour danser.

— Viens ! dis-je à Felipe, c'est le temps de se dégourdir un peu.

J'arrive en face de Renata au moment où commence le tube *All that she wants* du groupe Ace of base, ce qui ravive les danseurs et m'aide à réussir mon entrée en piste. Renata me sourit et se met à bouger, imitant mes mouvements fluides et rythmés. Felipe danse de façon pataude mais rayonne de bonheur devant Georgia qui semble réellement avoir le béguin pour lui. Après quelques bons hits endiablés, j'entraîne Renata vers le bar. On se fait servir quatre margaritas que la charmante Napolitaine s'empresse de régler et que nous allons déguster à l'extérieur. Nous restons les pieds dans le sable, la peau caressée par une brise. Près de moi, Renata est resplendissante, le verre à la main, sur un fond de ciel étoilé. C'est l'exotisme à son paroxysme. Felipe et Georgia nous rejoignent. Nous portons un toast et nos yeux parlent plus que nos lèvres. Je vois dans le regard que les filles se sont échangé qu'elles sont prêtes pour le grand saut. Leurs vacances s'achèveront sous peu et la fameuse aventure dont elles ont rêvé n'a pas encore eu lieu. Plus de temps à perdre, il faut que ça finisse sur une bonne note. Le fantasme doit se réaliser, ça presse.

— Max !

Je sursaute, émergeant de mes pensées.

— Je dois téléphoner, tu sais où c'est possible ? me demande Renata toujours dans ce mélange d'italien et d'espagnol.

— Oui, c'est en haut de l'escalier derrière, je t'accompagne.

Elle dit quelque chose à sa copine en rapport avec le téléphone. Puis, elle se lève et j'en fais autant, signifiant à Felipe d'un geste qu'on revient dans un moment. En chemin, Renata semble pensive. Je la laisse me suivre pour ne pas interrompre son monologue intérieur. Sur place, je m'assois sur la bordure du trottoir, un peu à l'écart, pour lui laisser faire son appel en toute intimité. Malgré l'éloignement, je ne peux résister à la tentation de tendre l'oreille et d'essayer de comprendre ce que dit l'Italienne à son interlocuteur. Je comprends vite qu'il s'agit de son petit ami resté en Italie. Elle lui explique qu'elle passe de super belles vacances, qu'il fait beau et que la mer est bonne. Il l'attendra à son arrivée à l'aéroport le surlendemain. Je me dis qu'il est temps que je passe à l'action. Je dois faire attention à ce qu'elle ne me glisse pas entre les doigts. Je vais devoir lui faire le coup de la promenade à la belle étoile. Heureusement, Renata qui a l'air soulagée d'avoir fait son appel, est à nouveau réceptive à mes bonnes attentions qui vont dans le sens de mes intentions.

Nous descendons les marches obscures qui relient l'avenue à la plage. Ce lieu est sinistre et on ne serait pas surpris de voir surgir de l'ombre deux ou trois malfrats. Je mets un bras protecteur sur les épaules de ma partenaire, qui se love instinctivement sous mon aile. Nous débouchons sur la plage sans incident. Je nous fais bifurquer dans la direction opposée au bar. Je connais quelques endroits tranquilles où nous pourrons nous ébattre en toute quiétude. La lune qui vient de se lever est presque pleine et éclaire bien la plage. Les rochers projettent leurs ombres noires où nous nous asseyons, à l'abri des voyeurs. Il y a moins d'étoiles que plus tôt, néanmoins le ciel reste magnifique. Nous sommes l'un contre l'autre, les yeux dans les yeux. Une longue strie bleue traverse l'espace. On se regarde, émerveillés.

— Réalisons nos vœux, lui dis-je.

Je rapproche doucement mes lèvres des siennes qui s'entrouvrent pour un baiser qui ne laisse aucun doute sur nos intentions mutuelles. On en est encore à se caresser comme des collégiens lorsque le faisceau d'une torche nous arrête net. Je me lève précipitamment, pour me retrouver face à trois hommes en uniforme. Je reconnais leur habit, ils sont de la police de protection touristique. En théorie, ils sont là pour protéger les étrangers, mais en général ils effraient les touristes pour leur soutirer de l'argent. Le plus grand me dit avec l'air menaçant qu'il est interdit de faire ce que nous faisons sur la plage. Avant que je dise ou ne fasse quoi que ce soit, Renata bondit et l'engueule vertement en pur italien, telle une mamma italienne qui tance son petit garçon. Elle me prend ensuite la main et m'entraîne, laissant les flics abasourdis. Elle leur a coupé l'herbe sous le pied de façon magistrale. De mon côté, le temps d'encaisser le coup, je comprends qu'il ne faut pas traîner dans le coin. Felipe et Georgia ne sont pas à la boîte, l'endroit s'est considérablement vidé, d'ailleurs. Seuls quelques clients qui semblent incrustés au bar braquent des yeux hallucinés sur nous. La fête est finie. Nous allons revenir en taxi, la maisonnette où je vis est tout près de l'hôtel de Renata. Peut-être qu'elle va m'inviter à monter. Je préfère aller dans sa chambre, sans aucun doute plus confortable que chez moi. De plus, j'emmène rarement de femme chez moi le premier soir parce que j'aime bien avoir le loisir de mettre un terme à une rencontre. Je veux aussi éviter qu'une de ces conquêtes s'amourache et vienne rôder dans les parages. Le trajet se déroule en silence ; nous sommes chacun dans nos pensées. Le chauffeur met un CD de musique ranchera, et bientôt une mélodie triste sur des paroles mélodramatiques emplit la voiture. Je paie le taxi, nous rentrons dans le hall de l'hôtel. Renata se tourne pour me faire face et dit :

— Merci pour cette belle soirée, je te vois à la plage demain. Elle me tend la joue.

Je fais un vain effort pour en revenir où on en était plus tôt mais le charme est rompu, le sort en a voulu autrement.

Je repars un peu déçu, sans plus. Les occasions sont fréquentes ici. Je fais une petite marche en solitaire pour rentrer chez moi. À cette heure, la rue est déserte.

Je me laisse choir dans le hamac sur la terrasse adjacente à ma piaule. Une légère brise fait frémir les feuilles de palmier. Par moment, de petits lézards beiges se manifestent par un son assez particulier. Ça ressemble au bruit que ferait un homme de trente centimètres qui se claquerait deux fois la langue sur le palais. Je bâille un bon coup, le sommeil me gagne. Demain, je dois ratisser la plage à la rencontre des nouveaux arrivants. Je sais que je vais faire la connaissance de gens super et vivre d'autres belles aventures au pays de l'imprévisible.

Ce matin, je me suis réveillé tôt, entortillé dans le hamac. Après m'être rincé le visage à l'eau froide et avoir enfilé mon short de baignade, je descends à la plage. Je me suis fait faire un jus de fruits par la vieille dame qui est toujours à son poste. Tous les matins, elle se tient dans la rue qui longe la grande plage, installée sur une petite table avec tout le nécessaire à son labeur. Elle me fait un sourire édenté après que je lui ai remis toute ma monnaie. J'observe les pélicans planer au ras des vagues tout en savourant la concoction vitaminée que m'a préparée cette gentille dame. Un beau ciel d'azur sans un nuage rejoint l'horizon cristallin. Plus loin, près d'un amas rocheux, des centaines d'oiseaux volent, excités, au-dessus de l'eau. J'aperçois Felipe sur le rivage qui les observe avec attention. Je termine mon jus et m'en vais le rejoindre.

— Salut Felipe, ça va ? T'as pas dormi à la maison ?

— Ah ! Salut. J'ai pas dormi du tout, tu veux dire. Georgia ne m'a pas laissé de répit.

Il se met l'index et le majeur sous le nez et hume en fermant les yeux.

— C'est une déesse de l'amour, tiens sens-moi ça, ajoute-t-il en me tendant sa main.

— Arrête, tu me dégoûtes. T'as pas mieux à faire ?

— Qu'est-ce que tu as, t'es frustré ? T'as pas baisé, ou quoi ?

Sans attendre de réponse il enchaîne :

— J'ai emprunté le fusil harpon de Marcos, attends je vais le chercher.

Il court jusqu'à la vieille barque renversée où se cachent habituellement nos affaires de pêche. Il retire de sous la coque un superbe fusil harpon qu'il m'exhibe fièrement.

— T'as déjà pêché avec ça ? demande-t-il.

— Non ! C'est facile ? que je lui demande avec les yeux d'un gamin qui regarde avec envie le nouveau jouet de son copain.

— Tu vas voir, je vais te montrer. Prépare-toi, on va s'amuser.

— Ne trouves-tu pas que la mer est un peu agitée ? On risque d'avoir des problèmes.

— Regarde tous ces oiseaux, ça veut dire qu'il y a beaucoup de poissons, dit-il en pointant du doigt l'amas rocheux. Là-bas, c'est beaucoup moins dangereux que notre lieu de prédilection.

En effet, ce petit cap de roches n'a rien d'aussi menaçant que le récif où nous avons coutume de pêcher les huîtres. On entre dans l'eau sans plus attendre. Avant de mettre mon masque, je crache dedans et, avec mon pouce, j'étale la salive pour couvrir la surface vitrée. Puis, je rince à l'eau de mer. Ceci a pour but de réduire la formation de buée pendant la plongée. Nous partons à la nage. Felipe fonce à l'avant avec le harpon armé, je le suis de près. Sous l'eau, c'est aussitôt un autre univers. Avec le masque, la vision est parfaite et les palmes me propulsent sans trop d'efforts. À tout moment, je dois sortir la tête pour respirer. Felipe reste beaucoup plus longtemps sous l'eau. C'est un habitué de l'apnée. Il pêche de cette façon depuis qu'il est tout jeune, lorsqu'il vivait dans un petit hameau côtier au Pérou. Nous arrivons près des oiseaux et, en effet, tout un banc de poissons nage avec synchronisme au gré des courants. Leurs abdomens argentés nous envoient des reflets solaires. Felipe s'approche, met en joue et tire. Le harpon s'enfonce dans la masse opaque de poissons. Touché, un spécimen s'agite au bout de la pointe. Felipe ramène le harpon qui est relié au fusil par une corde. Il écrase du pouce et de l'index les yeux de la pauvre bête pour abréger ses souffrances et la met dans un filet à sa ceinture. Il arme le fusil en appuyant la crosse sur son ventre, tire fort pour bien tendre les élastiques et fixer le harpon dans le système de déclenchement. Je sors la tête pour respirer, Felipe aussi.

— T'as vu, vieux ! Il y a plein de poissons. Allez, à ton tour ! crie-t-il pour couvrir le bruit des vagues qui frappent contre les rochers.

Il me tend le fusil, je le prends avec précaution. J'inspire quelques bonnes bouffées d'air avant de m'enfoncer sous l'eau. Je vois le groupe de poissons à trois mètres devant. Je m'approche aisément en donnant quelques coups de palmes. Je vise dans le tas et appuie sur la détente. La lance rentre dans le banc sans rien atteindre. Je remonte pour respirer et en profite pour recharger le fusil. J'y arrive non sans quelques difficultés. Ça nécessite tout un effort pour armer ce truc. Je me rapproche des poissons à nouveau. J'en vise un en particulier et tire sans attendre. Touché ! Le harpon a pénétré la base de la queue. L'animal se débat comme un damné. Je donne le fusil à Felipe qui est très attentif à l'action. Il ramène le poisson en tirant sur le fil, bataille un peu et l'achève de la même façon que le précédent. Il recharge et plonge. Quant à moi, essoufflé, je reste à la surface. Je vois une grande vague foncer sur moi, elle me soulève mais ne casse pas et passe pour se rompre avec fracas sur les rochers. Felipe émerge, il a attrapé un autre poisson. Il me sourit sans paraître préoccupé par la mer qui s'agite. Je lui fais signe que je n'en peux plus et je me mets à nager vers la plage. J'avance très lentement vers le rivage parce que le ressac des vagues me retient. Il est toujours plus facile d'aller au large que d'en revenir. Je me sens rassuré lorsque je touche le fond. J'enlève les palmes et monte sur la plage, dégoulinant. Mon ami péruvien sort après moi. On se tape dans les mains pour manifester notre joie de vivre de façon si intense.

— J'y retourne, me dit Felipe.

— Pour moi ça suffit. Merci, c'était super, que je réussis à dire entre deux souffles.

— Tiens, prends ces poissons. Moi je vais en attraper d'autres.

— N'oublie pas qu'on a besoin de toi ce soir au restaurant.

— Compte sur moi répond-il en criant, avant de disparaître sous une vague.

Je retourne à la maison préparer les poissons. Je prends un couteau dans la cuisine et vais dans le jardin pour les vider. Près du puits, je m'installe au lavadero pour faire cette sale besogne avec un seau d'eau rempli à côté. Je trouve un mégot de pétard sur le parapet du puits que Felipe, comme à son habitude, a laissé traîner. Je le fume ? Je ne le fume pas ? Si je le fume, je risque d'avoir un comportement asocial et paranoïaque à l'égard des gens en me refermant sur moi-même. C'est pas grave, je le fume, j'en ai trop envie. Les doigts poisseux, je le prends entre le pouce et l'index et l'allume. J'aspire deux bonnes taffes et retiens mon souffle quelques secondes puis j'expire la fumée bleuâtre. Je recommence l'opération et j'attends, immobile, de sentir l'effet. Je fixe le vide en ne pensant à rien, puis un arbre d'orchidées se dessine devant moi. Aussitôt le parfum vanillé des magnifiques fleurs mauves et jaunes excite mon odorat. Sublime. J'aperçois sur une des branches, presque totalement fondu dans le décor, un iguane qui mange une fleur. Il mastique très lentement, sans bruit. Les pétales pénètrent tout doucement dans cette gueule de dragon. Soudain, il s'arrête net, il se sent épié. Il reste figé comme ça de longues minutes. Je suis fasciné par ce spectacle. J'ai l'impression d'être en communication silencieuse avec ce reptile. La brise se lève et m'amène l'odeur du poisson trop longtemps laissé au soleil. Je me dépêche d'en finir avec ce travail. J'extirpe les viscères à pleines mains, mélange gluant qui me glisse entre les doigts. Des mouches aux couleurs métalliques scintillent tout autour. Tout ça me dégoûte maintenant que je suis stone. Au moment où j'en finis avec les poissons, Felipe se pointe le sourire fendu d'une oreille à l'autre, exhibant trois nouvelles prises.

— Je me demande si t'es aussi bon pour les préparer que pour les pêcher, lui dis-je, l'invitant au défi. Moi, j'en ai marre.

— Pour sûr, j'ai fait ça toute ma vie au Pérou.

— Fais ça près du puits, il y a tout ce qu'il faut. Moi, je vais chercher du bois au fond de la cour.

— Pourquoi faire ? demande-t-il, surpris.

— Du feu pour fumer le poisson comme les Indiens.

— Génial.

Je sais qu'on fume le saumon avec du bois de hêtre, mais ici il n'est pas possible d'en trouver. En me promenant sur le terrain, je ramasse des branches de palmiers, des écorces de cocos et des noyaux de mangues brunis par le soleil. Sur une aire dégagée, je creuse un trou d'un mètre de profondeur que je remplis de mon mélange de bois sec. J'allume, les brindilles sèches s'enflamment rapidement, en moins de cinq minutes un joli feu crépite. Felipe a inséré les poissons entre deux grilles qu'il a prises dans le four. Quand je constate que la braise est suffisante et bien rouge, je la couvre de feuilles vertes de citronnier. Aussitôt, une épaisse fumée blanche nous enveloppe. Les effluves acidulés de citron envahissent l'air ambiant. Je pose la grille de poissons par-dessus cette cheminée improvisée. Il nous suffit, de temps à autre, d'ajouter des feuilles et de tourner les grilles.

En cette fin d'après-midi, nous sommes assis sur notre terrasse, dégustant le fruit de notre labeur et de notre courage tout en étant conscients que notre liberté de vivre et d'agir à notre guise n'a pas de prix. Une fois de plus, le firmament nous éblouit et nous laisse sans voix.

— C'est succulent, c'est quoi ces poissons-là ?

— Je n'en ai aucune idée, répond Felipe.

— Veux-tu dire qu'on mange peut-être quelque chose de poison sans le savoir ?

— Écoute, mon ami, quand c'est bon, y a pas de danger. Crois-tu que le Bon Dieu mettrait des poissons dans la mer pour nous empoisonner ?

— Heu ! Ouais...ça a du sens que je réponds, pas du tout rassuré.

CHAPITRE 8

Les semaines suivantes sont pour nous très occupées avec la pêche, la plage, la promo, le resto, la boîte de nuit, les touristes, les filles, le sexe, et il ne reste pas de place pour l'ennui. Felipe a enfin retrouvé le sourire, lui qui a été attristé par le départ de Georgia, son Italienne qui ne lui laissait pas de répit. Il a aussi été très embarrassé par la chaude pisse qu'elle lui a refilée. L'injection d'antibiotiques que lui a faite le médecin en échange de quelques pesos a heureusement contribué à ce qu'il oublie cette mésaventure.

Je décide après quelques mois de ce train de vie délirant de prendre quelques jours de congé pour réfléchir à ma situation. Une certaine lassitude s'installe, je dirais même que je me sens quelque peu nostalgique. J'aurais peut-être besoin de gagner ma croûte de façon plus convenable, voire plus traditionnelle. Rentrer au pays pour faire du neuf à cinq me ferait certainement du bien. Je remplirais les coffres pendant quelques mois avant d'entreprendre de nouvelles aventures. Est-ce que je pourrai m'adapter de nouveau à cette vie urbaine ? Côtoyer des gens qui traînent leur petit nuage noir au-dessus de la tête et, tout comme eux, travailler comme un damné pour attraper l'inaccessible carotte qui pend au bout du bâton ? Cette vie au nord c'est comme du sable mouvant, plus ça dure et plus on s'enfonce, jusqu'à s'incruster dans le décor.

— Eh ! Señor, tu dors ?

— Quoi ?

Je me tourne en direction de la voix.

Un Indien en costume traditionnel du coin, tout de blanc, me sourit au bord de la clôture. Il me fait signe d'approcher pour voir ce qu'il y a dans son sac. Comme il semble très méfiant, je m'attends à ce qu'il me montre un gros paquet d'herbe qu'il voudra me refiler pour quelques pesos. Sans prendre la peine de m'extirper du hamac, je lui dis que ça ne m'intéresse pas.

— C'est pas ce que tu crois, allez, viens voir, ça te plaira, insiste-t-il dans un espagnol approximatif, car comme beaucoup d'autochtones sa langue première doit être un dérivé du nahuatl.

Je fais alors l'effort de sortir du confort de ma posture avec quelques craquements. Le gars retire du sac deux paquets emballés de papier journal. Il en sort du premier un masque vert émeraude. Magnifique, il représente un visage de prêtre aztèque. Sans plus attendre, il déballe l'autre paquet, en sort un masque d'un vert plus foncé. Toutefois le visage de celui-ci dégage une expression de rage hideuse qui lui donne plus l'air d'un guerrier. En fait, j'apprendrai par la suite qu'il s'agit de masques zapotèques représentant des visages de dieux. Du mieux qu'il peut, le type m'explique que ce sont des masques en jade ancestraux, qui ont été découverts dans un tombeau non loin de son village dans les montagnes plus à l'est. Les deux pièces d'art sont faites de centaines de morceaux de jade assemblés tels des casse-tête pour former de superbes figures symétriques. Chaque masque a une expression distincte, l'un, un calme serein et l'autre, un tourment haineux. C'est saisissant, je sens de l'angoisse à force de les contempler. Une voix dans ma tête me dit qu'il me faut ces masques, c'est impératif.

— Combien-tu en veux ? que je lui demande en feignant l'indifférence.

— Dix mille pesos, répond-il sans hésiter.

Ça veut dire qu'il en veut cinq mille et que c'est négociable. Je dois avoir à peu près deux mille pesos, mais j'ai une petite idée de la façon dont je peux manœuvrer l'affaire. Je l'invite à passer à l'intérieur, nous serons plus à l'aise à l'abri des regards indiscrets. Il décline l'offre que je lui fais d'une boisson rafraîchissante. En ce pays comme dans plusieurs autres aussi, on ne boit pas tant qu'on ne s'entend pas. Je lui propose l'argent que j'ai sachant que ce ne sera pas suffisant, mais il faut bien partir le bal. Il se met à ricaner pour me signifier que c'est mal parti. L'Indien reluque ma sono portable Sanyo. J'hésite à la lui offrir, j'imagine mal passer les interminables après-midi sans musique. Mais avec de si beaux masques, je vais rapidement trouver preneur en France ou au Canada et à fort prix. La perte de la sono devient secondaire de ce point de vue. Finalement, nous nous entendons pour les deux mille pesos, la sono et une vieille caméra Nikon que j'ai achetée pour presque rien dans une brocante. Mon négociant des grands chemins refuse la Corona que je lui offre, mais accepte plutôt un grand verre d'eau avec des glaçons. J'occupe l'heure suivant son départ à contempler ces pièces d'art fascinantes. Je suis fou de joie. À mon esprit, il n'y a pas de doute, elles sont authentiques. J'entends les bruits de pas balourds de Felipe qui se rapprochent. Il entre par la porte entrouverte.

— Qu'est-ce que tu fous ? Tu viens pas à la plage ? C'est plein de nouveaux. Wow ! Qu'est-ce que c'est que ça ? me demande-t-il enfin.

— De quoi ça a l'air tu penses ?

— De masques précolombiens, comment les as-tu dégotés ?

Je lui explique ma rencontre avec l'Indien, les négociations et l'accord survenu. Je termine en lui disant :

— Tout à l'heure quand j'étais dans le hamac, je me disais qu'il serait peut-être temps pour moi de retourner à la maison. La saison touristique s'achève et tu sais comme moi qu'on s'emmerde à en mourir lorsqu'il n'y a plus personne. Avec les pluies qui arrivent, c'est le retour des insectes. Tu te souviens des scorpions gros comme mon pouce, des scolopendres venimeuses, des moustiques qui nous bourdonnent incessamment dans les oreilles en plus de nous transmettre la malaria ou la dingue en nous piquant sur chaque centimètre de peau ?...

— Moi je m'en fous, je reste. Touriste ou pas, il y a la mer, j'ai mon fusil harpon et ma baréta, je ne vais jamais manquer de bouffe. Je vais m'ennuyer un peu sans musique, mais c'est pas grave, ajoute-t-il cherchant à minimiser les conséquences de mon départ prochain.

C'est décidé, je travaille encore quelques semaines, le temps d'économiser les cinq cents dollars nécessaire pour me rendre à Montréal. Mon frère y vit et il sera certainement heureux de m'héberger quelques semaines. Avec de si belles pièces de collection, je trouverai aisément un acquéreur qui me donnera ce que je veux.

— Je serai absent seulement deux ou trois mois, après je reviendrai avec un bon paquet d'argent. Je me fais rassurant.

— T'inquiète pas pour moi, je ne bougerai pas d'ici.

— Combien penses-tu que nous allons tirer de ces faces d'Indiens ?

— Je dirais six mille dollars pour les deux.

— Wow ! J'espère que tu vises juste, dis-je, enthousiasmé.

Ce matin j'ai croisé Patrick en descendant à la plage pour y distribuer les prospectus du restaurant. Lui de son côté y vend ses colliers, ses bracelets et surtout ses fameuses tresses aux diverses couleurs garnies de coquillages à une clientèle de jolies filles. Nous allons travailler en tandem, ce sera plus amusant. Patrick a toujours le mot pour rire, un enthousiasme débordant à l'égard de la vie. Il est souvent acculé au bord du ravin, mais sa nature positive et inébranlable le sort toujours de situations qui pour certains seraient insoutenables. Il m'explique qu'il s'est déniché une cabane à un dollar par jour. Il m'assure que Felipe et moi devrions voir ça. C'est situé dans la jungle de l'autre côté de la route nationale à moins de dix minutes de marche. Je me dis que ça pourrait être bien, le mois arrive à échéance et ce serait quatre fois plus économique. De plus, la doña qui m'a loué la maison a compris depuis belle lurette qu'elle ne faisait pas une si bonne affaire avec nous. Patrick, le visage souriant, s'approche le bras tendu au bout duquel pend un cintre sur lequel est accroché son stock de colliers et de bracelets. Il se dirige vers un couple de type caucasien. Aussitôt que Pat commence à vendre sa salade à la fille, moi je sympathise avec le copain et lui parle du restaurant en lui remettant deux coupons qui donnent droit à quelques verres de tequila. Je sais très bien qu'il n'en a rien à foutre. Lorsque, au bout de quelques instants, la fille demande à son conjoint son avis sur un collier. Il saisit l'occasion de se débarrasser de nous en disant à la fille qu'il trouve le collier très beau et qu'il va le lui acheter. La transaction se concrétise rapidement, nous les laissons à leur emploi du temps, lui soulagé que ce soit terminé, elle émoustillée, et pour cause. Ça commence bien notre tournée, c'est du vrai travail d'équipe. Il faut dire que ça fait déjà quelques fois que nous travaillons ensemble et nous avons développé quelques techniques qui ont souvent à voir avec les ressorts psychologiques des gens. Un humain, qu'il soit riche, pauvre, instruit, nomade ou sédentaire, va souvent réagir de la même façon. Nous repérons un groupe de quatre jolies filles. La brise transporte leur odeur de crème solaire à la noix de coco et de phéromones. Sans même nous consulter du regard, Patrick et moi dévions dans leur direction. De leur conversation poussée par le vent, je reconnais le bel accent chantant des Argentins. Pat se lance dans sa litanie avec gestes à l'appui. C'est hilarant de le voir baragouiner l'espagnol, souvent en empruntant des mots de français qu'il termine par des io et des ion. Il est tellement démonstratif que les filles, déjà sous le charme, n'ont aucun mal à le comprendre. Maria, la plus plantureuse des quatre, décide de se faire faire une tresse aux couleurs du drapeau argentin, bleu, blanc et le jaune. Patrick, toujours le sourire aux lèvres, est à préparer l'amorce de la tresse sur une mèche de cheveux de Maria pendant que je m'occupe de préparer les fils en fonction des couleurs demandées et de la longueur désirée. Ça prend une vingtaine de minutes pour faire une tresse. Pour le plus grand bonheur de mon ami, les autres filles ont décidé d'imiter leur copine. Lorsque Pat termine la première tresse, j'ai déjà préparé les fils selon le choix de couleurs des autres. À peine ai-je engagé la conversation avec ces filles que Felipe, après nous avoir aperçus, rapplique au trot avec son attirail de pêche.

— Holà chicas que tal ? Salut Max, tu viens pêcher avec moi ?

— Tu vois bien que je suis occupé à tenter de faire bonne impression, lui dis-je en français pour ne pas me faire comprendre des filles.

— Quand on va sortir de l'eau avec le filet rempli d'huîtres et de poissons, t'auras pas besoin de te forcer à faire bonne impression.

Ce dernier argument me convainc tout à fait. Je me lève en leur disant à plus tard.

Nous avons emménagé chez Patrick dans la jungle. En plus des cabanes à un dollar, on trouve aussi une grande chambre en béton à deux dollars que Felipe et moi avons décidé de partager. C'est beaucoup mieux puisqu'elle dispose d'un plancher solide et d'une terrasse où nous avons attaché nos hamacs. Nous passons les après-midi à flemmarder, pendant qu'à côté Patrick et un autre artisan qui s'appelle René sont assis à même le sol à fabriquer des colliers. Ils préparent leur matériel pour la soirée. René a montré à Pat un endroit où ils peuvent s'installer le soir pour vendre leur artisanat en toute quiétude. C'est au début de l'avenue piétonnière où il y a affluence de touristes en soirée. Ça fonctionne bien, ils réussissent à vendre. René est un gars au tempérament calme et posé. Mexicain par sa mère et québécois par son père, il parle aussi bien le français que l'espagnol, mais il a plus l'aspect mexicain que canadien. Teint foncé, yeux bruns et longs cheveux noirs frisés. Il aime bien la bière, il a toujours une de ces grosses bouteilles d'un litre à la main. Hier soir, à la fermeture du restaurant, je suis allé les rejoindre à leur lieu de vente. Patrick a manifesté sa joie d'avoir fait de très bonnes affaires. Je l'ai aidé à ranger son matériel pendant qu'il comptait son argent. René se tenait un peu plus loin à siroter sa grosse bière quand deux voyous armés d'un couteau ont menacé Pat de lui voler sa recette de la soirée. J'ai paralysé, ne sachant comment réagir, mais avant que mon ami soit dépouillé de son argent, René a fracassé sa bouteille sur la bordure du trottoir et, vif comme un chat, a mis le tesson à la gorge du gars au couteau.

— Laisse tomber ton couteau connard ! lui a ordonné René en espagnol sans laisser planer le moindre doute sur ses intentions.

Le gars n'a pas hésité longtemps avant de s'exécuter. L'arme a tinté au sol l'instant d'après. René, de la pure hargne dans les yeux, a accentué la pression sur le tesson au bout duquel une goutte de sang a commencé à perler.

— Foutez le camp d'ici ! a-t-il ajouté en relâchant son emprise.

Les deux voyous ont décampé comme des gazelles affolées. Patrick et moi sommes restés estomaqués de la réaction de René. Je me suis demandé comment un gars si doux et calme pouvait se transformer ainsi.

— Ben quoi, les gars c'est fini, faites pas cette tête, qu'il a dit ça comme si rien ne s'était passé.

CHAPITRE 9

J'AI redoublé d'ardeur pour rameuter les touristes au restaurant et j'ai mis un frein sur les dépenses inutiles, si bien qu'au bout d'un mois, j'ai maintenant ce qu'il faut pour prendre un taxi jusqu'à l'aéroport et, de là, embarquer sur le premier avion en partance pour Montréal. Felipe, Marcos et Esperanza, sa femme, ont préparé une paella à l'occasion de mon départ. Patrick et René sont de la partie. Nous dégustons notre repas sans vraiment avoir le cœur à la fête. Je leur promets de revenir à la fin de l'été et que nous allons faire ça en grand pour la prochaine saison touristique. Le taxi arrive, je n'ai qu'une valise dans laquelle les deux masques ont été soigneusement enveloppés de vêtements. Après quelques brèves accolades, je monte dans le taxi. Je regarde vers l'arrière et je vois mes amis m'envoyer la main. Ça me fait drôle d'être dans le rôle de celui qui part, quand je pense à tous les touristes, clients et amis à qui, moi, j'ai envoyé la main dans la poussière du taxi qui s'éloignait. Aujourd'hui, c'est à mon tour de partir. Non sans enthousiasme, c'est toujours agréable de renouer avec les déplacements. Même si c'est pour revenir au point de départ. Là-bas, chez moi, probablement rien n'aura changé, mais tout me paraîtra différent. C'est moi qui aurai changé.

À l'aéroport international de Mexico, je prends place dans mon siège assigné dans l'avion. Je suis bien heureux d'avoir insisté pour être sur le bord d'un hublot. Mes inquiétudes d'avoir passé dans ma valise les masques précolombiens, lesquels ne doivent en théorie pas sortir du pays, commencent à se dissoudre à mesure que les préparatifs pour le vol avancent. Je suis même soulagé lorsque l'avion décolle. Dans moins de cinq heures, je serai à Montréal, de retour d'un périple de six mois au Mexique. En réfléchissant aux aventures que j'ai vécues ces derniers mois, je me dis que ça ne peut pas faire que six mois, j'ai plutôt l'impression qu'un an ou deux se sont écoulés.

Des secousses me font sortir d'un début de somnolence, nous pénétrons dans une zone de turbulences. Je vois vers l'avant une masse de nuages gris. De la pluie et de l'orage peut-être. Les secousses vont en s'accentuant à mesure que la pénombre nous enveloppe. L'éclair qui déchire le ciel dans un fracas assourdissant éveille les plaintes des plus craintifs. Je n'ai jamais volé dans de telles conditions, c'est très angoissant. Serait-ce une espèce de malédiction des masques qui tenterait de ramener l'appareil au sol ? Le commandant de bord demande aux gens de garder le calme, il annonce un arrêt à Monterey pour laisser passer les quelques cellules orageuses qui parcellent la région. Quelques minutes plus tard, entre deux ondées de pluie, nous atterrissons sur le tarmac. On sert aux passagers des collations et des boissons. Allez, hop ! je me prends un dry martini double, pourquoi pas ? Une averse tropicale déferle à l'extérieur. Au sol, avec l'alcool qui me chauffe l'intérieur, je me sens en parfaite sécurité. Après une pause d'une heure, l'avion redécolle et cette fois pour la bonne, j'espère.

Il est vingt heures lorsque je sonne chez mon frère Benoît. Nous sommes vendredi, c'est le début du week-end, j'appréhende son absence. Le grésillement de l'interphone me soulage. La voix de mon frère dit :

— Oui ?

— Eh ben, devine qui c'est ?

— Pas vrai ! Monte frérot… si tu te souviens bien, c'est au douzième.

Bientôt les portes d'ascenseur s'ouvrent devant mon frère qui m'attend tout sourire. Il a les yeux luisants. L'odeur de hasch qui flotte dans son loft me confirme la raison de cette brillance dans son regard. C'est devant un verre de rouge et des fromages français que je lui raconte les péripéties de mon voyage. Nous sommes assis sur le divan, face à une très grande fenêtre. La vue sur un gratte-ciel avec la montagne en arrière-plan est remarquable. Tout un contraste avec Puerto Loco. Mon frère me suggère de mettre ma valise dans la petite chambre près de l'entrée.

— Qu'est-ce que tu comptes faire ? Tu vas te louer un appart ? demande-t-il, intrigué.

— Je pense bien retourner au Mexique dans deux mois. Peut-être avant, si je réussis à vendre les masques précolombiens que j'ai rapportés. Attends, je vais te les montrer.

J'ouvre ma valise, en sors la boule de vêtements protecteurs du trésor. Avec précaution, je déballe les masques. Par chance, ils sont intacts. Doucement je les pose sur la table du salon. Benoît semble ébahi, c'est tout juste s'il ne se pince pas. Il observe de très près chacun des objets, sans un mot, tout à fait concentré.

— Je crois pouvoir les vendre pour six mille dollars, que je dis pour l'impressionner.

— T'es fou, ces trucs n'ont pas de prix. Tu devrais plutôt dire soixante mille dollars. Sérieux, sais-tu que tu as couru de gros risques en sortant ça du Mexique ?

— Heu non, enfin oui, un peu.

— L'important, c'est que le pire est fait, il ne reste plus qu'à trouver un acheteur. Là-dessus, j'ai peut-être ma petite idée, ajoute-t-il, pensif.

Benoît consent à m'héberger le temps que je serai à Montréal. Ça tombe bien, il ne sait plus où donner de la tête dans son travail. Il est débordé. Il a sa propre entreprise qui consiste à offrir des services de muséologie tels que le transport, l'entreposage et l'installation d'œuvres d'art. Il fabrique aussi des caisses de transport adaptées pour chaque œuvre. Il va d'ailleurs construire des boîtes de protection pour les masques. Il me propose justement d'aller chez un client lundi pour installer un cadre, ainsi il pourra occuper son temps à autre chose. Il m'assure que c'est facile, je n'ai qu'à prendre mes mesures avec précision et déplacer le tableau avec précautions.

Comme prévu, le lundi je me rends avec la voiture de mon frère chez Paul C., un homme d'affaires prospère. Il habite en région dans une superbe propriété au bord d'un lac. L'endroit fourmille d'activités : des ouvriers s'activent au terrassement de l'immense terrain qui descend jusqu'au rivage du lac, d'autres, portant des casques jaunes, transportent des matériaux de construction vers un chantier qui sera, semble-t-il, un ajout à la résidence. Je me présente à l'entrée principale avec mon coffre à outils. Le domestique me conduit dans un vaste salon où m'attend un homme grassouillet aux allures débonnaires. Avec des airs efféminés, il me tend la main, non pas comme un homme le ferait, mais comme une femme qui attend un baisemain.

— Tu dois être Benoît de la compagnie de muséologie ?

— En fait, je suis Max, son frère, nous travaillons ensemble, lui dis-je en empoignant sa main flasque.

— Enchanté, Max, moi c'est Georges, décorateur attitré de Paul C. Si je m'attendais à voir Casanova aujourd'hui ! Tu brilles comme un rayon de soleil. Tu arrives du sud ?

— En effet, on peut rien vous cacher. J'ai passé quelques semaines au Mexique.

— Laissons tomber le vouvoiement, tu veux bien ?

Nous nous rendons dans une pièce au sous-sol où sont entreposés plusieurs tableaux et sculptures. Georges me désigne un tableau au cadre massif. Affectant l'assurance du professionnel, je mets mes gants blancs comme me l'a recommandé Ben en me demandant comment je vais pouvoir m'y prendre. Georges me propose de l'aider à transporter l'objet dans le grand salon où je devrai l'accrocher au mur. Je le retiens lorsqu'il s'apprête à empoigner le cadre et lui suggère de mettre une paire de gants blancs que je lui remets. Je précise qu'à la longue le gras des doigts endommage les œuvres. Pas mal pour un néophyte, je me sens fier de moi.

Georges est parti vaquer à d'autre chose. Il m'a remis un plan de l'endroit où placer la toile avec les mesures et tout. Un vrai jeu d'enfant, et Ben m'a dit aussi de prendre mon temps parce que plus c'est long, plus ça paraît bien fait. C'est ce que je fais avec mon ruban à mesurer et mon niveau. Seulement pour faire les marques où planter les crochets m'a pris plus d'une heure. J'accepte la limonade que m'offre le domestique qui m'avait paru obséquieux au début, mais qui semble plus détendu maintenant. Une autre heure et une autre limonade plus tard, les crochets sont fixés. Le domestique qui s'appelle Étienne me donne un coup de main pour accrocher le tableau au mur. Après avoir rangé les outils dans le coffre, je rejoins Georges qui fume une cigarette sur le patio pour lui faire signer un reçu.

— Très bien Max, très efficace

— Tiens Georges, signe ce reçu, s'il te plaît.

— Écoute, je suis débordé de boulot, le patron organise une grande fête la semaine prochaine et il y a plein de réaménagement à faire. J'aurais besoin de tes services pour quelques jours.

— Je dis pas non, mais il faut vérifier avec Benoît.

— Dis-lui qu'il m'appelle, si c'est O.K., je veux te voir à neuf heures demain matin.

— Parfait Georges, je crois pas qu'il devrait y avoir de problèmes.

Sur le chemin du retour, je me mets à rêver de vendre les masques à Paul C. Il est riche comme Crésus et semble apprécier l'art sous toutes ses formes. Je n'aurai qu'à attendre quelques jours que mon frère termine les caisses adaptées. J'utiliserai ce temps pour me familiariser avec mon nouvel emploi et je veillerai à rencontrer mon éventuel client.

Benoît a été tout à fait d'accord avec l'idée que son frangin bosse une semaine chez C. Il s'est dit surpris de l'aisance avec laquelle je me suis immiscé dans ce monde pourtant assez clos. Le fait que la moitié des honoraires lui revient n'est pas étranger à son assentiment. Si je réussis à vendre ma camelote, je saurais être magnanime à son endroit.

Le boulot comme tel n'a rien d'astreignant. Je dois installer des tableaux ou différentes œuvres telles des sculptures, toujours sous la supervision de Georges. Il est très minutieux, tout doit être parfait, souvent il change d'idée et l'on doit recommencer. Lorsqu'il est interrompu, j'attends qu'il revienne pour d'autres directives. Je profite de ces moments pour visiter les lieux. Après trois jours, toujours pas trace du maître de maison. Je me dis qu'il doit travailler jusque dans la soirée, je devrai faire des heures supplémentaires si je veux le croiser. Tandis que je déambule, j'entends des pas résonner sur le marbre. Je me retourne et reconnais Paul C. pour avoir vu des photos de lui sur les murs en compagnie d'illustres personnages. Je reste bouche bée.

— Vous cherchez quelque chose ? demande-t-il avec un sourire en coin.

— Heu, non, en fait je travaille avec Georges à la déco.

— Ah ! T'es le gars de la muséologie. Enchanté, moi c'est Paul C.

À mon grand étonnement, il me serre la main énergiquement.

— En fait, je suis le frère de Benoît…

— Oui, je sais Georges m'a dit, tu lui as fait bonne impression ajoute-t-il avec un clin d'œil narquois.

— Écoute, Paul, lui dis-je optant pour le tutoiement étant donné son côté avenant, j'ai passé plusieurs mois au Mexique et j'ai rapporté de beaux masques précolombiens que j'aimerais te montrer, ils sont magnifiques et authentiques.

— Tu sais de quelle ethnie? T'as une photo?

— Ils sont zapotèques, que je réponds en tendant quelques photos que je me réjouis d'avoir prises avec moi.

Paul observe attentivement les clichés. Je vois à sa réaction qu'il est impressionné. Si j'ai bien compris, tu aimerais me les vendre.

— Oui tout à fait.

— Laisse-moi les photos, je vais les montrer à un connaisseur. Tu travailles demain?

— Oui.

— Parfait. Je te donnerai des nouvelles demain.

Sur ce, il tourne les talons et se dirige d'un pas alerte vers son bureau. Je dirais que ça c'est bien passé. Paul C. m'a fait une bonne impression par sa chaleur et son dynamisme. Nous sommes allés droit au but. J'espère que Ben a terminé les boîtes de transport. Dans un tel cas, j'apporterai le trésor demain. À ce que j'ai pu comprendre, ça risque de ne pas traîner.

À mon retour du travail, je suis heureux de constater que mon frère a rapporté deux belles caisses adaptées pour le transport des masques. Leur intérieur est recouvert de mousse spécifiquement façonnée pour épouser la forme des objets qui l'habiteront de sorte qu'une fois les caisses fermées rien ne peut faire bouger leur contenu. Je suis impressionné de la qualité du travail, qui met en valeur les œuvres.

Le jour suivant je besogne sous l'œil attentif de George, lorsque Paul C. me demande au téléphone. Il veut s'assurer que j'ai apporté les masques et m'informe qu'il passera au début de l'après-midi accompagné de son expert en art précolombien pour avoir son avis sur leur authenticité.

Le spécialiste qui se pointe comme prévu avec le patron a plus la dégaine du petit comptable à lunettes que celle d'Indiana Jones. Par contre, il éprouve une certaine difficulté à conserver son stoïcisme devant les boîtes ouvertes. Il a l'air complètement fasciné, et si à ce moment il me disait que nous sommes en présence de faux, je soupçonnerais qu'il est de mèche avec Paul C. pour m'arnaquer.

— Combien tu en demandes ? amorce C. sans attendre.

— C'est difficile de mettre un prix, ces objets sont de grande valeur.

— Ce n'est pas si simple, intervient le plus comptable des archéologues, il faut les authentifier, il faut aussi les légaliser et justifier leur présence en sol canadien.

— Bon, ça va, disons huit mille dollars.

— De l'unité ou pour le lot.

— De l'unité.

Quelques tergiversations plus tard, nous nous entendons pour dix mille dollars en argent comptant que Paul C. me remet en deux liasses épaisses de billets de cent après avoir fait un tour dans son bureau. J'ai l'impression qu'un homme de cette trempe doit y cacher un coffre-fort bien garni.

Dans la voiture, j'exulte. J'exprime ma joie par des petits cris et des hi-five en solitaire. J'ai été soulagé lorsque George m'a libéré pour le reste de la journée. Je ne vois pas comment j'aurais pu travailler avec ces deux énormes protubérances dans chaque poche de mon jean.

Je viens tout juste de comprendre que l'absence du bruit des vagues qui se rompent à intervalles réguliers est la cause du vide que je ressens depuis mon retour au pays. Ça fait déjà trop longtemps que je suis à Montréal. J'apprécie l'hospitalité de mon frère, régulièrement nous nous faisons de bonnes bouffes en buvant des vins de qualité. C'est toujours agréable d'avoir des discussions avec lui après les repas. Il est très cultivé, peut débattre de beaucoup de choses, et sa curiosité naturelle l'a amené à avoir des connaissances dans plusieurs domaines. Souvent nous discutons jusque tard dans la nuit. De temps à autre aussi, je fais quelques petits contrats pour lui. Aussi, j'écris mes souvenirs de voyage. Parfois, pour tuer le temps qui s'étire, je déambule dans les rues de cette ville qui est magnifique, mais qui n'a rien d'exotique à mes yeux. L'été s'étire sans fin. Ça me fait penser à certaines personnes qui nous rabâchent souvent que la vie passe vite, qu'elle est éphémère, qu'elles n'ont pas vu passer leur jeunesse. Au contraire, si on se met à penser à chaque instant de notre vie jusqu'en arriver au moment présent, on en conclut que le qualificatif d'éphémère n'a pas sa place dans ce long fleuve tranquille ou agité, c'est selon. En fait, j'en arrive à la conclusion que nos vies semblent passer rapidement parce que nous les regardons au travers de la loupe de nos souvenirs, ce qui provoque un effet de distorsion. La vision avec le recul nous fait prendre un raccourci. Nous oublions ce long chemin traversé. Le fait est que nous sommes les otages de cet éternel présent, prisonniers du maintenant. Je me fais philosophe parce je n'ai rien d'autre à faire que de me poser des questions. De toute façon l'été s'achève, mon pécule a déjà diminué de quelques milliers de dollars. C'est décidé, je n'attendrai pas plus longtemps, je dois partir, j'ai le goût des Tropiques accroché aux tripes.

DEUXIÈME PARTIE
LE RETOUR

CHAPITRE 10

ÇA fait près de trois ans que je n'ai pas mis les pieds à Puerto Loco. Lorsque j'étais sur le point d'acheter mon billet d'avion pour ce paisible hameau, j'ai appris par un courriel d'Esperanza, la femme de Marcos, le restaurateur espagnol, que mes potes Patrick et Felipe avaient levé les voiles. De plus, Marcos, n'ayant pas supporté la baisse d'affluence au restaurant à la suite de mon départ, est reparti en Espagne. Le salaud a fui avec les économies du couple après avoir laissé un message laconique à Esperanza sur le comptoir du restaurant. Par chance, elle a trouvé un bon poste dans l'hôtel plus réputé du village. Felipe et Patrick, de leur côté, ont traversé le Mexique avec René dans sa camionnette Westfalia. Ils se sont posés au Texas où Maria gère un restaurant argentin. Aux dernières nouvelles, Felipe travaille en cuisine. Pat, qui est en couple avec la patronne, s'occupe d'un business d'aménagement paysagé. Puisque tous mes amis sont partis, j'ai pensé visiter une autre parcelle des Tropiques. J'ai donc décidé de découvrir le Yucatan pour y tenter ma chance. En fait, en ces trois années, j'ai alterné entre ce nouveau petit village du côté des Caraïbes et l'Espagne. Le blé que j'ai fait avec les masques précolombiens n'a pas fait long feu ; comme on dit, argent mal acquis ne profite jamais… C'est grâce à toutes sortes de combines et de magouilles pas possibles que je m'en suis sorti pour me rendre jusqu'à aujourd'hui. Mais ça, c'est une autre histoire. Pour l'instant, je reviens à Puerto Loco.

En raison d'une légère avarie, l'avion a plus d'une heure de retard. Je vais donc devoir me dépêcher pour la correspondance à Mexico parce que je ne veux pas passer la nuit dans la grande ville. Par chance, le vol se fait dans des conditions éoliennes optimales et nous arrivons à l'aéroport de Mexico plus ou moins dans les délais. Je vois qu'il me reste encore une demi-heure avant le décollage qui va m'amener sur les côtes ensoleillées du Pacifique et ses magnifiques plages dorées. Dans la confusion régnante, j'évite les douaniers et j'attrape l'autre vol de justesse. À destination, je descends de l'avion et me dirige vers les tapis à bagages. Je vois les valises défiler et les gens qui récupèrent leurs affaires. Toujours rien en vue pour moi. Le tapis est maintenant presque vide et je n'ai pas encore mis la main sur mes valises. En y pensant, je me dis qu'elles n'ont certainement pas eu le temps d'être transférées. J'en informe un officier de la douane qui me signale d'un geste de la main le bureau des réclamations de la compagnie d'aviation.

Je m'y rends et je fais ma déclaration au commis, une procédure qui s'éternise quelque peu. L'employé semble traiter une autre affaire au téléphone. À côté de moi, sur le banc le long du mur, un vieil homme somnole. Je m'assois et je me laisse prendre par cet état de torpeur. L'humidité tropicale et l'ambiance de cette salle d'attente sont lassantes. Finalement, après un temps que je ne pourrais mesurer, on me tire de ma somnolence, on me fait signer un papier puis on m'en remet une copie en m'assurant que ma valise me sera envoyée à l'adresse que j'ai donnée sur le document. Bon, ce n'est pas grave, je saurai bien récupérer mes affaires plus tard. Je retourne voir un douanier et me faire remettre un visa, mais il n'y a plus personne, pas un officier, pas un voyageur. Il n'y a qu'un vieil homme qui passe le balai dans le grand espace vide. C'est le vieux qui dormait sur la banquette. Puis je me dis merde, tant pis, ce ne sera pas la première fois que je me retrouverai sans visa au Mexique. Je trouverai bien une combine, j'ai plusieurs mois devant moi pour y penser et trouver une solution. On m'a assuré qu'on livrerait mes valises à l'hôtel où travaille Esperanza, l'ex-femme de Marcos.

J'ai deux heures de bus à faire. J'embarque dans le premier qui se pointe, un vieux tacot qui ne passerait pas les contrôles de sécurité dans plusieurs pays. Tous les sièges sont occupés, et plein de gens obstruent l'allée centrale. Je ne passe pas inaperçu avec mes cheveux clairs et mon mètre quatre-vingt-sept. Ici les gens ont le teint foncé, les cheveux noirs et ne dépassent guère un mètre soixante-dix. C'est la tête penchée que je ferai le trajet dans ce bus aux dimensions réduites. Après un certain temps dans cette position, l'inconfort devient insupportable. J'ai la brillante idée de me positionner sous le renflement de la sortie de secours au plafond ; je gagne une dizaine de centimètres d'espace vertical. Le chauffeur roule à grande vitesse sur le chemin sinueux. De ma position, je ne peux voir les courbes venir et, à tout moment, ma tête heurte le rebord de la trappe.

Je suis tout à coup projeté sur mon voisin avant lorsque le bus freine subitement dans un crissement de freins assourdissant. Le choc sourd de l'impact se fait sentir. Le véhicule s'arrête sur le bord du chemin. Le temps de reprendre mon équilibre et mes esprits, je vois le chauffeur sur l'accotement en discussion animée avec son collègue. Ils s'éloignent un moment dans les broussailles. Les passagers se regardent, hébétés. Certains affirment que nous avons frappé un piéton, quelques autres avancent qu'il s'agissait d'une chèvre. Le calme lancinant du transport a fait place à une agitation collective. Le chauffeur et son collègue reprennent position dans le bus, puis ce dernier redémarre. Pour calmer le tumulte, le chauffeur tente de rassurer les passagers en affirmant que nous avons en effet frappé une chèvre et il ajoute que la compagnie d'autobus fera une enquête. Je lis beaucoup de scepticisme dans les regards, mais après quelques kilomètres, l'incident semble être oublié et la torpeur générale est revenue.

Il a fallu deux jours pour que mes bagages arrivent enfin à l'hôtel où travaille Esperanza. J'y ai loué une chambre en attendant. Il n'est pas question que je reste là plus longtemps parce qu'à cinquante dollars la nuit, je ne me rendrai pas jusqu'au printemps.

Sur l'insistance d'Esperanza, je décide de m'installer sur un terrain clôturé dont elle a la responsabilité. C'est au bout de la plage, un peu à l'écart de la zone touristique. J'y installe ma tente et mes hamacs à l'ombre d'un toit de feuilles de palmiers. C'est un coin où les vagues sont parfaites pour pratiquer mon nouveau sport favori, le surf. Des vagues de deux à trois mètres, comme je les aime, c'est une activité dangereuse, mais extrêmement excitante.

Les journées sont chaudes et ensoleillées. Elles s'étirent très lentement vers des couchers de soleil tout en couleurs qui font place à des nuits arrosées à la margarita et à la bière bon marché. L'après-midi, il fait si chaud que toutes activités superflues sont à éviter. En ces instants, je reste allongé dans le hamac à écouter les coqs qui chantent à tout moment de la journée. L'autre jour, à l'heure de la sieste, le chien et le chat dormaient enlacés. Au même moment, une poule tenant une souris dans son bec fuyait une dinde qui la poursuivait, sûrement pour lui voler son butin. Moi qui pensais que les poules mangeaient seulement des graines, que les coqs chantaient seulement le matin et que les chiens et les chats se détestaient ! On voit toujours des choses surprenantes lorsqu'on n'a rien d'autre à faire que d'être attentif.

En quelques semaines de cet entraînement, je me sculpte le corps et me procure un beau bronzage ambré. Grâce à l'eau de mer et au soleil, mes cheveux s'éclaircissent, et mes yeux prennent la couleur de la mer. Je constate que je ne laisse pas indifférentes les belles touristes lorsque je déambule sur la plage. Je sens en moi monter le désir du sexe, de l'amour.

J'ai repéré ce que convoite mon instinct, une superbe Noire, grande et élancée. Elle porte son bikini blanc comme le chirurgien son gant. Ça fait deux matins que je la vois, allongée sur une couverture au soleil. Je m'approche, le sourire avenant, sûr de moi, la planche de surf à la main.

Je me prépare à lui envoyer une belle entrée en matière, du genre : « Il fait beau, le soleil fait briller votre beauté. » Avant que je m'exécute à opérer mon charme ou encore à perdre toutes mes chances de la séduire, elle ôte ses lunettes de soleil pour me regarder droit dans les yeux avec un sourire éclatant. À cet instant je reconnais Isabella, la Mexicaine que j'ai connue il y a trois ans à la plage perdue pas trop loin d'ici. Nous avions vécu une idylle pendant quelques semaines à l'époque puis nous avions perdu le contact. Elle avait alors vingt ans.

— Isabella c'est toi ! que je m'exclame en espagnol.

— Oh ! Max, comment ça va ? me demande-t-elle en m'étreignant chaleureusement.

C'est incroyable de rencontrer cette femme ici et maintenant. J'en suis pantois, je ne sais pas comment réagir. C'est drôle, il y a quelques années, on communiquait en anglais, à présent c'est l'espagnol qui passe au travers de mes lèvres de façon naturelle, et c'est beaucoup mieux. À l'époque, nous avions été follement amoureux et maintenant ce sentiment s'est effacé par le temps qui nous a séparés. Ce moment peut paraître court, mais pour moi, qui ai vécu tant de péripéties depuis, cela m'a paru une éternité. Par contre, l'attirance mutuelle et le désir ne semblent pas en avoir souffert. Voyant que nous avons plus à faire qu'à dire pour rattraper le temps perdu, je l'invite à l'ombre sur mon terrain pour écouter de la musique.

Sur le petit sentier qui mène à ma paillote, j'ai peine à réfréner le désir qui me possède de vouloir lui faire l'amour. Je la tiens par la main pour lui indiquer le chemin mais, en même temps, j'ai peur de paraître trop empressé et dévoiler mes intentions qui n'ont rien à voir avec les échanges de vues. En arrivant, Isabella s'étend directement sur le hamac. Toutes paroles sont inutiles. J'ai bien compris que nous partageons les mêmes objectifs. Je me fais une place sur le hamac à ses côtés, face à elle. Je lui souris sans trop savoir quoi dire, elle fait de même. Je l'enlace et je la sens tressaillir entre mes bras. Nous nous embrassons langoureusement. Contrairement à ce que l'on peut croire, il est très aisé de faire l'amour dans un hamac. Je parle évidemment d'un grand hamac. Nous sommes face à face. J'appuie entre ses cuisses au centre du hamac. Alors le sexe d'Isabella remonte vers ma bouche, offert… entre ciel et terre, et me fait l'effet d'un irrésistible festin défendu. Je le caresse voluptueusement avec ma langue. Elle frissonne malgré la chaleur de l'après-midi. Bientôt je la sens envahie par son désir. Après quelques minutes, elle n'en peut plus et, d'un mouvement habile, vient s'asseoir sur mon sexe gonflé. Après un va-et-vient de plus en plus effréné, elle explose dans un râle à peine retenu. À l'aide de mes mains, j'appuie sur ses hanches pour la sentir s'imbriquer profondément sur mon sexe et nous jouissons ensemble dans un orgasme foudroyant. Je ne me souvenais pas de l'avoir fait jouir autant autrefois. Peut-être suis-je devenu meilleur amant. Nous nous regardons dans les yeux avec des sourires de satisfaction. Elle me précise que c'est la première fois qu'elle a joui autant. Pourquoi me dit-elle ça ? Il y a de fortes chances que ce soit pour flatter mon orgueil de mâle ou, tout simplement, elle dit la vérité. J'ai lu quelque part que les femmes mentent pour ne pas blesser et que les hommes le font pour se valoriser. Cette théorie n'a rien pour me rassurer. Le fait de baiser comme ça en plein air au risque de se faire surprendre à tout moment – nous étions à peine dissimulés par les hautes herbes – a certainement décuplé notre excitation.

— C'est dommage que je t'aie retrouvé seulement aujourd'hui, dit-elle dans un soupir.

— Pourquoi ?

— Mes vacances à la plage se terminent. Je dois retourner à Mexico. J'ai un gros contrat avec une revue de mode.

— Quoi ? J'espère que tu retournes en avion parce que nous sommes à douze heures de bus de là.

— Je prends le bus de dix-neuf heures ce soir. Je serai à temps pour la séance de pose demain matin.

Ce furent de brèves retrouvailles.

Isabella s'extirpe du hamac, remet sa culotte et replace son haut de bikini. Elle me donne une bise avant même que je ne me relève.

— Adios, Max !

— C'est ça, à la prochaine, et n'oublie pas mon adresse : troisième palmier au bout du sentier.

C'est étrange, engoncé à moitié nu dans le hamac, je me sens comme si j'avais été abusé. En fait, au bout du compte, elle s'est servie de moi comme un objet pour assouvir ses désirs que quelques jours à la plage avaient fait naître.

Isabella est partie. Je reste dans le hamac un moment, dans l'état de contentement qui suit les plaisirs intenses. Les pulsions sont au point mort, mais le bonheur est au plus fort. Le moment est entre deux temps, le milieu de l'après-midi est passé et le crépuscule est encore loin. Pendant que je suis à flotter au milieu de mon présent, une voix éraillée me ramène à la réalité.

— Señor ! Señor ! S'il vous plaît.

Je tourne mon regard vers la porte de la clôture d'où provient l'appel. Un très vieil homme, une machette à la main, attend une réponse de ma part. Je me lève, mets mon short et me dirige vers l'entrée.

— Oui señor, qu'est-ce que je peux faire pour vous, dis-je avec la complaisance et le respect qu'on doit à toute personne de cet âge.

— Vous n'auriez pas besoin d'un coup de main pour embellir votre terrain ?

Je pense un moment qu'il serait peut-être bien de ma part de donner à ce vieillard quelques pesos pour assouvir ma conscience. J'ai déjà mis la main dans la poche, prêt à donner quelque chose. Mais une petite voix au fond de moi me dit que ce vieil homme veut travailler et continuer à faire ce qu'il a fait tout au long de sa vie. Une aumône de ma part serait probablement vue comme une insulte. Un rapide coup d'œil sur les herbes hautes et l'état général du terrain écarte mes hésitations. Il faut dire quand même que ces broussailles ont bien servi mes plans un peu plus tôt.

— En fait, oui, vous pourriez m'aider à couper les herbes, que je réponds malgré mes doutes sur ses capacités physiques pour une telle tâche.

— Demain matin à l'aurore, j'y serai.

— Voilà ! Prenez cette avance, pour le reste on en reparlera après.

Je lui tends le seul billet de cinquante pesos que j'ai dans la poche. Je ne suis pas inquiet, il sera là, les gens dans ce coin de pays, malgré leurs moyens limités, sont d'une honnêteté et d'une intégrité à toute épreuve.

— Alors à demain matin, me dit-il avec un sourire radieux qui dévoile une bouche édentée.

Je me retrouve seul, regardant l'horizon. Le soleil amorce sa descente vers la mer, au sens figuratif bien entendu puisque comme tout le monde sait que la terre tourne sur son axe en plus ou moins vingt-quatre heures. J'entends le bruit des vagues qui se rompent à intervalles réguliers. Les petits nuages qui parsèment le ciel se teintent des couleurs crépusculaires, c'est magnifique. Le bruit de la porte de la clôture qu'on ouvre interrompt ma contemplation. Je me retourne et reconnais mon ami Gabriel, un Français que j'ai rencontré il y a quelques années au Yucatan. Ce mec m'a toujours impressionné : dessinateur, poète, érudit, de bonne famille, libre de toute contrainte, un paumé de grande classe. Il m'envoie la main de sa manière élégante. Il est accompagné d'une femme à n'en pas douter mexicaine, il m'embrasse sur la joue et me présente sa copine. Elle est assez petite avec de gros seins qui débordent de l'échancrure de son soutien-gorge. Son physique a tout pour éveiller toutes sortes de fantasmes chez la plupart des hommes. Elle me regarde d'un air de défi qui veut dire : « Séduis-moi, tu le peux, tu ne le regretteras pas. » J'en ai des frissons dans l'échine et ça remonte jusqu'à l'arrière de ma tête. Quand ça me fait ça, c'est mon corps qui me dit : « Tu peux la séduire, le consentement est assuré et le résultat sera à la hauteur de tes attentes. »

— Qu'est-ce que tu as mon vieux, demande Gabriel. Dis quelque chose, t'as encore fumé de l'herbe ou quoi ?

— Heu ! Enchanté, que je parviens à dire en prenant la main de Gina.

Je les invite à s'asseoir dans les hamacs et je m'installe entre les deux sur une caisse de plastique de bières Corona. Gabriel décide plutôt de nous préparer des rhums coca dans des verres jetables. Ils sont en pleine argumentation, à savoir si le chauffeur de taxi qui les a menés jusqu'ici était homo. Gabriel, gay lui-même, est certain que le type lui faisait des avances du regard. Gina, au contraire, soutient qu'il n'arrêtait pas de lui reluquer la poitrine par le rétroviseur. Moi, de mon côté, j'ai le regard rivé sur cette fameuse poitrine. Gina, qui se gonfle le buste, feint de ne pas voir mon manège. C'est drôle comme le corps a son langage, il ne se ment pas, il est direct, il dit tout. Souvent, malgré tout ce dialogue, l'union avorte parce que la tête s'en mêle un peu trop. Le langage verbal est souvent mensonger ou teinté de demi-vérités. Le mental nous impose des limites contraires à notre instinct. Je le sais, je suis comme ça, on est tous un peu comme ça.

Le soleil est couché, il fait nuit maintenant. La bouteille de rhum est presque terminée. Gina et Gabriel en sont à danser sur une musique cumbia que crache ma radio portable. J'en profite pour me doucher. En fait, la douche n'est qu'un puits au fond du terrain. Je me mouille avec un seau d'eau, me savonne et me rince avec un autre seau que j'ai préalablement rempli. Je les entends sous la palapa rire et s'amuser comme des petits fous, la soirée va sûrement être très excitante.

J'enfile une chemise de soie aux couleurs éclatantes et un short de soirée. Les deux se mettent à siffler et à me complimenter pour mon look, vivent les vacances ! Sans nous consulter, nous nous dirigeons vers la route. Je hèle un taxi, Gina indique au chauffeur le nom d'un hôtel tout près du centre. Quand je dis le centre, je parle de la rue piétonnière le long de la plage centrale où il y a plusieurs boutiques, restaurants et boîtes de nuit. Gabriel s'est assis à l'avant, il nous a oubliés, il est en train de draguer le chauffeur. Je sens le genou de Gina sur ma cuisse, je devine son sourire malicieux dans l'obscurité du taxi. Il me semble prématuré de passer à l'attaque, la soirée est jeune.

La chambre de Gina est spacieuse avec cuisinette et balcon donnant sur la rue piétonnière. Notre hôtesse va prendre sa douche pendant que Gabriel nous prépare d'autres rhums coca.

— Oh darling, on va s'amuser ce soir, me dit Gabriel.

— Avec Gina et toi, je n'en doute pas un instant.

— Tu plais beaucoup à Gina, je crois. Ne va pas fendre le cœur de ma copine, d'accord ?

— Non, je vais seulement faire ce qu'elle voudra bien, que je réponds en m'esclaffant.

— Je le savais que tu allais me faire une réponse machiste comme ça, tiens prends donc ton verre. Santé mon coco.

— Merci Gabriel, santé.

Gina vient nous rejoindre au salon. Elle porte une jupe noire et un chemisier rouge. Je vois bien qu'elle est fébrile à l'idée d'aller danser. Gabriel lui offre un rhum coca, moi j'ai la tête qui tourne, j'ai hâte de bouger.

— Qu'est-ce que t'as mon coco ? T'as pas l'air bien, me dit Gabriel.

— Le rhum commence à faire effet.

— On va se faire une ligne de coke, tu vas te sentir comme un homme neuf.

— Tu sais bien que je ne prends pas de ça Gabriel.

Pendant qu'il prépare son truc, Gina met le CD de Buena Vista Social Club et commence à se déhancher. Je m'élance vers elle, entraîné par la musique de plus en plus animée. Elle me sourit, je la prends par la taille et nous commençons à danser. Après quelques pas discordants, nous synchronisons nos mouvements avec des déhanchements plus fluides. Gabriel nous rejoint tout souriant en tapant des mains, il virevolte gracieusement sur la piste de danse improvisée. Après quelques verres de plus, nous partons voir ce que la nuit nous réserve.

CHAPITRE 11

Un rayon de soleil perce mon sommeil, je me réveille tout doucement, l'esprit engourdi après n'avoir dormi que quelques heures. Gina dort à côté de moi, nous sommes dans sa chambre. Il semble qu'il se soit passé quelque chose entre nous. Le fait que je sois nu n'a rien pour dissiper mes appréhensions. Doucement, je sors du lit pour ne pas la réveiller. Sans faire de bruit, je mets mes vêtements qui sont éparpillés au sol. Me voilà dans l'autre pièce, Gabriel est étendu sur le canapé, il ronfle légèrement. J'ouvre le frigo et repère un litre de jus d'orange. J'en bois la moitié à même le carton. Je me sens mieux, une bonne baignade à la mer va aider à faire disparaître les excès de la veille.

Une fois à l'extérieur, en me fiant à la longueur de mon ombre, j'estime qu'il doit être huit heures. La plage est encore tranquille, de belles déferlantes lisses se rompent en tubes parfaits. Les conditions sont excellentes pour taquiner la vague. Je laisse ma chemise sur la plage et exécute quelques petits étirements. Des pélicans planent au-dessus des vagues longeant la ligne de cassure. De cette façon, il est plus facile pour eux de voir les poissons lorsque les rayons du soleil traversent l'eau, les dévoilant par le reflet de leur peau argentée. Je vois leurs formes floues se déplacer à la cime des vagues là où l'épaisseur de l'eau est moindre. Je cours dans l'eau. Quel sentiment de plénitude d'être dans la mer, je sens que tout mon être ne fait qu'un avec cette immensité. Je me positionne pour prendre une vague. Faute de planche, je me servirai de mon corps. Juste au bon moment, je me propulse pour attraper le point de la déferlante. Je tends mon corps au maximum, puis glisse vers la gauche avec vélocité, entraîné par le rouleau quelques secondes avant d'être englouti par le remous. Bon pour un petit tour dans la machine à laver. J'émerge immédiatement après et retourne me positionner pour recommencer. Mon cœur bat la chamade, ma respiration se fait plus haletante. Je laisse passer quelques vagues pour reprendre mon souffle. En attendant, je m'amuse à allonger le bras en l'air pour tenter en vain de toucher les pélicans qui font du rase-mottes au dessus de ma tête. J'ai le sentiment qu'ils s'amusent de cette situation au lieu d'en être incommodés. D'autres bonnes vagues se présentent à moi pour me permettre de vivre cette sensation unique d'être propulsé par leur énergie. Je recommence pendant une quarantaine de minutes. Quand j'aperçois un pêcheur sur la plage, assis devant une montagne d'huîtres fraîchement pêchées, mon estomac me ramène illico à la réalité. Je sors de l'eau et m'approche. Je n'ai pas d'argent mais je sais que je vais m'arranger, tout est possible dans ce paradis.

— Hola amigo ça va ? Je vois que la pêche a été bonne.

— Si si, ça va, me répond le pêcheur avec un sourire joyeux. T'es gringo ou quoi ? me demande-t-il.

— Je vis ici, que je réponds en espagnol, lui indiquant la mer et la plage.

— T'es sympa toi l'étranger, je te sens bien, tiens essaie ça.

Il me donne une grande huître ouverte avec un quartier de lime. J'ajoute la lime et avale l'huître d'un trait. C'est succulent, ça a le goût de la mer. Ça me donne l'envie irrésistible d'en bouffer d'autres, c'est le genre de truc qui peut créer une accoutumance si on ne fait pas gaffe. Je lui demande de m'en ouvrir une douzaine. En attendant, je me mets à jongler avec les limes. Je me concentre sur ce geste. Je ne pense à rien d'autre, mes mouvements sont fluides. Quelques enfants s'approchent pour m'observer. Je fais passer des limes sous ma jambe, derrière le dos sans cesser de jongler. J'en mets un maximum avec toutes sortes de contorsions. À la suite des enfants, arrivent leurs parents. Il y a maintenant tout un attroupement autour de nous. Je redouble d'ardeur, sentant l'auditoire captivé.

— Mesdames et messieurs, chaque matin je mange des huîtres, c'est très bon et bénéfique pour la santé ; ensuite je jongle avec des limes, ça me fait relaxer, ça m'aide à communiquer avec la mer. Mangez des huîtres et vous aurez la force d'un tigre, l'énergie qu'il vous faut pour satisfaire vos épouses, dis-je à l'attroupement, revivant une scène maintes fois vécue avec mon vieil ami Felipe lorsque nous pêchions des huîtres ici même il y a quelques années.

Je m'arrête, je prends le plateau d'huîtres que m'a préparé le pêcheur et je commence à les ingérer avec enthousiasme. Je ne sais pas si c'est parce qu'aux yeux de ces touristes, je suis un étranger comme eux ; me voir manger les huîtres leur enlève toute crainte quant à l'hygiène. Aussitôt après les gens nous en commandent. Une douzaine n'attend pas l'autre. Pablo, le pêcheur, me propose de l'aider à les ouvrir. Il se fait un devoir de me montrer comment faire. Il suffit de frapper le cul de l'huître, comme il dit, avec le manche d'un couteau de table. Ensuite, d'y enfoncer la pointe du couteau et ouvrir. Après, il ne reste plus qu'à décoller le mollusque de la nacre. Ce que Pablo ne sait pas, c'est que j'ai non seulement l'habitude de les ouvrir, mais aussi de les pêcher dans des endroits qui lui donneraient certainement du fil à retordre. J'ai appris à la dure avec Felipe le Péruvien.

En peu de temps, Pablo a vendu sa récolte de la journée. Il m'invite à aller prendre une bière bien fraîche sous une des nombreuses paillotes sur la plage. Nous nous installons dans des hamacs à la première palapa que nous croisons. Une musique ranchera sort d'un vieux poste. La chanson raconte l'histoire d'un mec qui souffre du départ de sa femme qui l'a largué pour un autre. Le type est plein de remords et de regrets de ne pas avoir su la garder. Pablo semble apprécier puisqu'il y va par moment de cris de contentements : « Aïe ya aïe ya aïe. »

Après deux bières seulement, mon ami paraît déjà bourré et je ne crois pas qu'il va en rester là. J'ai l'impression qu'il va boire tous ses gains avant d'aller dormir, ivre dans sa vieille cabane de pêcheur, pour recommencer demain. Du coup, j'ai le cafard. Je m'éclipse après avoir chaleureusement salué mon ami. J'arpente la plage sans but précis. Je n'ai rien d'autre à faire que de laisser le temps s'écouler. Il commence à y avoir plus de gens. Je m'éloigne de la plage principale de Puerto Loco en longeant le littoral rocheux.

Les passages sont difficiles, bordés d'escarpements. Je dois escalader, redescendre, me faufiler entre les rochers. À certains endroits, les vagues viennent frapper les parois avec violence et fracas. Je dois attendre le retrait de la vague pour passer rapidement vers d'autres obstacles que la nature a formés pour faire chier les promeneurs. De toute manière, je ne crois pas qu'il y ait jamais eu affluence par ici. Ça fait maintenant une heure que je m'enfonce dans ce dédale quand j'arrive à un cul-de-sac. Après observation, je comprends qu'il y a trois solutions. Faire un bout de littoral à la nage, escalader un escarpement de dix mètres ou rebrousser chemin. La première solution est hors de question étant donné l'agitation de la mer. La deuxième me paraît hasardeuse mais tentante, et pour ce qui est de la dernière, il n'en est pas question. Je ne me suis pas donné tout ce mal pour revenir en arrière, il faut qu'il y ait un aboutissement. J'en fais une affaire personnelle, mon but et mon destin. Advienne que pourra, je suis persuadé que mon avenir en dépend, je dois poursuivre mon avancée et franchir ce dernier obstacle. L'ascension des premiers mètres se fait sans trop de problèmes ; je m'agrippe aux fissures et prends pied aux aspérités. La chaleur se fait accablante, je sue à grosses gouttes et j'ai la gorge sèche. Je n'ose pas regarder en bas. En me hissant à une pierre saillante, un gros pan de paroi se décolle et tombe, m'entraînant presque dans le vide. Le bruit de la roche qui s'effrite dans sa chute me donne une bonne idée de la hauteur où je suis. Ressentir le vertige par le son est bizarre, mais c'est vraiment l'impression que ça me donne. J'ai le cœur qui s'emballe. J'ai peur. Pour me calmer, j'inspire doucement et bien profondément. La bonne vieille respiration, ça fait des miracles. Je fais un effort de quelques mètres encore. L'inclinaison s'atténue lentement. Je me retrouve tout en haut, exténué, remerciant Dieu et rendant gloire à la vie.

Quand je lève les yeux, je sursaute. Il y a un énorme aigle à moins de dix mètres de moi. Il est immobile, le regard glacial braqué sur ma personne. Un frisson me traverse le corps, quelque chose qui ressemble à de l'effroi. L'oiseau est aussi gros qu'un homme emplumé qui serait accroupi. Il semble prêt à fondre sur moi en quelques battements d'ailes. Je m'éloigne doucement vers des buissons sur ma droite tout en gardant mon regard fixé sur le sien. Il est vraiment le maître de son royaume. Je me sens comme un sujet intimidé qui ne veut pas éveiller le courroux de son roi. Je traverse un bosquet d'arbustes épineux en m'écorchant à plusieurs endroits. Enfin, j'arrive à un sentier qui serpente, bordé de broussailles sèches. Le chant des grillons est assourdissant et incessant. On dirait que ce son me sort de l'intérieur de la tête. Je me bouche les oreilles et le silence se fait, rassurant. Je marche un ou deux kilomètres. Maintenant ma soif est insupportable et je dois boire pour ne pas me déshydrater. Je débouche sur un espace dégagé avec une vue imprenable sur la mer. Une brise rafraîchissante souffle. Une femme est assise en lotus au milieu d'un cercle de roches peintes en blanc.

— Excusez-moi señora, que je lui dis après m'être approché.

Sans manifester la moindre surprise, elle ouvre les yeux. Il émane de son regard une vitalité hors du commun. Elle a le dos droit, les épaules alignées. Les traits de son visage sont bien définis. Malgré un aspect amérindien, elle est à n'en pas douter de type caucasien. Elle doit avoir plus ou moins quarante-cinq ans, peut-être plus.

— Tiens, bois de l'eau, dit-elle en me tendant une gourde.

Sans attendre, je me désaltère à grandes gorgées. Jamais je n'ai bu si bonne eau. Je sens le liquide entrer en moi et se propager dans tout mon corps.

— Du calme, me dit-elle. Assieds-toi et détends-toi.

Je m'assois à sa gauche. Du coup je me rends compte de l'étrangeté du moment.

— Où sommes-nous ?

— Je n'ai pas encore cette sagesse pour répondre à ça. Mais si tu parles du lieu, c'est un endroit de pouvoir où l'on pratique la contemplation depuis des temps immémoriaux. Il s'appelle Shambala.

— Qui êtes-vous ?

— Je me nomme Monica, si ça peut répondre à ta question.

Je suis là à ses côtés, hébété, regardant nerveusement un peu partout.

— Tu es tout tendu, relaxe. Donne-moi ta main.

Elle la prend.

— Ferme les yeux et fais le silence.

Je m'exécute avec quelque réticence. Après quelques instants, je sens comme si on m'aspirait de l'énergie de la paume. Je sens qu'on me vide de mon flux vital par la main. Puis une énergie nouvelle m'inonde. Je suis tout et rien en même temps. Je n'en peux plus, j'ouvre les yeux. Monica, de sa main libre, fait des mouvements au-dessus de ma paume, tel une marionnettiste qui manipule son pantin.

On dirait des ondes qui se synchronisent avec le bruit des vagues qui cassent à intervalles réguliers. L'impression est tellement réelle que je ferme les yeux et m'abandonne à cette personne. En fait, je m'abandonne à moi-même. Je suis à l'intérieur de mon être comme jamais je l'ai été. Mes yeux fixent à l'intérieur, je regarde mon cœur et, à chaque impulsion, c'est l'éblouissement. Le temps n'existe plus et moi je vis. Il n'y a pas de logique dans tout ça, la machine s'est arrêtée. J'en arrive à un niveau de détente complet. Quand Monica m'effleure la main du bout des doigts, j'ouvre les yeux. Elle me sourit et dit :

— Tu vas voir, tu vas te sentir mieux ; plein de nœuds obstruaient la bonne circulation du flux vital.

Je me sens calme, tout paraît plus clair. Je perçois les choses avec une acuité accrue. J'observe un éclatant coucher de soleil. Je suis un peu surpris, je ne croyais pas qu'il était si tard. Nous contemplons ce crépuscule sans un mot, absorbés que nous sommes par le mouvement du ciel. Aux toutes dernières lueurs du jour, Monica me propose de venir manger dans sa maison non loin. Je la suis donc sur le même sentier. Après une dizaine de minutes, nous arrivons devant une jolie petite cabane de bois. Un jardin fleuri s'offre à mes yeux, au centre duquel est installée une table de rondins. Les allées sont incrustées de coquillages. Les plantes, bien arrosées, dégagent des odeurs de fraîcheur. Monica va préparer quelque chose à l'intérieur. Je m'allonge sur l'un des deux hamacs aux couleurs vives. J'ai les mains qui chauffent, je sens des picotements sur mes paumes. C'est bizarre, elle m'a réellement fait quelque chose sans même me toucher. Je pense aux événements de la journée, il s'en est passé des choses. C'est drôle, ici sous les tropiques, on a la sensation qu'il n'y a pas de temps. Les journées n'en finissent plus. Dans le quotidien de nos vies à l'occidentale, on a l'impression que le temps s'est emballé. Les jours, les mois et les années défilent à un rythme constant et accéléré. Le métro-boulot-dodo et le style de vie cybersédentaire en sont en partie responsables. Hors du quotidien, on a l'impression que le temps se dilate. Ici personne n'a l'heure, on s'en fout, le temps est rarement important et rien ne presse jamais. Je n'ai aucune idée du jour où nous sommes, je le sais avec plus ou moins une semaine de marge d'erreur. En plus, je suis là à attendre une femme que je ne connais même pas et qui m'a fait un truc étrange. J'ai lu qu'au Mexique, des gens qu'on appelle brujos pratiquent la sorcellerie. Ils connaissent les plantes et aussi beaucoup de choses relatives à la magie. J'ai entendu l'histoire de femmes qui, à l'insu de leurs maris, leur donnent une concoction de la plante datura, qui les asservit sans qu'ils s'en rendent compte. Je n'aimerais pas avoir une femme comme ça. Qui sait, peut-être que mon ex-femme m'en donnait. C'est pour ça sûrement que j'ai été à même de la supporter si longtemps.

Monica me sert un bol de fèves noires avec des tortillas. Nous mangeons en silence. Je ne sens pas le malaise qu'on a souvent de ne pas parler en compagnie d'un étranger. Aussitôt nos plats terminés, elle commence à me raconter sa vie au Mexique depuis son arrivée, il y a quelques années. Elle y a fait la connaissance d'un vieil homme qui lui a enseigné quelques préceptes de sorcellerie. Elle a appris la pratique de la contemplation, le contrôle de ses rêves et le mouvement des énergies dans le corps. Elle a été une apprentie modèle jusqu'au départ de son mentor. Il y avait donc du vrai dans les livres de Carlos Castañeda, le célèbre ethnologue qui devint l'apprenti d'un sorcier de la région.

— Tu veux dire qu'il est mort ? que je lui demande.

— Non, il est simplement parti, et il m'a laissé cette cabane. Maintenant, je vis ici où j'ai souvent la visite de gens qui viennent se faire soigner par mes mains curatrices. Je suis heureuse comme ça, une vie simple, loin du tumulte des grandes villes. Je suis allemande, mais je ne peux plus supporter de vivre dans mon pays. Je me sens différente de tout le monde, là-bas. J'aime la vie ici, on se sent plus près des éléments. Sentir le vent caresser les fleurs du jardin, être conscient des phases lunaires et du rythme de la terre. Il y a les vagues de la mer et aussi on peut sentir celles de la terre, beaucoup plus lentes et puissantes. Ces ondes terrestres traversent tout. Cette énergie circule à travers le corps et parfois les voies sont obstruées. Ce que je t'ai fait tout à l'heure, c'est libérer le flux énergétique de ton corps.

Tout ça est très intéressant mais je sens la fatigue peser sur moi. J'ai peine à réfréner mes bâillements. Monica, à qui rien ne semble échapper, m'enjoint à m'étendre dans le hamac pour dormir. Je ne me fais pas prier. De toute façon, j'imagine mal revenir chez moi en pleine nuit. Je suis confortablement installé. Monica est allée se coucher à l'intérieur. La nuit est calme, il n'y a pas de vent. Tout paraît s'être arrêté, même mes pensées. Je sens les choses telles qu'elles sont. J'ai l'impression d'avoir un truc planté dans le ventre qui me relie à la vie. J'entends un gazouillement qui sort de moi. J'ouvre les yeux et je vois deux mains de bébé aux petits doigts potelés. Je comprends que c'est moi. Ce n'est pas un souvenir d'enfance, je suis réellement un bébé, ici et maintenant. J'ai l'esprit clair, la conscience aiguë de tout mon être. Mon esprit hyper lucide contrôle mal ce corps de nouveau-né. Avec de grandes difficultés, je parviens à mettre le pouce dans la bouche. Puis je m'endors profondément.

Je regarde Monica fixement, elle soutient mon regard puis se transforme en un vieil Indien apache. C'est drôle, malgré la transformation, je sais que c'est elle. Les yeux sont semblables, du moins ils dégagent la même chose. Le vieil homme m'engage à le suivre. Nous marchons dans un désert comme on en trouve dans le nord du pays. À tout moment, il se penche pour ramasser des lièvres pris dans des pièges. Il me tend les petites bêtes que je mets dans une grande poche que j'ai avec moi. J'ai soif, l'indien me tend une calebasse pleine d'eau. Je bois, avale de grandes quantités d'eau mais ma gorge est toujours aussi sèche. Le vieil homme s'esclaffe. Son rire est tonitruant. Je suis perplexe. Voyant mon état, il redouble de rire. Tout ça est absurde. Où suis-je exactement ? J'entends le chant d'un coq et je me réveille lentement à mesure que s'estompe le rêve.

Je me lève, marche jusqu'au puits et m'envoie un seau d'eau sur la tête. Le liquide froid me tonifie immédiatement. Pour le petit déjeuner, nous mangeons des fruits et du yogourt. Je raconte mon rêve de l'Indien. Elle m'explique que ce vieil homme, c'était elle dans sa vie antérieure. Que le gibier est sa connaissance magique qu'elle m'a transmise. L'insatiable soif est mon désir toujours plus ardent d'apprendre dans cette voie. Le vieux avec sa sagesse se moque de l'impétuosité de ta jeunesse.

CHAPITRE 12

LA journée s'annonce bien. Comme toujours le soleil est resplendissant. J'ai hâte de revenir à Puerto Loco. C'est avec des au revoir chaleureux que je quitte ma nouvelle copine. Quelle personne exceptionnelle que cette Monica. Je ne manquerai pas de lui rendre visite de temps à autre.

Elle m'a indiqué le chemin pour me rendre à la route. De là, je pourrai prendre le minibus. Le sentier qui va en s'élargissant est bordé de petites maisons qui apparaissent peu à peu de chaque côté. Les habitants qui vaquent à leurs occupations matinales me regardent passer, un peu surpris et curieux à la fois. Certains enfants courent derrière moi en rigolant. J'arrive au croisement de la rue. Je me poste à l'ombre en position d'attente. Ça fait à peine deux minutes que je suis là qu'une camionnette passe. Je lève le pouce, le véhicule s'arrête. Le chauffeur, au chapeau de cowboy, me fait signe, avec un sourire, d'embarquer dans la cabine arrière. On démarre. À cent kilomètres à l'heure, les cheveux au vent dans ce paysage tropical, je me sens libre et heureux.

Merci à ce pays où il est encore permis de vivre librement.

Arrivé chez moi, je suis agréablement surpris de constater que les herbes hautes ont été coupées sur le terrain. Le vieux a fait son boulot comme prévu. Sous la palapa, les verres jetables traînent au sol ainsi que des bouteilles vides. Je repère un joint d'herbe sur la table, l'allume et mets la chanson *Terre promise* d'Éric Lapointe. Je m'installe dans le hamac. C'est agréable, il est encore tôt, l'air n'est pas encore trop chaud. Je me balance tout en fumant. Le petit toit de paille craque à chaque élan du hamac. Je vois la mer, au-delà de la plage, claire, lisse et turquoise. Les vagues ne sont pas très grosses aujourd'hui. C'est une journée idéale pour faire de la plongée. Je me lève comme un ressort, prends mes palmes, mon masque et me dirige vers la pointe au rocher. C'est un endroit magnifique pour admirer la faune aquatique et c'est tout juste à cinq minutes de marche de la maison.

Tout en marchant, je m'enivre de l'air salin poussé par la brise. J'entends des cris de mouettes, elles se chamaillent sans doute pour un poisson. Je vois quantité de coquillages sur le sable. Je ramasse les plus beaux spécimens. Je vais en faire des colliers et des bracelets. Le soleil commence à plomber. Je dépose mes affaires sous un palmier et cours me jeter à la mer. Une fois que j'ai de l'eau jusqu'au torse, j'enfile mes palmes, rabaisse mon masque et m'élance dans cet univers marin.

C'est parti, je me retrouve dans le monde sous-marin. J'évolue au-dessus d'un fond rocheux dans un silence opaque. J'observe diverses espèces de poissons tropicaux aux couleurs vives ; ici et là, au fond, des oursins, petits hérissons en boule. Je m'approche d'un banc de poissons jaunes à la queue noire. Ils sont des centaines à nager avec un synchronisme parfait. Je crois qu'ils se déplacent en fonction des courants. Je nage quelques instants en les imitant. C'est fantastique de sentir cette communion avec la mer. Je me sens en harmonie.

Ça fait peut-être deux heures que je nage, ou peut-être moins, il m'est impossible d'évaluer le temps dans ce monde surréel. Je commence à ressentir la fatigue et j'ai soif. J'irai m'acheter une noix de coco bien fraîche.

J'émerge et regarde en direction de la plage pour trouver mes affaires. Je ne peux les voir puisque j'ai dévié de quelques centaines de mètres. Sur la plage, à ma hauteur, une jeune femme devant un chevalet peint. À cette distance, je ne peux voir ses traits, mais les formes de son corps parfaitement découpé malgré la tunique qu'elle porte. Ses cheveux sont longs et bouclés, d'un blond aux reflets dorés. Un gros chien noir lui sert de modèle, et c'est en vain qu'elle tente de lui faire garder la pose. À tout moment, le chien est distrait par les crabes qui courent sur la plage. Il regarde sa maîtresse avec des yeux voulant dire : « Excuse-moi mais c'est plus fort que moi, je dois attraper un de ces satanés machins. » Je sors de l'eau et m'approche. Elle me regarde, je fais de même. Elle a de beaux yeux verts dans lesquels l'on peut y lire une détermination farouche, un ovale bien défini. Son nez fin mais pas trop surmonte une bouche aux lèvres pulpeuses extrêmement sensuelles. Cette jeune femme est vraiment très belle. De vingt-cinq à trente ans. Je sais déjà que je ferai tout pour lui plaire.

— Holà señorita ! Que tal ?

— No hablo español. Soy francesa.

— Pas besoin de préciser, j'ai reconnu votre accent. Je m'appelle Max.

— Moi c'est Sandra, qu'elle me répond avec un grand sourire qui illumine son beau visage. Enchantée.

— Je peux vous aider à tenir votre chien si vous voulez. Comme ça, vous pourrez le peindre à votre aise.

— En fait, dit-elle, je tentais de le peindre faute de modèle humain. Mais comme vous êtes prêt à me consacrer du temps, je vous immortaliserais bien sur ma toile.

— Pourquoi pas, si ça peut vous faire plaisir. Dites-moi ce que je dois faire.

— Déshabillez-vous et mettez-vous là sur le sable, relaxe.

— Quoi ! Ça ne va pas, je ne vais tout de même pas me mettre à poil devant vous ! que je réponds, stupéfié de cette requête.

— Oh là ! Ne soyez pas si puritain. J'en ai vu d'autres, qu'elle ajoute.

— Il n'en est pas question.

— C'est comme vous voulez, mais je ne veux pas vous peindre avec ce short aux couleurs criardes. J'ai besoin de quelque chose de plus naturel. J'ai une idée, attendez, je reviens.

Elle disparaît dans les buissons en bordure de la plage. Je reste là à attendre, un peu nerveux, intimidé par cette femme qui n'a pas froid aux yeux. Après quelques instants, elle revient avec de grandes feuilles de bananier.

— Je vais attacher ces feuilles autour de votre taille. Ça va faire plus sauvage. N'ayez crainte, je ne vous ferai pas de mal.

— Bon, bon ça va, que je lui dis, un peu agacé.

Sandra s'amuse de toute cette situation. Elle commence à disposer les feuilles autour de ma taille et ficelle le tout avec une petite liane. Le contact de ses doigts sur ma peau me procure un certain plaisir et me fait comprendre notre compatibilité. J'ai peine à cacher le plaisir que ce léger contact provoque en moi. Rien n'échappe à mon habilleuse de fortune qui me dit en souriant :

— Oh là ! Tous pareils les hommes, un rien les fait réagir ! Je vous précise que je ne baise jamais avec mes modèles. Je préfère que ce soit clair entre nous.

Cette remarque fait baisser la pression. Je réponds avec un feint détachement :

— De mon côté, je ne baise pas avec les belles artistes peintres qui me prennent comme modèle sur la plage. Je leur fais l'amour.

— Quelle est la différence ? Ne jouons pas avec les mots, me répond-elle, se prenant au jeu. Ça suffit maintenant, prenez position, je vais commencer.

Au bout d'un bon moment de pose, c'est avec soulagement que je vois s'approcher un vendeur de noix de coco. Je lui en demande deux. L'homme ouvre le fruit à la machette et y ajoute des glaçons. C'est agréable dans ce pays, parce que tout vient à point à qui sait attendre. Souvent l'attente est longue mais elle n'est jamais vaine. Sandra décide d'immortaliser cette scène en nous photographiant. Moi, je lève la noix de coco en faisant un toast à la postérité, mes feuilles de bananiers autour de la taille. Le marchand, avec un sourire qui en dit long, prend la pose avec moi, la machette d'une main et une noix de coco de l'autre. N'ayant pas d'argent sur moi, Sandra s'empresse de régler grassement cet homme qui nous frappe par son humilité. Ma soif est si intense que, à peine ai-je levé la noix de coco, qu'elle est déjà vide. Puis je casse la coque contre une roche et j'en tends une moitié à Sandra qui me regarde, impressionnée.

— Mangez, c'est succulent, lui dis-je. Ça vous fera du bien.

— Ben, dis donc, on aurait dit un gorille... sans les poils, lance-t-elle.

Je reprends position sur le sable, les jambes repliées vers le torse, prenant appui sur mes bras tendus vers l'arrière. Au début, j'ai trouvé cette position très confortable. Mais au bout de deux heures d'immobilité, je commence à sentir de petites fourmis un peu partout. Il devient nécessaire de faire des pauses, ce qui ne facilite pas la tâche du peintre. Car il n'est pas évident de reprendre la même pose, au même endroit. C'est à la fin de l'après-midi que Sandra pose enfin ses pinceaux et remplace son air concentré par un sourire satisfait. Je me rapproche, courbatu, et observe le résultat. J'ai peine à cacher mon étonnement. C'est magnifique. C'est moi, sur la plage, avec les cocotiers. C'est remarquablement réaliste. Ce qui est bizarre dans tout ça, c'est qu'elle m'a peint comme si j'étais un Noir.

— Impressionnant, mais qu'est-ce que c'est que cette couleur de peau ? que je lui demande.

— J'ai essayé de représenter un Antillais à une autre époque. Votre peau blanche ne cadrait pas avec le thème, me répond-elle avec sérieux.

— C'est que je ne m'attendais pas à ça. Maintenant, je sais que j'ai un jumeau africain.

Sandra, très satisfaite de son travail, s'éloigne avec son chien dans la lumière du crépuscule. Elle m'a grandement manifesté sa reconnaissance en me promettant une invitation au restaurant. L'espace d'un instant, j'ai cru voir qu'elle attendait un geste de ma part, mais elle m'a souri et elle est partie.

CHAPITRE 13

De retour chez moi, j'entreprends de griller un poisson sur la braise. Le voisin, pêcheur, m'en rapporte régulièrement depuis que je lui ai prêté mon harpon quelques semaines auparavant. Celui qu'il vient de m'apporter est déjà vidé, prêt à cuire. Il arrive que je n'aie pas de nouvelles du pêcheur pendant plusieurs jours. Puis, tout bonnement, il revient avec une nouvelle prise. Quand il a du poisson, je l'accepte avec joie et quand il n'en a pas, c'est pareil. J'ai appris à ne pas avoir d'attentes envers les autres ; ainsi je ne suis jamais déçu. Ce soir, il m'a offert un long poisson mince à la mâchoire pointue, garnie de minuscules dents acérées. Il l'appelle le poisson-aiguille. C'est étrange, sa chair est bleuâtre. Je l'ai ficelé au bout d'une branche que je tends nonchalamment au-dessus des braises. Je me régale ensuite de cette chair tendre en la grugeant à même le bâton. J'aime ce don de la vie. Reconnaissant, je dis merci pour ce repas.

La lune se lève derrière une montagne à l'est. J'entends les vagues, les criquets, les grenouilles et tous ces sons qui remplissent le silence. Je ne sais combien de temps s'est écoulé quand je redescends de mon nuage. J'ai dû m'assoupir quelque peu. Je bâille. L'éclairage lunaire me suffit pour voir le terrain autour. J'en profite pour aller au puits m'arroser d'un seau d'eau. Mon corps se contracte au contact de l'eau froide. Je m'empresse de m'essuyer et de revenir vers la tente. Juste au moment où je me baisse pour y entrer, je ressens une fulgurante douleur au talon, comme une morsure ou une piqûre. Une sale bestiole vient de m'avoir. Je scrute le sol pour trouver le coupable, en vain. J'observe avec plus d'attention et j'aperçois alors un énorme scorpion noir qui décampe à vive allure. Rien n'est plus rapide qu'un scorpion pour attaquer ou pour décamper. Mon cœur tambourine. Je ne sais pas quoi faire. Sans perdre de temps, je prends mon couteau sur la table et je m'entaille le talon autour de la piqûre puis, non sans quelques efforts, j'approche mon talon de ma bouche et je tente d'aspirer le venin, sans grand succès. Je bois une bonne rasade de tequila et termine la bouteille en aspergeant la plaie. Peu à peu, je retrouve mon calme. Il serait inutile de chercher de l'aide. Personne dans le voisinage n'a de voiture et l'hôpital le plus proche est à plus de cinquante kilomètres. La seule chose qu'il me reste à faire est de me coucher en espérant que je me réveillerai.

C'est avec un désir de vivre accru que, tôt le matin, j'émerge d'un sommeil agité de cauchemars et de sueurs froides. Doña Lupita, la femme du pêcheur, refuse poliment les quelques pièces de monnaie que je lui offre en échange du café qu'elle m'offre. J'insiste, et, finalement, elle accepte après m'avoir remis quelques bananes tout en me souhaitant une bonne journée et en me donnant sa bénédiction. Je décide de savourer ce petit déjeuner sur la plage pour profiter du seul moment frais de la journée. Je contemple le roulement des vagues. À part quelques surfeurs se préparant à attaquer la mer, je suis seul, assis sur le sable presque froid, soufflant sur mon café fumant, dans l'expectative de ce que me réserve cette journée naissante.

Il n'y a pas de place pour l'ennui sous les Tropiques. Je remercie Dieu de me donner un autre jour de vie, plus lucide que jamais de la valeur de mon existence sur Terre. J'en suis à me sourire à moi-même lorsque je reconnais, à son teint pâle, un touriste qui titube dans ma direction. Il semble rentrer d'une nuit de java. À quelques mètres de moi, il m'envoie la main, m'adresse un vague sourire, puis se ravise, tourne les talons et se dirige vers la mer. Bon, je me dis, un peu d'eau au visage ne lui fera pas de tort. Après s'être dévêtu laborieusement, il s'élance à la mer avec son slip. C'est de la folie, avec la force des vagues et des courants aujourd'hui, il va se noyer. Moins de deux minutes après, il n'a déjà plus pied et il commence à se débattre frénétiquement, pris de panique. Je me lève sans réfléchir et je cours vers un Américain qui astique sa planche de surf. Je lui demande aussitôt de me la prêter. Il me regarde avec un air qui veut dire que je suis fou.

— Regarde, le gars va se noyer, dis-je en prenant la planche au sol.

Je m'élance en direction du touriste téméraire. Je vois bien qu'il n'a plus beaucoup d'énergie. Avec la fatigue et la panique, c'est la plus sûre façon de se noyer. Encore quelques brasses et m'y voilà. J'empoigne le gars qui était sur le point de caler. Lorsqu'il sent la planche sous lui, il essaie de s'y hisser au risque de nous faire chavirer. Une grande vague vient se casser sur nous, je ferme les yeux et retiens mon souffle. Pendant un moment, je reste immergé.

La planche est retournée sur la plage, portée par la force de la vague. À l'instant où je me demande où est le gars, je le sens se hisser sur mon dos. Ce connard va m'entraîner avec lui sous l'eau. Je lui fous une bonne gifle. Profitant de sa surprise, je prends quelques bonnes bouffées d'air pour ensuite plonger à nouveau. J'attrape le type par le fond de culotte et, de toute mon énergie, me servant de son poids qui me garde au fond, je l'entraîne à la marche vers le bord. Quand je le sens trop s'énerver, je referme la main avec vigueur sur ses bijoux de famille, histoire de le calmer un peu. Je n'ai plus d'air, je dois être bleu. Une autre vague nous entraîne vers le fond mais, par bonheur, nous avons avancé suffisamment vers la plage. J'ai lâché mon boulet et j'émerge à l'air en sentant mes poumons se gonfler comme un ballon. La première chose que je vois, c'est l'Américain de la planche qui tire le touriste par les aisselles. Un petit attroupement de curieux s'est déjà formé, pour la plupart des surfeurs et des promeneurs matinaux. On me félicite, on me regarde avec un mélange d'admiration et de respect. Je suis le héros du moment. Au risque de manquer de modestie, je me sens extrêmement fier de moi. Je marche en sentant une auréole flotter au-dessus de ma tête, je me tiens le dos droit et le torse bombé. Des hauteurs où je plane, je regarde le rescapé au sol qui vomit. Avec désinvolture, je lui tapote un peu le dos pour atténuer ses spasmes et faciliter sa respiration. Je l'aide à se relever, on applaudit. Pour ajouter au spectacle, je lève le bras du survivant en signe de victoire.

— Je vous remercie, je vous dois la vie, dit l'homme dans un espagnol teinté d'italien.

— Tu ne me dois absolument rien. Tu le dois à un autre, l'avenir te le dira, que je lui réponds avec philosophie.

Ce qui vient de se produire me réconcilie avec un événement survenu quelques années auparavant. Alors que je me promenais sur la plage, tenant mes palmes d'une main et mon masque de l'autre, Roberto, un ami italien, m'avait demandé d'aller plonger avec lui plus loin dans les récifs pour voir les poissons de couleurs et les autres animaux marins. Comme on s'apprêtait à partir à la nage, Lucas, un autre ami italien, avait décidé de se joindre à nous. Il ne portait pas de palmes, mais il avait un masque. La mer paraissait calme, cette plongée ne présentait pas de danger. Mais après une dizaine de minutes à observer la faune marine, la mer est tout à coup devenue plus agitée. Une série de six vagues de deux mètres a passé. Accalmie quelques instants puis, tout de suite après, une autre série de vagues est venue nous frapper, celles-là hautes de deux mètres cinquante. Nous avons désespérément tenté de rejoindre le rivage. J'ai pris une avance et rejoint la plage plus rapidement que Roberto et Lucas qui peinaient à sortir du ressac. Roberto a alors courageusement empoigné l'épaule de son compatriote et, à l'aide de ses palmes et de son bras libre, a réussi à gagner le rivage, entraînant Lucas en le tenant solidement. Ce dernier, une fois sorti de l'eau, a crié, telle une condamnation :

— Enculé !

Sur le moment et pendant plusieurs semaines, je me suis senti comme un couard d'avoir pensé sauver ma peau sans tenter quoi que ce soit pour aider Lucas. À présent, je suis libéré de ce sentiment de lâcheté qui a tant pesé sur moi à la suite des événements où j'avais laissé mes deux amis à leur sort. Surtout qu'aujourd'hui j'ai sauvé cet homme qui me remercie.

Les gens se sont dispersés. Je suis là avec mon nouvel ami qui n'en finit plus de manifester sa gratitude. Il s'appelle Claudio, il est italien et il commence depuis quelques jours seulement un périple d'un mois au Mexique. Il dit vouloir visiter toutes les plages, la plupart des sites archéologiques, le désert, les montagnes, la grande ville, les volcans, etc. En somme, il veut découvrir en quelques jours ce qui m'a pris des années. Je tais mes doutes, je préfère que les gens comprennent eux-mêmes ce que je sais déjà.

Avec tout ça, la matinée est déjà bien avancée. Claudio insiste pour m'inviter à sortir en boîte avec lui ce soir. J'accepte et lui indique la tente et les deux hamacs sur mon terrain. Il n'aura qu'à passer au couchant. Je lui propose d'aller se reposer parce qu'il a l'air d'un revenant que je lui précise en m'esclaffant. Il s'en va avec tout le poids de la vie sur les épaules, un poids nouveau pour lui. Je pense : voilà un autre qui a pris conscience de l'importance de chaque instant. Je me rends compte qu'il n'y a plus personne sur la plage. Je vois ma tasse vide plus loin et mes bananes brunir à vue d'œil. Mes sandales ont disparu. Pendant que je sauve la vie d'un type, un paumé me vole mes godasses ! Retour au mode pieds nus. Je m'en fous, la vie est plus facile quand on n'a pas grand-chose, ça permet de se faire moins de mouron.

Comme j'arrive chez moi, je trouve un homme dans mon hamac. C'est Gabriel. Bien qu'il me tourne le dos, je le reconnais à ses vêtements d'un blanc immaculé. Je ne sais pas comment il les lave, mais ils sont toujours impeccables. Je vais sûrement avoir droit aux derniers potins du village.

— Salut Gabriel, ça va ?

— Oh ! Salut mon coco, ça va super ! Dis donc, qu'est-ce qui se passe ? On ne te voit plus. Tout le monde te cherche.

— Ça fait seulement trois jours qu'on s'est vus, dis-je.

— C'est ça. Trois jours ici ça fait une éternité. Y a ma copine Gina qui ne parle que de toi et aussi Serge le Canadien qui veut te voir de toute urgence.

Serge est un type très drôle et sympathique. Le seul ennui avec lui, c'est qu'il est presque constamment impliqué dans toutes sortes de combines louches qui peuvent en entraîner plus d'un dans le pétrin. Il n'y a que moi qui suis assez con pour continuer à lui rendre service de temps à autre. Il faut dire qu'il y a souvent des avantages à en tirer. Je crois bien que j'irai le voir cet après-midi. Qui sait, ça va peut-être mettre encore un peu de piquant à cette journée...

— Et tu sais quoi ? Il y a une fille épatante qui vient d'arriver en ville, poursuit Gabriel. Une jolie blonde. Enfin toi, tu vas la trouver jolie c'est certain. Elle est peintre et elle a beaucoup de talent.

— Tu as vu ce qu'elle fait ? que je demande en faisant mine de rien.

— Oui, hier soir elle a vendu à Aldo, le propriétaire du resto italien, une superbe toile qui représente un beau Noir musclé sous les cocotiers. C'est rigolo, il a un peu ta tronche me dit-il en éclatant de rire.

Je me dis qu'elle ne perd pas son temps celle-là.

Gabriel décide d'aller à la plage. J'irai le rejoindre. Pour l'instant, j'en profite pour aller faire un tour au village. Le soleil est à son zénith, je cherche mon ombre de tous côtés, elle n'est pas là, elle est cachée sous mes pieds. Je sue. J'aurais dû apporter de l'eau. Je vois, plus loin sur ce chemin poussiéreux, un halo mouvant provoqué par la chaleur. Ça doit ressembler à ce que voient les gens perdus dans le désert lorsqu'ils imaginent voir de l'eau. Plus ils se rapprochent et plus le mirage s'éloigne. Un bruit de klaxon me fait stopper net.

— Eh Max ! Qu'est-ce que tu fous là ? me demande Serge le Canadien au volant de sa jeep.

Il s'est arrêté juste derrière moi en plein milieu de la rue.

— Reste pas là, viens, embarque.

Sans réfléchir, je monte à ses côtés et lui tape dans les mains à la manière du coin. On décolle à plein régime. L'air qui s'engouffre par les fenêtres me fait du bien. Serge a les yeux cachés derrière des lunettes de soleil dernier cri. Il est vêtu d'un short sobre et très classe et il porte ses éternels colliers en or bien en vue dans l'échancrure déboutonnée de sa chemise à palmiers. Il a une bière entre les jambes et m'en tend une dégoulinante de buée froide. Je l'ouvre et en bois la moitié d'un trait. Il se met à rigoler sans raison apparente, je l'imite en me demandant ce qu'il va me proposer. On arrête à la première tienda que l'on croise. Serge m'invite à prendre ce qui me plaira et, tout en fredonnant, se dirige de sa démarche dansante au rayon des boissons gazeuses. Je prends une caisse de bières au réfrigérateur et j'attrape un sac de croustilles au passage. La caissière, cheveux noirs, teint foncé, corps aux formes harmonieuses, est ultra mignonne. Elle rit franchement des pitreries de Serge. Une femme que je suppose être sa mère entre par la porte de derrière le comptoir. À l'inverse de sa fille, son physique est adipeux et elle ne semble pas nous trouver si drôles. La jeune, se sentant épiée, retient son rire. Serge fait mine de se mettre au garde-à-vous devant la matrone. La dame en reste bouche bée. La fille et moi nous esclaffons sans retenue, tellement c'est hilarant. La mère s'en retourne d'où elle était arrivée. Serge paie la jeune fille en lui laissant un pourboire royal.

Mon ami me laisse entendre que nous devons aller chez lui pour discuter de choses très importantes. C'est le début de l'après-midi et nous sommes équipés pour parler un bon moment sans manquer de rien. Le Canadien a loué une petite maison en haut d'une colline avec une superbe vue sur la mer. La résidence est modeste mais dispose d'un grand jardin clôturé avec une belle terrasse fleurie. Nous nous installons sur de jolies chaises en osier à l'ombre des bougainvilliers fleuris. Mon hôte a mis de la musique rock des années 1970 qu'il affectionne, Hendrix, Led Zeppelin, Rolling Stones et compagnie. Nous sirotons des bières, une bouteille de tequila pleine attend sur la table. Chacun muni de son petit verre et d'une assiette remplie de quartiers de lime, nous sommes prêts à nous y mettre. Normalement, les gens lèchent une pincée de sel sur le bord de la main, boivent ensuite la tequila d'un trait en faisant la grimace et s'écrasent le citron dans la bouche. Moi, je procède différemment. D'abord le sel, de la façon classique, ensuite je presse le citron dans ma bouche, mais je n'avale pas tout de suite le jus que je laisse en suspension dans mes joues et sur ma langue pour ensuite avaler l'alcool qui entraîne avec lui le mélange de citron et de sel. De cette façon beaucoup plus douce, on évite les torsions du visage et les larmoiements. Toute personne qui veut apprécier le bon goût de la tequila avec citron doit le faire comme ça.

C'est seulement après que la bouteille soit bien entamée que Serge aborde le vif du sujet. Il m'explique qu'il doit prendre un avion le lendemain matin. Il veut que je l'aide à dissimuler sur son corps cinq cents grammes de marijuana. L'idée est de fixer autour de sa taille les sacs de drogue à l'aide de gros ruban adhésif. Je devrai le conduire tôt le matin à l'aéroport avec sa jeep et m'assurer sur place qu'il prend son avion sans encombre.

— Mais, ça va pas ? Faire des magouilles avec de la drogue ! Tu sais, ici on risque gros avec ça, dis-je, déjà tout énervé.

— Relaxe, tu ne risques rien. C'est moi qui prends tous les risques.

— Et si on se fait contrôler sur la route. Tu sais ça arrive, c'est même fréquent.

— Tout va aller pour le mieux. Et s'il y a des embrouilles, je dirai que tu ne savais rien, me dit-il se faisant rassurant.

— Mais qu'est-ce que j'ai à gagner dans tout ça ?

— Toi, tu as juste à garder la jeep, elle est en bon état et tu pourras facilement la revendre si tu veux. Moi ça fait trop longtemps que je glande dans le coin, une fois au Québec, j'y reste.

Effectivement, l'offre est alléchante. Il m'est impossible de refuser une occasion pareille. Après tout, je ne risque pas vraiment de me faire prendre. Serge s'y connaît avec ce genre de combine, ça ne craint rien. J'essaie de me convaincre lorsque l'autre dépose sur la table un gros sac. En regardant le colis, je sens mon cœur remonter dans ma gorge. Mes oreilles bourdonnent. J'entends vaguement Serge qui rit de mon désarroi. Il me donne un verre de tequila que j'avale sans autre forme. L'heure n'est plus au citron.

— N'aie pas peur, on est tranquilles ici. Ce soir, je te laisse la jeep pour que tu te pointes ici demain matin à sept heures. Mon avion décolle à dix heures trente. Pour l'instant, on oublie ça, on prend un coup et je nous prépare à manger.

Tandis que Serge se dirige vers la cuisine, j'observe à l'horizon l'amorce du couchant. Comme le ciel est clair et sans nuages, la descente du soleil se fait plus rapidement. Une boule de feu qui tombe dans la mer en produisant une gerbe de lumière verte. Non, ce n'est pas un flash dû à l'abus de L.S.D. durant mon adolescence, c'est bien ainsi que ça se produit. Le fameux green flash comme on l'appelle, cette flammèche verte qui apparaît fugacement parfois lorsque le dernier arc de soleil disparaît dans la mer. On dit que lorsqu'on a la chance d'apercevoir ce phénomène optique d'une extrême rareté, tout ce que notre cœur désire intimement nous est accordé. Les oiseaux ont fait place aux chauves-souris qui font du rase-mottes au-dessus de ma tête. Comme il subsiste une certaine lueur du jour, je peux bien voir leur face hideuse quand elles effectuent un piqué dans ma direction. De peur d'en avoir une qui s'agrippe à mes cheveux, je vais rejoindre mon ami à l'intérieur. Nous mangeons goulûment les spaghettis qu'il a préparés. Nous sommes tellement bourrés qu'on mange sans parler. Serge s'écroule endormi sur sa chaise de cuisine.

La bouteille de tequila est vide, je me boirais bien une margarita. J'ai le goût de voir du monde, de faire la java. Je fais ma toilette, me parfume. Je découvre toute une panoplie de produits de beauté dans la salle de bain. J'emprunte à Serge une belle chemise de soie aux motifs exotiques. Comme il en possède plusieurs, je ne crois pas qu'il m'en tiendra rigueur. Je me regarde dans la glace, tout est parfait. Je me souris, sûr de moi, en pensant que ce soir, ce sera ma soirée, et que j'attirerai tous les regards. Je prends les clefs de la jeep sur la table. Bonne nuit, Serge, bons rêves et à demain matin. Mesdames, soyez prêtes, la soirée commence. Max arrive.

CHAPITRE 14

C'EST avec quelques difficultés que je réussis à démarrer la jeep. Ça me prend plusieurs centaines de mètres pour dégriser un peu. Je décide d'aller prendre un verre au Mango Bar. C'est un petit endroit très fréquenté par les touristes, au tout début de la rue piétonnière où s'enlignent plein de restaurants et de boutiques de souvenirs. Je réussis à stationner la bagnole tout près de la barrière qui interdit l'accès aux voitures. Je salue au passage le policier qui garde l'entrée de la rue.

— Eh ! Señor, señor por favor, m'interpelle-t-il d'une voix autoritaire.

Je me retourne vers le policier, qui a les mains sur les hanches. Il me regarde sévèrement d'un air qui me paraît menaçant.

— Oui, officier ? que je demande en essayant de ne pas avoir l'air trop saoul.

— C'est à vous cette jeep bleue là-bas ?

— Heu ! Non... Enfin, oui, que je réponds, hésitant.

— Vous avez oublié vos phares.

Lorsque j'entends ça, la pression diminue d'un seul coup.

— Merci, merci beaucoup.

J'ai eu chaud.

Quand même, on ne sait jamais, s'il lui avait pris l'envie de me faire chier ou tout simplement de me soutirer quelques centaines de pesos, il aurait pu. C'est bien connu, dans plusieurs pays sous ces latitudes, on fait vite oublier une infraction en échange d'un peu d'argent. Ça se fait la plupart du temps discrètement, un billet de banque contre une poignée de main. Un bon truc aussi que j'utilise est de laisser un billet de vingt dollars dans le passeport. Après une vérification de votre identité, on vous remet votre document sans le billet et on vous laisse aller avec le sourire. Plus l'infraction est grave et plus il en coûte pour soudoyer le policier. Dans ces pays, une personne très riche peut faire ce qu'elle veut. De toute façon, dans nos pays qu'on dit civilisés, c'est un peu la même chose, on trouve une justice pour les riches et une pour les pauvres : on a beaucoup d'argent, on peut se payer le meilleur avocat du pays et s'en sortir ; on en a moins, on se retrouve en prison pour un délit semblable. Quand j'en entends geindre qu'il y a beaucoup de corruption dans les pays du sud, je dis tout simplement de regarder plus attentivement dans leur propre cour… de justice !

J'entre au Mango bar par la grande porte. Le dernier tube de Santana, *Maria Maria*, égaie les gens qui profitent du deux pour un des consommations alcoolisées.

Mon entrée ne passe pas inaperçue. Je serre la main d'un parfait inconnu, fais une révérence galante à trois filles à la table à côté. Elles me répondent avec des sourires éblouissants, c'est bon signe, j'en prends note, je me fais souriant et décontracté. Rapidement, je repère Sandra. Elle est avec Aldo, le gars du restaurant italien. J'évite de tourner mon regard dans cette direction.

— Eh ! Eh ! Eh ! Max, ça va mon beau ! Viens, nous sommes ici, s'exclame Gabriel, attablé près du bar avec Gina, qui, comme toujours, est vêtue de façon à mettre en valeur ses formes invitantes.

Je me dirige vers eux. Ils ont l'air bien contents de me voir, et moi aussi d'ailleurs. Gabriel s'élance sur moi en me faisant la bise avec effusion. J'attrape par la taille Gina qui s'est levée et l'embrasse sur la bouche comme si j'étais son amant, ce que je ne saurais tarder à devenir. Elle n'y a pas été insensible puisque l'instant d'après elle m'offre à boire. C'est bon signe, j'ai encore la cote. J'accepte et commande une margarita. Gabriel nous raconte comment il est tombé amoureux d'un surfeur australien qu'il a vu sur la plage pendant la journée. Il dit ne pas lui avoir parlé mais que leurs regards se sont rencontrés et qu'il a tout de suite su. Ce n'est pas la première fois qu'il me raconte ses coups de foudre. Je ne voudrais pas le décevoir mais, la plupart du temps, ils sont à sens unique et se terminent par un cœur brisé et des pleurs à n'en plus finir.

Gina est collée tout contre moi, sa main sur ma cuisse remonte lentement vers mon sexe qui commence à réagir. Je crois qu'elle ne veut pas que, comme la dernière fois, je m'endorme au moment de rendre les comptes. Toujours du coin de l'œil, je vois Sandra s'approcher. Elle embrasse Gabriel avec familiarité et il explose de joie comme s'il rencontrait une amie de longue date. Il nous la présente. Elle serre la main de Gina puis se tourne vers moi en dressant son sourire le plus radieux. Elle se penche m'enlace le cou en me disant à l'oreille « Contente de revoir Max » puis me fait la bise sur la joue. Je sursaute gèrement lorsque les ongles de Gina s'enfoncent dans na cuisse.

— On se connaît déjà, dit Sandra à Gabriel, énigmatique.

— En effet, j'ai eu vent que tu fais de bonnes affaires, lui dis-je en faisant un geste des yeux vers Aldo.

Gina y va de soupirs d'impatience puisque la conversation se déroule en français et qu'elle n'y comprend rien. Je la sens jalouse et ombrageuse, mais que puis-je faire ?

— Il m'a acheté la toile que j'ai faite avec toi, l'autre jour sur la plage. Il est très gentil, il veut que je lui en fasse une autre.

Gina en a marre, se lève, prend son sac et file sans dissimuler son mécontentement. Je coupe cours à la conversation et je décide de la suivre.

Dans la rue, Gina prend le petit chemin qui descend vers la mer. Je cours dans sa direction. Elle emprunte les escaliers qui accèdent à la plage. Quand je la rejoins enfin, elle est assise sur le sable devant l'horizon. De toute évidence, elle m'a vu mais fait semblant qu'il n'en est rien. En m'approchant, je perçois son doux parfum de miel mélangé aux effluves de la mer. Elle frissonne lorsque je lui caresse le cou et les épaules. Je fais glisser mes mains tout doucement le long de ses hanches et nos bouches se rencontrent dans un baiser passionné. Elle a une toute petite langue, ça me fait drôle de sentir ce minuscule bout s'agiter dans ma bouche. Je glisse spontanément une main dans son slip et, du coup, au contact de sa chair humide, mon sexe se dresse. Bientôt, nous nous retrouvons presque nus. Je suis couché sur le dos. Gina est sur moi. Au début mon membre se fraye doucement un passage dans ses profondeurs. Je sens intensément son désir. Le mouvement de ses hanches s'accélère et sa respiration se fait haletante. Je m'excite à la regarder se mouvoir de cette façon. Au bout d'un moment de ce va-et-vient, son corps se tend, foudroyé par un orgasme que le contexte illicite décuple. Je sens en même temps sa main douce me caresser les testicules, c'est très agréable. Elle sait y faire. Des spasmes de plaisir se propagent dans tout mon corps, je vais venir, je le sens, ça monte, mais... comment peut-elle me caresser là alors que ses deux mains sont appuyées sur ma poitrine ? J'étire la tête pour voir derrière Gina, et, à ma grande surprise, je vois un gars me frotter les couilles. Je me redresse et le mec, voyant la colère sur mon visage, se sauve au pas de course. Gina lâche un petit cri et se couvre de ses vêtements en constatant ce qui s'est passé. Mon érection a disparu tout comme la magie du moment. La seule chose qu'il nous reste à faire pour oublier c'est de se rhabiller et d'aller prendre un verre au bar sur la plage.

Nous sommes encore sous le choc de ce qui s'est produit lorsque nous arrivons au bar. La soirée bat son plein, la piste de danse est bondée de joyeux fêtards qui se réjouissent de cette parenthèse hors du quotidien. Carmen et son orchestre s'occupent d'animer la fête avec leur musique salsa très vivante et entraînante. Cette grande chanteuse ne manque pas de saluer mon entrée à l'assistance, ce qui me procure un sentiment de fierté. Gina m'entraîne sur la piste pour se dégourdir sur les rythmes exotiques de cette musique. Nos déhanchements sensuels à la limite de l'érotisme ne manquent pas d'attirer l'attention sur nous. Nos corps dégagent des parfums de sexualité non assouvie. Cette énergie est transmise aux autres danseurs comme des ondes qui se propagent en peu de temps à l'ensemble des spectateurs. Qui est qui, qui fait quoi, plus personne ne le sait. Le groupe entre en symbiose dans la frénésie du moment. On s'oublie le temps de cette euphorie collective, le rideau du temps s'abaisse, le présent s'éternise. Ma partenaire a disparu dans le tumulte. J'aperçois au bar Claudio, le gars que j'ai sauvé de la noyade ce matin. Il m'a aperçu et me fait signe d'approcher. Il est tout souriant, visiblement heureux d'être là, encore de ce monde.

— Je suis passé chez toi plus tôt et tu n'y étais pas, me dit-il en haussant la voix pour couvrir la musique.

— Les choses ne sont pas toujours comme on les avait prévues, lui dis-je en reprenant haleine.

— Tu ne saurais si bien dire.

Il met son bras autour de mes épaules et dit au barman que tout ce que je boirai ce soir ira sur sa note.

— Juan, prépare-nous deux margaritas comme je les aime.

Gabriel fait alors une entrée remarquée. Il est vêtu de blanc, un grand foulard noir en soie attaché autour de sa taille et il porte un chapeau melon. Le maquillage qu'il a aux yeux accentue la brillance de son regard. On dirait un personnage fantasmagorique sortit tout droit de ses dessins. On s'écarte sur son passage lorsqu'il s'avance sur la piste de danse. Il danse avec une extraordinaire élégance.

— Qu'est-ce que c'est que ce pédé ? me demande Claudio.

— C'est Gabriel, un ami, il est très amusant. Il n'est pas contagieux, ne t'en fais pas.

Je lui réponds de façon à couper court à toute manifestation homophobe de sa part. Soudainement, tout devient noir, deux mains de femme me couvrent les yeux. Je dois deviner à qui elles appartiennent. En mettant mes bras vers l'arrière, je réussis à palper ce corps, mais l'exercice est vain. Au hasard, je dis tout haut la première idée qui me vient.

— C'est Sandra.

— C'est gagné, qu'elle me dit, toute joyeuse.

— Qu'est-ce que je gagne au juste ? que je demande en la prenant par la taille.

— Un baiser, répond-elle, puis elle m'embrasse sur la bouche.

Juste au moment où elle commence à se détacher de moi, je la retiens pour prolonger le contact. J'ouvre les yeux et vois Gina derrière, le visage furieux, empoigner les cheveux de Sandra et tirer avec force. Je la lâche pour éviter qu'elle s'en fasse arracher une pleine poignée, ce qui provoque sa chute sur la Mexicaine. Sandra se relève et, sans attendre, gifle l'autre. Carmen lâche son micro et descend de scène en vitesse pour s'interposer entre les deux femmes. Gina frappe la chanteuse au corps. S'ensuit une escalade de coups qui viennent de toutes part. En quelques instants, c'est le bordel. J'attrape Sandra par le bras et l'entraîne vers l'extérieur. La plupart des gens décident de se tailler aussi. À l'intérieur, c'est la pagaille. J'entraîne l'artiste jusqu'à la jeep. Je ne sais pas si les évènements qui se sont produits vont l'inspirer. Mais, en tout cas, c'est différent de ce qu'elle connaît : la métropole avec ses salons aux ambiances feutrées où une clientèle au regard fuyant croit s'amuser. Ici, au Mexique, ça peut partir en couilles assez rapidement.

— Pas trop de mal ? que je demande, inquiet.

— J'ai le cuir chevelu un peu douloureux mais ça va.

Elle me désigne le point sensible en grimaçant. Je saute sur l'occasion pour caresser cette belle chevelure en cascades. Sandra lève les yeux vers moi, entrouvre la bouche. Comme des aimants, nos lèvres se collent en un baiser langoureux, plein de voluptueuses promesses. Sandra me propose d'aller chez elle boire un café. Le prétexte est bon. Elle me dit le nom de l'hôtel où elle loge. Je connais, en fait ce n'est pas un hôtel, c'est un groupe de petites cabanes aux toits de pailles qu'un vieil homme, Rodolfo, don Rodolfo, loue aux touristes. Il passe son temps dans un hamac, posté derrière le portail qui donne accès aux cabanes. Peu importe l'heure du jour ou de la nuit, dès que quelqu'un se présente, il regarde d'un air suspicieux derrière la porte grillagée. S'il reconnaît un client, il ouvre la vieille porte qui grince sur ses gonds mal huilés. Sandra frappe à la grille à l'aide du bout de sa clef. On entend un bruit étouffé, une toux sèche et, peu après apparaît le visage marqué par le temps de Rodolfo. Ça lui prend quelques secondes pour reconnaître Sandra et ouvrir. Elle rentre et, quand je m'apprête à passer à mon tour, il me ferme la porte au nez.

— Don Rodolfo, c'est moi, Max. Laissez-moi entrer, je suis avec la dame.

— Je sais qui tu es, mais il n'y a pas de visite à cette heure.

Son ton est sans équivoque. Sandra, avec son espagnol rudimentaire et gestes à l'appui, tente de convaincre le vieux qui s'obstine dans son refus. Je vois bien qu'il n'y a rien à faire, il est têtu comme une mule.

— Ne t'en fais pas, Sandra. Donne-moi ton numéro de cabane et je te rejoins à l'instant. Je lui parle en français pour ne pas être compris du vieux.

— Le huit, je t'attendrai. me dit-elle.

— Vous avez raison don Rodolfo, il est tard, je ferais mieux d'aller dormir. Bonne nuit. lui dis-je de façon rassurante.

— Buenas noches.

CHAPITRE 15

Je monte dans la jeep et la démarre, faisant croire au vieux que je m'en vais réellement, mais j'avance d'une centaine de mètres et je stationne dans un coin sombre. Je reviens à la marche, bien entendu sans aucun bruit. Au bord de la clôture se dresse un énorme manguier dont une partie du ramage surplombe le terrain voisin, là où une superbe femme m'attend, languissante à l'idée de ma venue. La testostérone bouillonnant dans les veines, je grimpe dans l'arbre avec témérité. Lentement, à la manière du koala, je m'avance sur la plus grosse branche. Je me retiens très fermement de peur de m'empaler sur les tessons de bouteilles cimentés sur le haut de la clôture. Après avoir dépassé la barrière, je me laisse pendre par les bras et lâche prise. Le bruit de ma chute est amorti par le sol sablonneux. Je m'approche des cabanes avec précaution. D'où je me trouve, je peux voir le vieillard qui s'est assoupi de nouveau. Je trouve la cabane huit dont la porte est entrouverte. Quelques enjambées de félin, j'atteins la cabane et j'entre. Après, tout va très vite, j'entends un grognement ; instinctivement, je me retourne et une douleur aiguë au mollet gauche me fait me souvenir que

Sandra a un chien. Je laisse échapper un petit cri de surprise plus que de douleur. Le chien continue de mordre ma jambe avant que Sandra ne se pointe, une serviette autour du corps. Elle réussit à calmer le cabot et à le faire lâcher prise. La lumière qui sort de la porte ouverte des toilettes est suffisante pour constater que je saigne. On voit très bien sur mon mollet la marque de deux canines imprimées dans la chair. L'animal s'est couché dans un coin. Il nous observe d'un air piteux. Par chance, le bruit n'a pas alerté don Rodolfo. Sandra, après s'être confondue en excuses, entreprend de soigner ma blessure. Moi, j'ai le tournis, je ne me sens pas très bien. L'odeur du désinfectant en aérosol, avec lequel elle asperge la plaie, m'est insupportable. Le mélange de consommations que j'ai ingurgitées pendant la nuit remonte en une éruption gastrique. J'atteins la cuvette de la toilette juste à temps. Il me suffit de trois ou quatre purges de mon système digestif pour venir à bout de mes nausées. Ma copine est pleine d'attentions à mon égard. Elle y va de compresses humides sur mon front, de caresses dans mes cheveux qui font très maternelles. Elle me fabrique un pansement avec du papier de toilette et du ruban adhésif. Moi, je suis fatigué, prostré sur le coin du lit. À mon tour d'avoir l'air piteux. Je fais part de mon désir de partir. Sandra insiste pour que je reste à dormir, je proteste mollement. Puis, nous nous couchons au chant du coq.

C'est un chatouillement à la plante des pieds qui me réveille. Sandra dort, la tête appuyée sur mon torse. Le chien lèche mes pieds qui dépassent du lit. Tout est clair dans mon esprit, la gueule de bois est moindre que je ne l'aurais cru si ce n'est ma soif lancinante. Je ne mets pas longtemps à me souvenir que je dois conduire Serge, le Canadien, à l'aéroport.

Le réveil sur la petite table de nuit indique sept heures trente. Ce n'est pas trop mal, je serai là dans quelques minutes. Je me lève doucement sans réveiller ma charmante amie qui semblait si bien entre mes bras. J'ai le mollet qui élance mais sans plus. Un peu d'eau au visage me rend toute ma lucidité. Je bois à même le robinet, sachant très bien qu'on recommande de ne pas boire de cette eau, mais je m'en fous, il y a longtemps que je ne m'en fais plus avec ça. Avec toutes les merdes qu'on ingurgite en ce bas monde, ce n'est pas une petite turista qui va m'arrêter. J'entends la grille de l'entrée s'ouvrir. Je jette un œil par l'entrebâillement de la porte. Je vois le vieux sortir, il va sûrement acheter ses tortillas à l'épicerie du coin. Excellent, c'est l'occasion qu'il me fallait pour m'éclipser en douce. J'attends un instant, le temps de laisser une note à Sandra, puis je file.

Serge m'attend impatiemment sur le seuil de sa maison. Il se détend lorsqu'il m'aperçoit arriver en trombe au volant de sa jeep. Je sors du véhicule d'un bond et me dirige vers lui.

— Il était temps, je commençais à désespérer, déclare-t-il. Viens j'ai besoin d'un coup de main.

— O.K. patron, que je réponds tout en le suivant à l'intérieur.

Il m'explique comment je dois fixer les quatre paquets d'herbe autour de sa taille en utilisant du ruban adhésif. Il se déshabille, ne gardant que son slip. Avec quelques tours de ruban, je fixe les paquets le long de son abdomen. Il s'installe à quatre pattes, de façon à ce que je puisse passer le rouleau autour de sa taille tout en effectuant une pression pour bien serrer le tout.

— Envoye, hostie, tire, aie pas peur, qu'il me dit avec son accent québécois.

Malgré le sérieux de l'entreprise, je me dis que si quelqu'un faisait irruption dans la pièce, voyant Serge à quatre pattes, le visage rouge, les veines du cou saillantes et moi un pied sur son dos pour avoir un meilleur appui, tirant sur l'adhésif, il ne pourrait s'empêcher de trouver la situation loufoque.

Une fois la marchandise bien attachée, Serge se rhabille. Il enfile un pantalon ample et une de ses sempiternelles chemises hawaïennes. Contrairement à ce que j'aurais cru, on ne soupçonnerait pas qu'il a cinq cents grammes de marijuana dissimulés sous sa chemise. Il a plutôt l'apparence de ces touristes canadiens un peu bedonnants qui reviennent au pays après un court séjour dans l'une des nombreuses stations balnéaires du Mexique. Une caméra qui pend à son cou et une casquette d'un club de baseball complètent bien l'image qu'il veut projeter.

Nous parcourons sans anicroche la vingtaine de kilomètres qui nous séparent de l'aéroport. Tout au long du trajet, nous restons silencieux, le Canadien se concentrant sur ce qui l'attend. Moi, je prie pour qu'il n'y ait pas de contrôle routier. C'est souvent dans des moments comme ça que les brebis égarées retrouvent leur ferveur. Peu avant une courbe de la route, un jeep militaire apparaît. Deux soldats, mitraillettes à la main, nous font signe de nous ranger sur le côté. Même si je sue, la peur m'envahit comme une vague froide. Putain c'est du sérieux, nous sommes dans la merde. Un des soldats approche du côté de Serge, il a à peine vingt ans, il flotte dans son uniforme. Son collègue tout aussi jeune attend derrière, de mon côté. Inquiétant.

— Laisse-moi lui parler, me dit Serge sans se tourner.

— Bonjour, contrôle, vous allez où ?

— À l'aéroport, nous sommes un peu pressés.

— Sortez de la voiture, ordonne le jeune militaire en agitant son arme.

Je suis tétanisé depuis déjà ce qui me paraît une éternité. L'autre soldat ouvre ma portière à la pointe de sa mitraillette. Je sors tout doucement, les mains en l'air. Pour ne pas avoir l'air coupable, c'est réussi. J'entends Serge parlementer avec l'autre dans un espagnol parfait.

— Il est où le commandant, je veux voir le commandant, exige-t-il.

— Ben il est parti chercher de l'essence, répond le gringalet surpris de voir cette étranger répliquer dans sa langue.

Serge saisit l'occasion de les soudoyer à moindres frais.

— Écoute-moi, nous sommes pressés. Mon ami, dit-il en me désignant, est comédien et on l'attend pour un tournage.

Toujours les mains en l'air, j'affecte un demi-sourire modeste. Mon ami sort vingt dollars de sa poche.

— On fera pas d'histoire, tu prends ça, ni vu ni connu.

Sans même hésiter, le gamin se saisit du billet tel le caméléon d'un insecte avec sa langue extensible et gommeuse. Malgré tout, rien n'a échappé à l'autre soldat qui réclame sa part lui aussi. Serge, en maugréant, s'exécute discrètement. Nous remontons en voiture sans même dire au revoir, comme si les deux gars n'avaient jamais existé. Nous décollons en faisant crier les roues. Serge est furax de s'être fait prendre quarante dollars. J'ai peine à croire ce qui vient de nous arriver, j'étais certain d'aller moisir en taule sans que cette fois Nova n'intervienne. Quel coup de bol que le commandant ait été absent.

— T'as vu ça Max, des gamins, putain. Qu'est-ce que tu as ? Respire un peu c'est fini vieux.

— Ouais O.K., ça va mieux, que je réponds dans un souffle.

— Je le savais qu'il fallait les arroser rapidement avant qu'il trouve le stock. Sinon nous serions repartis en stop chacun de notre côté.

Nous explosons de rire, un rire libérateur de tension.

À destination, j'aide Serge à porter ses valises jusqu'au comptoir de la compagnie d'aviation. On vérifie son billet et ses papiers, et c'est tout sourire que la préposée lui remet sa carte d'embarquement. Il reste moins d'une heure avant le décollage. Pas le temps de prendre un café, tant mieux, je n'ai pas envie de traîner avec lui. Avec un sang-froid et une maîtrise de soi qui forcent mon admiration, Serge passe sans encombre la sécurité. L'air décontracté, il s'offre même le luxe de blaguer avec les douaniers.

Je vais m'asseoir au bar où on me sert un café et une brioche. Je veux m'assurer que mon ami partira bel et bien sur cet avion. Derrière le comptoir, un moniteur nous transmet le journal télé. Je regarde distraitement, tout en espérant que le tout se déroule comme prévu. Serge m'a remis les clefs de sa maison. En fait, il la louait, et comme il a payé pour encore deux semaines, il m'a proposé d'en profiter. Si je veux, je peux poursuivre la location, ce qui ne causera pas de problème. Tout est si facile ici, jamais de complication. Pas de dépôt, pas d'enquête de crédit, pas de contrat, on paie comptant et on ne nous pose pas de question. J'hérite de plus de toutes les choses que Serge ne pouvait prendre avec lui : livres, vêtements, appareil de musique, CD, etc., sans oublier la jeep. Il est vrai que, plus d'une fois, je l'ai aidé dans ses multiples combines.

L'avion décolle à l'heure prévue, mon intrépide camarade à bord, je l'ai vu monter l'escalier d'accès. Il lui reste à passer au travers des filets de la douane canadienne. Ensuite, il pourra écouler la marchandise sur le marché noir et récolter un bon paquet d'argent. Advenant un pépin à l'arrivée, il risque une peine maximale de trois ans de prison qui se traduit par six mois concrètement étant donné la saturation du système carcéral. Ce n'est pas assez pour dissuader un gars comme Serge qui n'a pas froid aux yeux. Je souhaite qu'il réussisse et qu'il fasse goûter la bonne herbe mexicaine à mes compatriotes.

J'ai déménagé mes affaires dans ma nouvelle demeure. J'en avais marre de dormir sous la tente à même le sol et de me doucher aux seaux d'eau. Ça ne m'a pas pris longtemps pour tout ramasser. Quelques vêtements que j'ai jetés pêle-mêle dans ma valise, la tente que j'ai démontée en deux minutes, deux hamacs, un masque, des palmes et quelques bouquins. Voilà, ça y est, tout ce que je possède au monde ne pèse pas plus de vingt kilos.

C'est sans regarder derrière que j'ai mis mes valises dans la jeep et suis parti.

CHAPITRE 16

JE passe la première journée dans la maison à faire du ménage et à mettre les choses en place. Les événements des dernières vingt-quatre heures m'ont épuisé. J'ai installé le hamac sur la terrasse entre les deux bougainvilliers. Je m'y suis étendu en feuilletant un des livres que Serge avait laissés avant de tomber dans un sommeil bien mérité.

Le chant du coq me fait émerger des limbes du sommeil. Où suis-je ? Ah oui, c'est vrai, quelque part sous les Tropiques. Je ne saurais dire la date mais je sais que nous sommes au début du deuxième millénaire. Ça fait déjà plusieurs mois que je vis au gré des journées qui s'égrènent lentement dans le sablier du temps. Si j'ai faim, je prends un fruit dans l'arbre ou encore je lance une ligne à la mer. Si j'ai besoin d'une femme, je lui fais un sourire et je la séduis. De nouveaux amis descendent des avions tous les jours et les gens d'ici m'accueillent comme un des leurs. Je n'ai pas de programme fixe. Je me lève, enfile mon short de plage et m'en vais sans but précis. Je sais que les événements vont se présenter à moi telles les vagues qui viennent s'écraser à mes pieds, entraînant dans leur mouvement les trésors de tous les âges et les présents modestes du quotidien.

Comme tous les jours, le ciel est sans nuage et les premiers rayons du soleil dissipent ce qui reste de la fraîcheur matinale. En marchant sur le trottoir de la plage aux palmiers effilés, je me revois quelques années plus tôt sur ce chemin. Je m'étais fait attaquer par une meute de chiens en pleine nuit. Je suis surpris de constater que la casa de mon vieil ami Nova a été remplacée par un énorme bâtiment à l'architecture douteuse. Je lève les yeux ; une enseigne criarde annonce un cinéma. Qu'est-ce que c'est que ce bidz, un cinéma dans ce paradis tropical ?

— Eh ! Max, me lance Nova du haut de la terrasse sur le toit.

Il est là à me regarder. Il a grossi depuis la dernière fois que je l'ai vu, il y a quelques années. Il a toujours ses vieilles Ray-Ban d'une autre époque, mais je peux néanmoins lire sur son visage une expression complètement différente. Maintenant on y lit de la dureté, voire de l'implacabilité. Le mec n'est plus le même. Pour se bâtir un truc comme ça, tu dois brasser de grosses affaires, le genre d'affaires qui se paient comptant sans laisser de traces, sauf peut-être celles du sang. Un truc qui sent le narcotrafiquant à plein nez. J'ai un frisson en l'observant selon cette perspective.

— Nova ! Dis donc, ça fonctionne les affaires, que je dis, mine de rien.

— Tu sais, Max, lorsqu'on travaille fort et avec l'aide du Seigneur c'est ce qui arrive.

Ouais tu parles, il va quand même pas commencer avec ses bondieuseries.

— Fais gaffe, Max, je te vois faire tes combines de là-haut. Je vois tout.

Je poursuis mon chemin, ébranlé par cette rencontre. Je vais faire en sorte d'éviter le secteur, question de ne pas m'attirer d'emmerdes. Nova ne me dit plus rien qui vaille. J'arrive sur l'avenue qui longe la plage principale. Il y a beaucoup de nouveaux arrivants, je les reconnais à la couleur de leur peau blanche ou rougie par un coup de soleil. Trois Norvégiennes à l'air un peu perdu me demandent où elles pourraient loger à bon marché. Je leur propose de me suivre, je connais un bel endroit où on loue de jolies cabanes en bord de mer. Le vieux Rodolfo sera content que je lui emmène des clientes, et moi je vais en profiter pour dire bonjour à Sandra que je n'ai pas revue depuis la nuit où je me suis fait mordre par son chien. Le long du chemin, je fais le guide touristique pour les trois jolies jeunes demoiselles. Je m'assure qu'elles ont bien le sens de l'humour et qu'elles sont disposées à s'amuser.

Pour certains, il est difficile de voyager de façon détendue et d'oublier ses tracas. Je ne tarde pas à me rendre compte qu'elles ne font pas partie de ce groupe. Vera, la seule dont je me souvienne du nom, rit chaque fois que je dis quelque chose. C'est donc que je lui plais bien. Je ne voudrais pas la décevoir. Il ne suffit pas d'être belle pour m'avoir, il faut bien s'y prendre, je ne suis pas un homme facile. Je fais mon travail de traducteur auprès du vieux Rodolfo. Mes trois voyageuses louent les deux dernières cabanes libres. Je leur souhaite un bon séjour puis rejoins Sandra qui m'a repéré de son balcon où elle est assise en train de savourer un café avec des tartines.

— Bonjour Sandra, ça va ?

— Oui très bien. Je vois que tu étais encore occupé à secourir les âmes égarées. Assieds-toi et sers-toi un café.

— Merci, avec plaisir. Il fait beau comme toujours, je crois que je vais aller à la plage. Tu veux venir ?

— Bien sûr, j'avais l'intention d'aller peindre au bord de l'eau. Tu veux m'aider à porter mon matériel ?

— Il faut bien que je serve à quelque chose, dis-je en rigolant.

Pendant ce temps, le chien de Sandra se met à chevaucher ma jambe comme si c'était le plus beau postérieur canin.

— Tu peux dire à ton chien qu'il arrête de prendre ma jambe pour sa petite amie.

— Poutou ! Arrête, s'écrie-t-elle sur un ton autoritaire qui nous fait sursauter, le chien et moi.

Ce dernier court se coucher aussitôt sous la table avec l'air de celui qu'on a pris en flagrant délit.

— T'en fais pas, il fait ça en signe de domination. Tant qu'il ne sera pas habitué à toi, ça peut arriver, m'explique-t-elle.

— La prochaine fois que je viendrai, je tendrai la jambe directement pour qu'il tire son coup. Comme ça, je vais être tranquille après.

Le petit déjeuner terminé, j'attends Sandra qui prépare son matériel. Elle transporte un grand sac de toile dans lequel elle a mis ses affaires de peinture et certains accessoires de plage. Moi, je porte son chevalet d'une main et une toile blanche de l'autre. La matinée est presque terminée et le soleil cogne déjà très fort. Des touristes font la crêpe sur le sable. La brise nous apporte des odeurs de mer mêlées de crème solaire. Entre deux vagues, on entend le chant strident des mouettes.

Ici, en cette saison, il ne pleut jamais. La pluie qui nous tombe sur la tête provient le plus souvent du soleil et elle est faite de rayons d'or. On décide de s'éloigner de la zone des vacanciers en marchant un petit kilomètre vers le sud sur une plage déserte. Mon corps devient rapidement une passoire tellement la chaleur est oppressante. L'eau que je bois à la bouteille sort directement par les pores de ma peau. Arrivé dans un secteur sans touristes, je pose le matériel et cours plonger à la mer en vitesse. Sandra m'imite. Elle est superbe dans son bikini noir. Je la vois s'approcher de moi, comme dans un film au ralenti. Ses seins rebondissent lentement, son visage est un masque de sensualité. Elle plonge à son tour et m'éclabousse. Nous pataugeons en rigolant comme des enfants, on ne pense à rien, on s'amuse ferme. Il y a des moments comme ça où rien n'existe d'autre que le bonheur à l'état pur. On oublie ses soucis, le passé, l'avenir… Rien n'existe plus, sauf l'instant.

Le chien de Sandra court d'un côté à l'autre sur le bord de l'eau en n'osant s'y aventurer. Il se dresse les oreilles et pointe la queue. Son regard se fixe sur quelque chose au loin sur la plage. Nous regardons dans cette direction et j'aperçois ce qui semble être une tortue géante. Sandra aussi l'a vue. Il n'y a plus de doute maintenant, c'est bien une tortue qui va pondre. Nous sortons de l'eau. Ma copine prend soin de mettre son chien en laisse avant qu'il ne fasse des bêtises. Nous sommes tout excités dans l'expectative d'assister en direct à ce spectacle de la nature. Notre présence n'a pas perturbé le reptile marin dans sa tâche de creuser son trou. Même Poutou s'est couché et il observe calmement. On se croirait plongés dans un documentaire sur les tortues, à la différence que tout est si réel, le chuintement du sable qui est expulsé du trou par les pattes avant de l'animal, son souffle et son odeur. Sandra a installé son chevalet et s'est mise à reproduire la scène au fusain. Moi, j'essaie de prendre les meilleures photographies possibles avec ma caméra numérique. Ça me désole quand je pense à tous les touristes qui sont entassés les uns sur les autres dans une zone spécifique et qui n'ont pas conscience de l'événement qui se produit à quelques centaines de mètres d'eux. En observant les alentours, on peut voir une douzaine de tortues, sur un kilomètre de plage, qui font la même chose. C'est comme si ce matin, elles s'étaient dit : « Bon, aujourd'hui, les amies, nous allons pondre. » Pas à n'importe quelle heure, toutes en même temps. Quand le trou a atteint plus ou moins quarante centimètres de profondeur, notre bonne amie se retourne et expose son postérieur. Elle commence à pondre des balles de ping-pong à un rythme soutenu. Elles sortent de ce qui ressemble à une trompe d'éléphant miniature. Plus loin, une Indienne et deux jeunes enfants ramassent les œufs à mesure. Certains seraient indignés de voir ça parce que c'est une espèce menacée et protégée. Moi pas, parce que je sais que cette femme est pauvre, qu'elle a faim et qu'elle a une famille à nourrir. La situation de beaucoup de paysans est très difficile ici, ils sont peu instruits et sont exploités par ceux qui sont plus riches. Ces pauvres indigènes vivent ici et là, sur des terrains qui ne leur appartiennent pas, dans des cabanes de bois aux toits de feuilles qu'ils ont fabriquées. Cette femme avec ses soucis de survie ne pense pas à protéger une espèce menacée. Elle veut seulement faire taire les petits estomacs de ses enfants. Un couple d'Américains passe par là et filme le phénomène avec un caméscope. Ils sont choqués de voir la paysanne récolter les œufs. D'où nous sommes, je vois bien que l'Américaine essaie de la convaincre d'arrêter. L'autre la regarde, l'air de dire : « Qu'est-ce qu'elle me veut celle-là ? » La touriste, voyant qu'elle ne peut se faire comprendre de l'Indienne, s'approche de nous, suivie de son mari.

— Eh vous ! Est-ce que vous parlez espagnol ? me demande-t-elle en anglais sans autre forme.

— Oui, bien sûr.

— Pourriez-vous expliquer à cette dame que la tortue est une espèce protégée et qu'elle ne doit pas prendre les œufs.

Elle m'a demandé ça comme si ça allait de soi, que j'étais d'accord avec elle et que j'allais m'exécuter sur-le-champ.

— Premièrement madame, il n'est pas dit que cette jeune dame parle espagnol. Probablement qu'elle parle un dialecte. Deuxièmement, je n'irai pas lui enlever la seule nourriture que sa famille pourra se mettre sous la dent aujourd'hui.

— Dans ce cas, qu'est-ce qu'on peut faire ?

— Laissez-la faire, ou si vous voulez vraiment faire une bonne action, donnez-lui cent pesos et elle en aura assez pour vivre une semaine. Quand la tortue aura terminé de pondre et qu'elle aura recouvert le trou, prenez soin de bien effacer les traces. D'une pierre deux coups, une famille nourrie pendant une semaine et une ponte sauvée qui se traduira par un ou deux beaux spécimens qui atteindront l'âge adulte.

J'explique cela en espérant que ces gringos feront preuve de mansuétude du haut de la petite fortune qu'ils n'ont sûrement pas manqué d'apporter pour leurs deux semaines de vacances !

L'Américaine, sans perdre son air outré, prend son mari par le bras et l'entraîne vers le secteur touristique avec ses hôtels de luxe et ses restaurants haut de gamme. Que vont-ils manger ce soir et à combien va s'élever l'addition ? Probablement de quoi nourrir une famille d'ici pendant un mois. Le monde est rempli de gens qui ne se rendent pas compte de la souffrance d'autrui parce qu'eux-mêmes n'ont jamais manqué de rien. L'empathie se développe avec l'expérience du manque, de la souffrance ou de la douleur.

Une fois que la tortue a terminé sa besogne, elle retourne tout bonnement à la mer en rampant laborieusement. Nous prenons bien soin d'effacer les traces de son passage avec une branche de palmier. Pendant ce temps, Sandra a dessiné plusieurs croquis sur sa toile. Elle y ajoutera la peinture plus tard. Au moment où l'Indienne s'apprête à s'en aller avec sa poche d'œufs, Sandra la rejoint. Les deux femmes discutent. Je vois Sandra lui remettre un billet de banque. Elles reviennent ensuite vers moi.

— La señorita nous invite à dîner chez elle. On y va ? me demande Sandra à qui l'idée semble plaire.

— D'accord, pourquoi pas. Buenas tardes señorita. Je suis Max, et nous acceptons votre invitation avec plaisir, que je lui dis en espagnol.

— Moi c'est Maria, comment s'appelle votre épouse ? s'enquiert-elle, tenant pour acquis que nous sommes mariés !

— Elle s'appelle Sandra, mais nous ne sommes pas mariés.

La remarque les fait rigoler, elle et ses deux gamins.

J'ai appris avec le temps que les gens ici sont toujours en train de rire et de prendre la vie du bon côté. Dans ces conditions de vie, ça prend un optimisme de béton pour tenir le coup. Nous suivons Maria sur un petit chemin poussiéreux perpendiculaire à la plage. Chacun des enfants nous tient par la main. De chaque côté du sentier, entre les touffes de végétation, nous longeons des cabanes faites de toutes sortes de matériaux où habitent des familles. Les murs sont en tôle ondulée, les toits en feuilles de palmier suggèrent une étanchéité douteuse. Une femme lave son linge au bord d'un puits, un bébé dans le dos. Des enfants courent derrière une vieille roue de vélo rouillée. Des chiens rachitiques nous regardent passer avec indifférence. Derrière ce dénuement et ce manque de moyens se cachent des sourires et de la joie de vivre. J'ai souvent remarqué que c'est souvent les gens les plus démunis qui font preuve d'une vraie générosité.

La maison de Maria n'est pas différente des autres. Nous nous installons autour d'une table, en l'occurrence une vieille porte posée sur des tréteaux de fortune. Pendant que l'hôtesse prépare le repas, son petit garçon, qui doit avoir huit ans, nous sert du pulque. C'est une sorte de liqueur artisanale, laiteuse, et à forte teneur en alcool. Poutou a fait connaissance avec le chien de la famille, une femelle noire à poil ras et aux mamelles pendantes. Le chien de Sandra en comparaison a fière allure. C'est un berger belge au long poil brillant, plus grand et mieux nourri que ses congénères du coin. Après s'être sommairement senti l'un et l'autre, Poutou y va d'une chevauchée frénétique sur sa nouvelle copine qui n'a pas repoussé ses ardeurs. Je me dis tant mieux, s'il peut tirer son coup, il laissera ma jambe tranquille la prochaine fois. Sandra et moi, nous nous regardons en rigolant, un peu mal à l'aise. Les enfants, quant à eux, s'esclaffent en voyant notre désarroi. Maria dispose deux casseroles fumantes sur la table. Ce soir au menu, omelette aux œufs de tortue et fèves noires bouillies accompagnées des fameuses tortillas mexicaines.

On sent franchement l'hospitalité de Maria qui est très heureuse d'avoir des invités. Après avoir servi les assiettes, elle rend grâce à Dieu. Elle le remercie d'avoir mis la tortue sur son chemin et d'avoir rencontré des étrangers si merveilleux avec lesquels ses enfants et elle partagent le repas. Nous nous signons en disant gracias et amen. C'est avec l'appétit que donne une journée passée à la plage que nous attaquons les plats sans plus attendre. Il m'est difficile de goûter la différence de ces œufs de ceux des poules à cause de la sauce piquante que j'ai ajoutée. C'est dans la simplicité et le naturel que se déroule le dîner. Maria nous raconte sa triste histoire. Six ans auparavant, son mari, pêcheur, a fait un voyage dans le sud du pays, au Chiapas. Il s'est alors mis au service du commandant Marcos dans le but de revendiquer plus de droits et d'égalité pour les Indiens paysans. Il s'en est suivi l'affrontement avec l'armée mexicaine. Depuis, Maria n'a plus eu de nouvelles de lui.

Elle a élevé ses enfants seule. Le petit garçon était bébé à l'époque et Maria était enceinte de sa fille. Elle a survécu en faisant des ménages pour vingt pesos par jour. Sandra et moi sommes émus par le touchant récit de cette femme qui n'a pas plus de vingt-cinq ans, mais qui en paraît quinze de plus. De telles expériences de vie, si jeune, ainsi que des conditions de vie extrêmement difficiles ont bien entendu contribué à ce vieillissement prématuré. Maria nous a préparé une tisane d'herbe sainte que nous buvons en silence. Plus loin, les enfants jouent dans la poussière sur un fond crépusculaire.

Nous revenons à pied par la plage. La nuit est tombée après un coucher de soleil enflammé. Les étoiles apparaissent une à une à mesure que s'estompent les dernières lueurs du jour. J'adorerais prendre Sandra par la taille, mais j'ai les bras chargés de son matériel.

— Allons nous baigner, me propose-t-elle.

— Maintenant, en pleine nuit ?

— Pourquoi pas, t'as peur ? demande-t-elle avec un air de défi.

— Bien sûr que non. Allons-y !

C'est avec étonnement que je vois Sandra se déshabiller complètement et s'élancer à la mer. Je l'imite non sans une certaine pudeur. J'appréhende le contact de l'eau sur mon sexe qui va s'atrophier. Je plonge juste après elle. Nous sommes immédiatement émerveillés par un phénomène naturel. L'eau est saturée de particules phosphorescentes scintillant autour de nous. Le spectacle nous absorbe. Des milliers de petites étoiles bleues suivent tous nos mouvements. Je prends les deux mains de Sandra et nous sommes emportés dans un tourbillon lumineux provoqué par notre valse magique. Nos corps s'étreignent ; nous ne pouvons empêcher ce que la nature a préparé pour nous.

CHAPITRE 17

SANDRA est partie. Elle doit continuer son périple en Amérique centrale, toujours en quête d'images et de sujets d'inspiration. L'artiste doit bouger pour bien créer. Côtoyer d'autres gens et d'autres cultures pour vraiment apprendre à se connaître. Quand on s'éloigne de son pays pour longtemps, on s'imprègne d'une autre culture, on porte un regard plus éclairé sur ses origines. On peut alors comprendre qu'on avait des œillères. On se rapproche de nous-mêmes tout en apprivoisant une autre culture tout aussi riche et différente. C'est ce que Sandra souhaite faire. C'est ce qu'on peut faire pour sortir ce qu'on dans les tripes. Ça me brise le cœur que Sandra soit partie si vite, au début d'un amour naissant. J'ai toutefois la certitude qu'elle reviendra.

Ce matin, en compagnie de Gabriel, nous prenons un café sur la terrasse d'un bistro sur la plage. Le spectacle de la mer déchaînée est ahurissant. Gabriel, constatant mon vague à l'âme, essaie de se faire réconfortant.

— T'en fais pas, elle va revenir. Hum ! Prends une chocolatine, elles sont succulentes.

— Non merci, j'ai pas faim.

— J'ai une bonne idée, t'as juste à venir avec nous. Gina et moi partons dans sa propriété dans les montagnes à San José. Tu vas voir, c'est splendide là-bas.

— Gina doit m'en vouloir pour l'autre soir. Je ne suis pas certain qu'elle ait envie de ça.

— Pas du tout ! Elle a ronchonné au début mais, depuis quelques jours, elle parle de toi à tout moment. Le départ de Sandra l'a grandement réjouie.

— Si elle était de si bonne grâce à mon égard, elle aurait pensé à m'inviter d'elle-même.

— En fait, Max, l'idée n'est pas de moi, c'est Gina qui souhaite ta présence, elle ne voulait pas que tu saches que ça venait d'elle.

Ce sera sûrement très agréable de changer d'air quelques jours même si je sais que Gina ne me laissera pas trop de répit. C'est vrai que Gabriel sera là pour faire diversion. Je prendrai la jeep, et si ça ne me plaît pas, je n'aurai qu'à revenir.

— C'est d'accord, que je dis.

Au début de l'après-midi, une fois la jeep chargée de sacs et de valises, nous démarrons en direction des montagnes. Gina a pris place à l'avant à mes côtés, elle semble très excitée et le regard qu'elle porte sur moi est sans équivoque. Je n'aurai sûrement pas à faire les premiers pas. Je suis comme la brebis qui va à l'abattoir mais, à la différence de cette dernière, je le sais. L'ambiance est joyeuse et décontractée. Gabriel voit ce voyage comme une délivrance de Puerto Loco où, selon ses dires, tous les vices sont à portée de main. Il nous assure qu'il ne prendra pas une goutte d'alcool durant le séjour. Je le crois, on arrive à la période du mois où il a flambé son argent; pas de prestation ne viendra d'outre-mer avant une dizaine de jours. De toute façon, son organisme a besoin de se nettoyer. Les drogues et alcools seront donc proscrits, à part la mari. Contrairement à la plupart des autres alcoolos, lorsque Gabriel se met en mode récupération, à part quelques tremblements les premiers jours, il ne semble pas souffrir du manque. Je l'observe par le rétroviseur, il se roule des joints pour la route.

Le vent chaud qui s'engouffre par les portières sans fenêtre de ma vieille jeep siffle à nos oreilles. On roule une heure sur la nationale qui longe la mer avant de bifurquer sur un chemin sinueux menant à Oaxaca. Le même CD de musique d'un groupe de cumbia local joue en boucle. Mes deux passagers chantent les paroles qu'ils ont maintes fois écoutées. Moi, je me démène comme je peux avec la direction grinçante de mon vieux tacot. L'exercice s'apparente à la pêche en haute mer lorsqu'un bel espadon lutte contre le pêcheur. La route n'en finit plus de serpenter tout au long des montées et des descentes. Je dois rester concentré dans les courbes et je lorgne les ravins d'un œil méfiant.

À la fin de l'après-midi, nous arrivons dans le petit village de San José. La commune s'est développée le long de la route qui mène à Oaxaca. Le chemin nous conduit à la mer vers l'ouest et vers Oaxaca à l'est. Une demi-douzaine de commerces constitue ce qu'on pourrait appeler le centre-ville. Sur la gauche, une série de cabanes au toit de paille ont été érigées le long du ravin pour les touristes qui s'aventurent dans le coin. Beaucoup d'entre eux viennent ici faire l'expérience des fameux champignons magiques de la région. Sur la droite, une trentaine de petites casas de chaume et de briques parsèment le paysage. Elles sont reliées par des sentiers qui convergent vers la route. Gina me pointe du doigt sa maison en haut de l'escarpement, la plus grande maison du village, me dit-elle avec fierté. En effet, ce n'est pas un palace, mais elle a fière allure. Nous empruntons un chemin sur la droite vers le domicile de notre hôtesse. En haut d'une côte, je me range derrière la maison. Quelle sensation extraordinaire de sortir de la jeep et d'étirer mes membres ankylosés par plus de quatre heures de route cahoteuse.

C'est dans la joie que nous rentrons les bagages dans la résidence. La pièce principale est chaleureuse avec ses murs en lattes de bois verni et son plafond en cèdre flanqué de vieilles poutres massives qui confèrent au tout un aspect ancien. Dans l'un des coins, il y a un four à bois d'un autre âge, et je me demande à quoi il peut servir dans un climat si clément (je ne serai pas long à découvrir que les nuits à cette altitude sont parfois fraîches). Deux petites chambres sont attenantes au salon. Sans consulter notre hôtesse, je dépose ma valise dans celle qui a le lit à deux places. Je suis tout à fait conscient du rôle de jouet que je vais tenir pour notre jeune hôtesse. L'objet sexuel qu'on apporte pour être certain de passer du bon temps. Je suis largué, j'ai pas un sou et par conséquent je deviens un instrument aux mains de celle qui détient ce qui me manque pour l'instant. Mais, en même temps, la situation m'excite. Le sol de la cuisine toute en longueur est en céramique, tout comme partout dans la maison. Gabriel, qui n'en est pas à sa première visite, met tout de suite de l'eau à bouillir pour le thé. Gina, qui vient d'ouvrir la porte de la terrasse m'attrape la main pour m'entraîner à l'extérieur. Je reste estomaqué par la vue qui s'offre à nous. Le ciel est d'un bleu azur malgré l'heure tardive, mais ce qu'il y a de plus surprenant est que nous nous trouvons au-dessus des nuages qui irradient d'une couleur pêche jusqu'à la fin de l'horizon. Un tableau époustouflant. Gabriel se joint à nous, un pétard à la main. Je ne me fais pas prier et j'aspire quelques taffes en observant les changements nuancés de couleurs sur ce tapis d'ouate. Si j'écoutais mon impulsion du moment, je m'élancerais sur cette illusion à l'aspect incroyablement réel, mais je sais bien que je ne trouverais que la douleur de la chute dans l'escarpement rocheux devant la maison.

— Gina, dis-je, faudrait peut-être que tu fasses couper cette herbe sèche : on distingue pas le relief du terrain.

— T'en fais pas, mon chou, demain j'y mettrai le feu, après on aura juste à arroser chaque matin et la végétation repoussera en peu de temps.

— Gina et moi lancerons l'allumette et toi, mon vieux, tu arroseras, déclare Gabriel. Tu vas voir ici on fait ça au seau d'eau, je crois que ça va te plaire.

Un fou rire nous gagne tous sans raison apparente.

— Va donc préparer le thé au lieu de te foutre de ma gueule, que j'ajoute.

Gina profite de l'occasion pour me faire quelques câlins, nous sommes enveloppés par la magie des lieux. Subitement, la nuit est tombée. Nous rejoignons Gabriel à la cuisine. On se fait des sandwichs au jambon qu'on savoure accompagnés de thé. La soirée se déroule devant une partie de scrabble sur la table de la cuisine. Une petite soirée tranquille qui n'a rien à voir avec les nuits folles de

Puerto Loco, souvent le prétexte d'abus. Ici le décor n'a rien de tropical même s'il est exotique. Le sommeil me gagne, j'ai peine à refréner mes bâillements. Lorsque j'annonce mon intention d'aller dormir, tout le monde adhère à l'idée. Une bonne douche froide me revigore un peu. Gina a fait de même et me rejoint au lit. Quelques caresses de sa part éveillent mon désir. Je la laisse aller et me soumets avec plaisir à toutes ses fantaisies. Sa façon de faire ne laisse aucun doute sur les nuits torrides que nous risquons de connaître. Cette femme semble insatiable.

Lorsque je me réveille, la matinée est déjà bien engagée. Je suis seul dans le lit, j'ai dormi profondément. Gina m'a épuisée et je me demande même, avec tout ce qu'elle m'a fait cette nuit, ce qu'elle pourrait me faire encore. Tout ce dont je me souviens après ces ébats pour le moins impudiques est de m'être éveillé et d'avoir été intrigué par le vent qui soufflait à l'extérieur. Je me laisse porter par l'odeur du café provenant de la cuisine. Il n'y a personne dans la pièce, mais la porte d'entrée est grande ouverte. Je peux y voir un bout de ciel. Après m'être servi un café noir, je sors. Gabriel est assis sur un banc de bois le long du mur extérieur qui fait face aux ravins qui descendent vers la vallée. Nous sommes à l'ombre, le soleil n'a pas encore gagné ce côté de la maison. Quelques bourrasques font frémir les herbes sèches alentour. Gabriel est calme, il a le visage détendu. C'est son expression lorsqu'il dessine. Il lève les yeux de son cahier pour me souhaiter le bonjour. Avant que je ne réponde, la voix de Gina nous parvient du bas de la pente du terrain. Je sens alors l'odeur de l'herbe brûlée juste avant de me retourner et de constater que des flammes alimentées par le vent avancent vers la maison. Notre hôtesse vient de mettre le feu aux herbes sèches. La situation est encore contrôlable, mais avec ce vent il n'y a pas une seconde à perdre. Je cours sans réfléchir à l'évier de la cuisine en gueulant à Gabriel de se magner le cul. Le temps qu'il me rejoigne, j'ai déjà rempli d'eau un chaudron que je me dépêche d'aller verser sur les flammes. Évidemment, ça ne suffit pas, le feu a progressé considérablement, alimenté par les bourrasques incessantes. Les flammes ne sont plus qu'à deux mètres du mur de la maison. Derrière l'écran de fumée me parvient la voix paniquée de Gina.

— Monte sur le toit, il y a le réservoir d'eau, vite.

Immédiatement, je me donne un élan et me propulse à l'aide du banc pour atteindre le bord du toit. Sans trop de peine je m'y hisse. J'atteins le réservoir et me rends compte que je n'ai aucun contenant pour puiser l'eau. Je repère une grosse pierre ronde juste à côté. Je la prends puis de toutes mes forces je frappe la valve de sortie d'eau qui cède du premier coup. Un jet puissant jaillit de l'ouverture, propulsé par quatre cents litres de pression. En moins de quelques secondes l'eau se déverse le long de la façade menacée et dévale la pente en éteignant les flammes au passage.

De là-haut, Gina retrouve des couleurs. Le bois du mur extérieur de la maison avait déjà commencé à noircir. Ouf, il s'en est fallu de peu.

— Je considère que l'arrosage d'aujourd'hui est fait, que je laisse tomber en reprenant mon souffle.

— Max, notre héros, descends vite qu'on te félicite, me lance Gabriel.

Je me laisse pendre le long du mur jusqu'à ce que mes pieds atteignent le banc et fais un petit saut théâtral pour atterrir devant mes amis. Gina me saute au cou en me remerciant avec effusion. Je me plais à imaginer que nos ébats de la nuit dernière expliquent en partie ses remerciements.

Pendant le petit-déjeuner – œufs brouillés et fèves noires – Gabriel, qui souhaite me montrer les environs, nous propose d'aller faire une balade sur le chemin derrière la maison. L'idée m'emballe. Gina rappelle que dans moins de deux semaines ce sera Noël et elle ajoute qu'il serait bien que Gabriel et moi rapportions un sapin de cette promenade. Je suis à me demander si elle est sérieuse quand elle se lève et sort d'un tiroir de la cuisine un couteau dentelé.

— Tu crois que ça fera l'affaire ? me demande-t-elle, pleine de candeur.

— Heu… oui. Toi, tu crois vraiment qu'on va trouver un sapin ici ?

— Plus vous allez monter et plus vous aurez la chance d'en voir. Mettez-vous des pantalons et de bonnes godasses, vous en aurez besoin. Moi pendant ce temps-là j'irai chercher le plombier au village pour qu'il répare la valve.

C'est d'un pas allègre en ce début d'après-midi que nous entreprenons cette mission. Le vent incessant fait voler la terre sèche de la route, ce qui nous incommode pour respirer. J'ai bien fait d'emporter mes lunettes de soleil. Bien que la pente ne soit pas très abrupte, à cette altitude la faible concentration d'oxygène dans l'air nous laisse à bout de souffle après seulement quelques centaines de mètres de marche. Nous ralentissons la cadence. Les quelques huttes et maisons de chaume ici et là s'espacent à mesure que nous nous éloignons du village. Un vieillard qui traîne ses trois chèvres avec une corde de chanvre nous salue lorsqu'il nous croise. Je me demande s'il revient des champs après y avoir fait paître ses bêtes.

On arrive à une courbe prononcée qui nous mène à l'autre versant. Tout y est plus calme. Le vent est tombé. Un vieux Volkswagen safari orange qui remonte du village s'arrête à notre hauteur. Le type dans la bagnole, un chauve moustachu, salue Gabriel amicalement et nous fait signe de monter. Je m'assois à l'arrière pour laisser la place avant à Gabriel qui, de toute évidence, connaît le gars. Antonio nous raconte tout bonnement qu'il va chez lui chercher un sac de marijuana pour un gringo qui l'attend aux cabanes à l'entrée du village. On roule environ un kilomètre avant de se garer devant la seule petite casa du secteur. Je me réjouis de la distance de montée que nous avons évitée. Nous descendons du safari, Antonio nous demande de le suivre à l'intérieur. Pendant qu'on y est, Gabriel fait des provisions auprès de lui.

— Eh ! L'ami… t'aurais pas aussi des champignons magiques comme la dernière fois ? demande Gabriel.

— Désolé mon ami, c'est pas la saison.

— Dommage, j'aurais aimé faire essayer ça à mon ami Max.

— C'est pas important, dis-je rapidement, dans le but de montrer que l'affaire ne m'intéresse pas.

— Oui je me souviens, dit alors Antonio, attendez !

Antonio va dans la cuisine un moment et en revient avec un contenant de verre rempli d'un liquide noirâtre.

— J'en avais mis à macérer dans le miel il y a quelques mois. Voilà, prenez ça.

Il retire le couvercle et me tend le pot.

— Quoi ! Maintenant ? Ça ne peut pas attendre ? que je demande tandis que mon pouls accélère subitement.

— C'est parce que je veux récupérer mon contenant.

— Allez, andale Max, fais pas la mauviette, dit Gabriel en me provoquant.

Le silence est tombé, les deux autres me dévisagent. La lumière du jour qui passe par les interstices du mur fait briller les grains de poussière qui flottent en apesanteur. Je regarde le liquide dans le pot, il n'a pas la texture du miel, mais plutôt d'un liquide moins dense et sombre. Je me surprends à prendre une grande rasade sans réfléchir. Le goût sucré fermenté est supportable malgré les tiges et les têtes de champignon, mais lorsque je l'avale, l'arrière-goût de moisi envahit mes papilles. Je réussis à me contenir en fermant les paupières. Je n'ai pas dû être convaincant, puisque Gabriel hésite un instant avant d'y aller à son tour. Il affecte une légère mimique avant de s'exécuter, avide des effets que cela produira. Pour moi ça suffira, je ne souhaite nullement ingurgiter le fond glutineux du pot.

On ne s'attarde pas trop chez Antonio, qui doit aller rejoindre son client. Avant de partir, il nous indique un sentier le long du chemin où nous pourrons trouver notre arbre. C'est simple, il nous suffit de monter quelque cinq cents mètres.

Nous suivons la piste sinueuse jusqu'à une paroi rocheuse qui s'élève sur une dizaine de mètres. À cet endroit, le sentier se sépare en deux, de chaque côté de l'obstacle. D'un accord tacite nous continuons sur la gauche. La zone est tout à coup boisée, je repère un grand pin en haut de l'escarpement. La piste nous mène à une large crevasse dans le mur de pierre qui monte encore. L'ascension se fait avec des efforts soutenus et certaines pauses sont nécessaires pour reprendre haleine. Nous arrivons en haut de la pente abrupte exténués. À notre grande surprise, nous découvrons un bosquet de toutes sortes d'arbres et de buissons, mais pas de sapin. En explorant les alentours, un pin nous apparaît alors, d'environ un mètre cinquante. Il est mince et rachitique, mais, d'une certaine façon, il peut rappeler l'esprit de Noël.

— Qu'est-ce t'en penses ? que je demande à Gabriel.

— Il semble un peu chétif, mais je crois qu'avec les guirlandes il sera parfait.

— Aide-moi, tiens-le bien pendant que je le coupe.

Le tronc d'à peu près cinq centimètres de diamètre me donne, malgré tout, quelques difficultés. Je me prends de pitié pour le pauvre arbre ce qui fait que j'accélère la cadence pour abréger ses souffrances. Il finit par céder. Gabriel et moi nous nous félicitons gaiement. On se désaltère à même la bouteille d'eau que Gina a remise à Gabriel avant le départ pour notre expédition. Mes oreilles se débouchent, mes sens s'éveillent. Tout m'apparaît avec plus de clarté. L'odeur de terre humide et de sève de pin est prenante. Mon ami paraît dans le même état contemplatif que moi. C'est sans doute les premiers effets des champignons qui se manifestent. J'ai la brillante idée de lancer l'arbre du haut de l'escarpement de façon à ce que nous n'ayons pas à le traîner jusqu'en bas. Il chute tout doucement. On dirait une plume d'épine. Je regarde en bas en me retenant prudemment à une branche du grand pin pour ne pas basculer dans le vide… et j'aperçois le foutu arbre de Noël se prendre entre la ramure d'un arbre et la paroi rocheuse à plus de trois ou quatre mètres du sol. Après un fou rire incontrôlable et interminable, Gabriel propose de laisser tomber des pierres jusqu'à ce que l'une d'entre elles heurte notre trophée pour le dégager. On se met à lancer tout ce que l'on trouve au sol, surtout des roches de plus en plus grosses pour plus de résultats. Je me sens comme lorsque j'étais gamin avec mes frères quand nous allions jouer dans la vieille carrière. On entend les bruits secs de la pierre qui percute la paroi, immédiatement suivis d'un son sourd quand elle frappe le sol. Ça prend une dizaine de lancers pour que finalement Gabriel atteigne la cible et libère notre arbre. Je le félicite puisqu'il vient de gagner cette compétition. Sans plus attendre, nous décidons de revenir à la maison avant d'être surpris par la pénombre.

Quand je me laisse enfin choir sur le divan du salon, l'obscurité est tombée depuis un moment. Gina, en déshabillé affriolant, se juche sur un tabouret pour placer les lumières et les guirlandes sur le pin de Noël que j'ai installé à l'aide de cordes dans le coin opposé de la cheminée. Elle chantonne des airs de circonstance en effectuant cette besogne qui plaît généralement à toute femme au foyer. Je me vois déjà crucifié sur la place publique par les féministes d'avoir énoncé une telle généralité. Quoi, c'est vrai, la décoration intérieure n'est- elle pas une activité qui plaît davantage aux femmes ? Je la regarde, effondré dans le divan. Gina doit mettre mon état d'apathie sur le compte de la randonnée d'aujourd'hui. Je plane sans qu'elle sache pourquoi. Par la fenêtre ouverte, je suis la course de nuages cotonneux. Comme le vent est tombé depuis le coucher du soleil, ces nuages volent dans toutes les directions. Je deviens confus, je me demande pourquoi l'absence de vent ferait que les nuages se comportent ainsi et pourquoi ils font ça maintenant sous mes yeux. Est-ce la réalité ou plutôt une hallucination provoquée par le psychotrope que j'ai ingéré ? Sans doute un peu des deux. Gina éteint les lumières et allume le pin qui prend aussitôt l'allure d'un vrai arbre de Noël. Les guirlandes argentées reflètent à merveille les lumières rouges.

— Réussi, ma belle ! que je m'exclame.

— Gabriel ! viens voir, s'écrie Gina, qui pétille de satisfaction.

Gabriel, qui dessinait sur la table de la cuisine, s'amène dans le salon, curieux de voir le résultat.

— Bravo ! lance-t-il. C'est superbe, tu t'es surpassée, ma chérie. Qu'est-ce t'en penses Max ? qu'il me demande en français.

— Simple et efficace ! C'est très beau.

Se sentant exclue parce que nous parlons français, Gina fait une moue avant d'aller à la cuisine badigeonner le poulet qui crépite dans le four. J'en profite pour montrer à mon ami le ballet de nuages de l'autre côté de la fenêtre ouverte. On se met à observer le phénomène comme deux téléspectateurs devant leur téléviseur. Nous voyons avec étonnement l'un de ces nuages pénétrer dans la maison et se mettre à tournoyer dans la pièce en se dissipant lentement. Je croise le regard interloqué de Gabriel, je dois avoir la même expression. C'est magique les champignons.

CHAPITRE 18

Les jours suivants, une certaine routine s'installe : après un petit-déjeuner léger, nous prenons le café à l'extérieur sur le banc pour admirer la vue magnifique sur le vallon en discutant paisiblement de tout et surtout de rien. Il n'y a rien de particulier à faire, hormis que je dois prendre une trentaine de minutes par jour de cette existence de farniente pour arroser le terrain qui peu à peu reprend des teintes de vert, qui couvrent tranquillement le morne sol cendré. Le temps ici semble figé dans un printemps éternel. Le chant des oiseaux sonne bien dans cet air cristallin et raréfié. L'après-midi, pendant que Gabriel dessine, mon hôtesse et moi faisons une sieste exempte de sommeil. Quoi ? Je dois bien payer le loyer, en ce monde rien n'est gratuit.

Les repas du soir sont composés de poulet, de poisson ou encore de pâtes apprêtées de diverses façons. Les soirées se passent autour d'une partie de scrabble ou devant un bon livre. Je ne sais pas si c'est à cause de l'oxygène raréfié ou encore de l'ennui, mais le sommeil nous gagne beaucoup plus tôt qu'à la plage.

Gina doit aller passer quelques jours à Oaxaca pour rencontrer le notaire et signer quelques papiers. Elle aimerait bien que je l'accompagne, mais moi qui connais déjà bien cette magnifique ville, j'aimerais plutôt profiter d'un moment de solitude ici. Je lui propose d'y aller avec Gabriel qui meurt d'envie de découvrir ces lieux. Ils iront en bus. Je lui fais savoir que j'en profiterai pour creuser des escaliers sur la pente abrupte de son terrain. Nous préparerons un repas de Noël avec les victuailles qu'ils rapporteront de la ville. C'est avec quelques hésitations qu'elle consent finalement à me laisser seul dans sa maison. Je sens qu'elle aurait aimé faire une escapade romantique avec moi, mais de mon côté je dois recharger mes piles.

C'est donc avec un certain soulagement que le lendemain matin je les dépose à l'arrêt de bus. Gabriel est tout excité à l'idée de ce nouveau périple, Gina semble de son côté un peu déçue que je ne les accompagne pas. Enfin, je vais pouvoir relaxer en toute quiétude. Je commence ça par une sieste étendu de tout mon long sur le lit de Gina. Je résiste à la tentation de me masturber afin d'être à mon meilleur pour le retour de ma si ardente maîtresse dans quelques jours. Je ne tarde pas à tomber en état de somnolence, quand mes pensées et le rêve se confondent et fusionnent. Dans ces moments un rien fait basculer vers l'éveil ou le sommeil profond. D'ailleurs, des bruits de frottement au-dessus de ma tête me tirent rapidement de mon état de torpeur. Il y a du mouvement dans le grenier, ça se promène là-haut. Trop gros pour des souris, peut-être une famille de tlacuatches, des opossums, a-t-elle élu domicile dans l'entretoit. Je me dirige vers la cuisine où je me souviens avoir vu une ouverture donnant accès au grenier. Avant même de franchir la porte, j'aperçois par l'entrebâillement des formes animales détaler à toute allure. Mon cœur fait un bond lorsque je constate que ce sont des rats. Ils ont été attirés par un saucisson sec que nous avons laissé sur le comptoir. Après un instant de désarroi, je ressens ce que beaucoup de gens ressentent à la vue de ces bestioles, un mélange de peur et de dégoût. Je ramasse la cause de cette situation et, sans plus attendre, la lance le plus loin possible vers le bas du terrain. Dommage que les juges du livre Guinness n'étaient pas présents parce que je me serais certainement qualifié haut la main pour le lancer du saucisson. Je me rassure en me disant que les rongeurs vont foutre le camp d'eux-mêmes maintenant que j'ai expulsé la source du problème. En effet, les bruits suspects derrière les murs ont cessé. Avec tout ça, je n'ai plus sommeil, mais ça m'importe peu puisque je n'aurai qu'à me mettre au lit plus tôt ce soir. En plus, je n'aurai pas besoin de baiser et de me soumettre à toutes les fantaisies vicieuses de la patronne.

Il reste quelques heures avant le coucher du soleil et j'en profite pour tailler des échelons dans la pente du terrain, une tâche qui s'avère plus difficile que prévu, la terre étant sèche et compacte, dure comme de la roche. Après m'être échiné, je dois admettre que la pelle ronde que j'utilise ne suffira pas à la tâche. Je trouve dans le débarras une pioche qui me permettra de travailler avec plus d'efficacité. La différence est totale, la terre se déloge à présent par galettes et, en peu de temps, quatre marches plus ou moins symétriques sont terminées. Je calcule que pour me rendre au bas de la côte jusqu'au sentier, il en faudra une quarantaine. À cette heure, il fait trop chaud sous le soleil qui plombe. Demain je n'aurai qu'à commencer tôt et profiter de la fraîcheur matinale pour finir le travail.

Je n'ai presque pas dormi de la nuit. Le bruit des rats qui gambadaient dans le grenier m'a tenu en alerte jusqu'à l'aube. Puis, tout bonnement, au lever du soleil, les bruits ont disparu. Les rats se sont dispersés, tels de petits vampires effrayés par le jour. Quant à ma peur, elle s'est dissipée et je suis dorénavant décidé à entreprendre cette guerre contre ces désagréables envahisseurs. Je mets la chanson *Hell's Bells* de ACDC à plein régime pour signifier aux rats que la partie de plaisir est terminée. Je prends mon café sur cette musique endiablée. Au magasin général, le seul endroit du village où je pourrais trouver ce que je cherche, je dégotte du poison à rat et du beurre d'arachide.

— Quoi…Vous avez des rats chez madame Gina ? me demande la jolie brunette qui travaille à la caisse.

— On peut rien vous cacher. Je les ai entendus se promener dans le grenier toute la nuit.

— Suivez bien les instructions et dans quelques jours vous en serez débarrassé.

— Bien, en attendant je devrai trouver un moyen de dormir avec tout ce boucan.

— Prenez des bouchons d'oreilles et j'ai aussi des somnifères très efficaces.

— Parfait, c'est très aimable de ta part, je te remercie.

— Je mets ça sur le compte de madame Gina ?

— Oui, oui bien sûr, que je réponds sans hésiter.

J'arrête au restaurant de l'autre côté de la rue pour déjeuner. Je commande des chilaquiles au poulet. Ce sont des tacos au poulet nappé de crème fraîche et de la fameuse sauce verte aigre-douce. L'ingrédient principal de cette sauce est un type de tomate qui reste verte lorsqu'elle est mûre et qui est enveloppée d'une membrane un peu comme les cerises de terre. Le repas est succulent, je me régale. Lorsque la propriétaire me propose de mettre ça sur le compte de ma petite dame, comme elle dit, je décline et paie comptant. Quand même, il ne faut pas exagérer. Je remonte sans trop me presser vers la maison, je dois y aller au rythme que m'impose le volume d'oxygène dans l'air.

De retour, je m'attaque au problème des rats sans plus attendre. Je mets suffisamment d'amour au mélange de beurre d'arachide et de poison pour être certain que ce sera appétissant pour eux. Je dépose de cette mixture aux quatre coins de la cuisine. Pour permettre à mes petits visiteurs de prendre leur repas en toute quiétude, je décide de continuer mon labeur sur le terrain.

Trois jours plus tard, je suis venu à bout des escaliers, ce qui va grandement accélérer la descente jusqu'au village. À présent, on n'a plus à passer par l'arrière de la maison pour rejoindre le chemin latéral qui descend jusqu'à la route principale. Les rongeurs se sont régalés comme des fous, mais depuis hier les plats de poison n'ont pas été touchés. La nuit dernière, je suis allé au lit tout courbatu par l'effort de ma besogne sans mettre les bouchons d'oreilles et j'ai constaté avec bonheur que la fiesta dans l'entretoit était terminée. Ce serait le calme plat si ce n'était du vent qui s'est remis de la partie.

Je suis assis sur la banquette et je sirote mon café en pensant à ce que je pourrais faire de ma journée maintenant que j'ai accompli ce que je devais faire. Je commence à me demander ce que foutent Gabriel et Gina. Ça devient monotone de n'avoir que soi-même pour interlocuteur. La solitude et ce vent qui n'en finit pas de souffler risquent de me rendre dingue. Le panorama époustouflant que j'ai devant les yeux reste là, toujours aussi grandiose, mais c'est encore le même satané paysage de carte postale. L'espoir renaît lorsque je vois apparaître un promeneur tout de blanc vêtu qui s'engage sur le chemin, plus bas. Oui, oui, c'est Gabriel qui revient, je le reconnais. Je me lève d'un bond et agite les bras tel un naufragé à l'intention de ses sauveteurs. Il me répond par d'amples gestes de la main. Il est surprenant qu'il ne soit pas accompagné de notre hôtesse, peut-être a-t-elle été retenue dans sa famille à Oaxaca.

Je profite du temps que prend mon ami pour monter la colline pour mettre l'eau du thé à bouillir sur le feu. Je l'entends entrer. Il vient immédiatement me rejoindre à la cuisine.

— Eh ! Salut Gabriel, qu'est-ce qui se passe ? Où est Gina ?

Je remarque sur son visage une expression dramatique.

— C'est épouvantable, Max, son père a fait un infarctus avant-hier, il est mort moins d'une heure avant notre visite.

C'en est trop pour Gabriel qui se met à sangloter à sa façon unique. En effet, les larmes giclent de ses yeux. J'essaie de façon maladroite de le consoler en lui tapotant le dos. Je prépare ensuite le thé que nous buvons en dégustant les chocolatines que mon comparse a rapportées. Il m'explique que Gina restera quelques semaines avec sa mère qui est bouleversée, le temps aussi d'acquitter les obligations inhérentes au décès d'un proche.

— Qu'est-ce qu'on fait, mon vieux ? Je commence à m'emmerder ici, on va quand même pas attendre qu'elle revienne, lui dis-je sans laisser planer de doute sur mes intentions qui sont de retourner dare-dare à Puerto Loco.

— Figure-toi, Max, que je partage ton avis, il y a mon blé qui arrive demain, je crois bien que la retraite est terminée.

— Parfait, dis-je, si nous partons dans l'heure, nous arriverons chez moi pour le coucher du soleil où une belle bouteille de tequila nous attend.

Je ne peux pas être plus convaincant.

C'est comme si je venais de donner le signal de départ. Sans même terminer notre goûter, nous commençons à nous activer pour préparer nos valises et fermer la maison.

Le temps d'un claquement de doigts, nous sommes assis dans la jeep et décollons dans une ambiance des plus joyeuses. Nous avons utilisé les derniers pesos qui nous restaient pour mettre de l'essence à la sortie du village. Gabriel chante à tue-tête sur la même musique cumbia qu'à l'arrivée, une dizaine de jours plus tôt. Il est vraiment heureux de redescendre à la plage, moi aussi d'ailleurs. Le retour sera plus court d'une heure qu'à l'aller puisque nous ne faisons que descendre. San José et tout ce qu'on y a vécu sont déjà derrière nous.

CHAPITRE 19

Déjà trois jours que je suis de retour à Puerto Loco. Gabriel a consenti à me prêter quelques centaines de pesos pour me donner le temps de trouver une solution à mon problème d'argent. Il me serait facile de me faire embaucher dans un restaurant comme promoteur et rabatteur, mais je ne me presse pas et ne m'en fais pas avec ça. J'ai mieux à faire en ce début d'après-midi ensoleillé, ai-je besoin de préciser ? Glisser sur de belles vagues m'apparaît le choix idéal pour le moment. Elles sont parfaites aujourd'hui, bien lisses et roulantes. Je laisse tomber mes lunettes de soleil et mes sandales sur le sable avant d'aller me dégourdir un peu à la mer. Je ne suis pas long à découvrir que les vagues se rompent avec force. Je traverse une grosse déferlante, mais tout de suite après en apparaît une autre et je dois plonger rapidement sinon elle me cassera dessus et je me retrouverai dans une situation périlleuse. Je me projette avec force dans le mur d'eau, j'émerge pour être ensuite aspiré par le remous. Je me retrouve dans le fond sous une cascade qui me plaque au sol. Je réussis à me propulser à la surface, aspire de bons coups d'air au moment où je vois un deuxième mur d'eau s'effondrer sur moi. C'est plus que périlleux, c'est dangereux, je risque de me noyer. J'ai mal jugé la force de la mer. La vague m'aplatit littéralement sur le fond sablonneux. Je ressens une douleur vive après le choc sourd de mon épaule au sol. Je suis encore retenu sous l'eau, en manque d'oxygène. Quand cela va-t-il finir ? Je n'en peux plus. La pression arrête, j'émerge à nouveau, douleur à l'épaule. Je vois mon bras gauche pendre, retenu seulement par les muscles et les ligaments. Je sors de l'eau rapidement avant l'arrivée de la prochaine vague. Je me dirige tout droit vers la cabane de bois avec la croix rouge. Deux maîtres nageurs sont sur le toit à épier le peu de baigneurs qu'il y a. Ils descendent de leur perchoir à la vue de l'état de mon épaule.

— Ne vous inquiétez pas, monsieur, me dit un des sauveteurs. Nous savons y faire dans ces cas-là.

— C'est une dislocation de l'épaule gauche. On va devoir la remboîter au plus vite, diagnostique l'autre.

— Faites ce que vous avez à faire, que je réponds, sentant l'urgence de la situation.

On me fait mordre dans un morceau de bois. Un des gars me tient le tronc fermement. L'autre, avec précaution, enligne mon bras vis-à-vis son articulation. Lorsqu'il sent l'endroit où la résistance est moins forte, il pousse d'un petit coup sec. Mes dents se plantent dans le bois pour amortir la douleur. Ensuite on me pose une écharpe au bras. Un des sauveteurs me dit que j'aurai un manque de mobilité au bras gauche quelques jours, le temps que les ligaments reprennent leur position. Il me conseille d'aller voir le médecin sans tarder. Je remercie les deux sauveteurs de m'avoir donné les soins appropriés. Il faut beaucoup de courage et de détermination pour exercer ce métier qui demande de se lancer dans des monstres d'eau afin de rescaper un baigneur en difficulté. Chaque fois qu'ils sauvent une personne de la noyade, ils en ressentent une immense fierté qui justifie tous les efforts encourus. Aujourd'hui, j'ai malgré tout été chanceux. Je dois tout de même à mon sang-froid et à mon expérience de la mer de m'en être sorti seul. J'ai fait l'erreur de me lancer à l'assaut de vagues sans avoir d'abord bien observé le large.

J'ai le bras esquinté pendant plusieurs jours, chaque mouvement provoque en moi des élancements de douleur. Je sens que l'os ne tient que fragilement dans sa gaine. Il y a quelques jours, je jouais au héros en sortant *in extremis* Claudio de la flotte et, aujourd'hui, c'est moi qui me suis trouvé en difficulté.

Il fait chaud. J'ai envie d'une bonne bière bien froide à l'ombre d'une paillote. Je ne dois pas me laisser abattre par cet incident, ce qui pourrait m'empêcher de voir la prochaine porte qui s'ouvrira sur mon chemin. La vie est remplie de petites épreuves comme ça mais aussi d'occasions qu'il faut savoir saisir. Une silhouette au loin m'envoie la main. L'éclat du soleil sur ses amples vêtements blancs est éblouissant. Évidemment, malgré la distance, je reconnais facilement Gabriel. Ses yeux brillants et son sourire volontaire m'indiquent qu'il n'en est pas à son premier verre.

— Salut mon petit chéri, me dit-il en s'esclaffant. Qu'est-ce qui t'est arrivé au bras ?

— Mettons-nous à l'ombre et je te raconte.

— Viens, je suis attablé plus loin, dit-il d'un geste vague en me tapotant l'épaule valide.

En fait, il occupe l'unique table d'un local, le long de la plage, sur laquelle est posé le nécessaire de tout bon ivrogne : bouteille de rhum, cigarettes, petite assiette remplie de morceaux de lime et une écorce de coco qui déborde de mégots fumants. Près du comptoir, au fond du local, un gars est occupé à scier une planche sur un tréteau.

— Max, laisse-moi te présenter Marc, un Canadien.

Le gars relève la tête, me regarde quelques secondes avant de me donner une poignée de main ferme et chaleureuse. Il me dit quelque chose et éclate de rire. Je n'ai absolument rien compris à ce charabia, mais je ris de bon cœur par politesse. J'apprendrai par la suite que Marc a subi un accident de travail quelques années plus tôt, qu'il s'est fracturé le crâne, ce qui lui a valu quelques semaines de coma. Après un lent réveil, s'en est suivie une période de réhabilitation et, depuis, il éprouve des problèmes d'élocution. Si on ajoute à cela un accent régional du Québec, disons que ça peut prendre quelque temps pour exercer son oreille afin de saisir la teneur de ses propos.

Gabriel m'explique que Marc vient tout juste de louer ce local pour ouvrir un petit bar de plage. Je trouve l'idée géniale. Tant bien que mal, je réussis à comprendre le baragouinage de Marc et à visualiser son projet. Gabriel sera responsable de la décoration et de tout ce qui a trait à la peinture. Ma réputation m'a précédé et le patron veut faire de moi son barman et l'homme chargé de la publicité auprès des baigneurs sur la plage. L'idée me séduit, j'ai une bonne expérience du travail et puis la nécessité de gagner du fric se fait pressante. Ça me tiendra occupé et je ferai quelque chose de ces interminables journées qui s'écoulent au ralenti. Je me vois déjà concocter toutes sortes de cocktails pour les vacanciers en quête d'émotions fortes.

Nous trinquons à cette nouvelle association. À mesure que se vide la bouteille monte l'euphorie. Marc met un CD de reggae dans un appareil de musique tout neuf sur le comptoir. Gabriel réagit par un cri de joie en reconnaissant les premiers accords d'un succès d'Alpha Blondie. Avec la musique en arrière-fond, j'ai encore plus de mal à saisir le dialogue du Canadien. Je me contente de hochements de tête et de sourires engageants qui alimentent son discours à sens unique, ce qui du coup lui permet de dégourdir cette bouche si contente de pouvoir s'exprimer. Je ne sais pas si c'est dû à l'alcool mais après quelques verres, tout devient plus clair. Le charabia de Marc se transforme en belles phrases bien articulées.

Il m'apprend que ce nouveau bar s'appellera le Beach-Stop. Je serai le responsable des opérations du bar, du service et de la musique. Marc a une bonne collection de CD, passant de la salsa au reggae, de la dance au rock. J'y trouve même du classique que je me réserve pour les lendemains de veillées animées. J'aperçois alors trois jolies filles bien bronzées qui marchent sur la plage. Je me lève d'un bond et je m'approche d'elles, plus pour faire bonne impression devant mon nouveau patron que pour faire la causette. Je les mets au courant de l'ouverture prochaine du Beach-Stop. Je reconnais les trois Norvégiennes que j'avais installées chez Rodolfo, plus d'un mois auparavant. Leurs visages s'illuminent à ma vue.

Vera, celle qui rit tout le temps, me fait spontanément la bise et, toujours en rigolant, m'interroge en anglais sur ce qui s'est passé avec mon bras. Je les invite à se mettre à l'ombre avec nous le temps que je leur explique tout ça. Je suis heureux et flatté qu'elles acceptent. Les rhums lime que leur offre Gabriel sont acceptés après une brève hésitation, pour la forme j'imagine. Gabriel a tôt fait de séduire les filles et de les captiver par son sens de la répartie et par ses élégantes manières. Il est gay jusqu'au bout des ongles, mais il exerce toujours un attrait irrésistible sur la gent féminine. De son côté, Marc, avec un sourire en coin, tente de faire sa place dans la conversation. En anglais et avec les problèmes qu'on lui connaît, il est difficile pour lui de se faire comprendre. Les filles réagissent de la façon que doivent adopter les gens à qui il s'adresse pour la première fois : rires polis et hochements de tête.

Je complimente Vera sur son bronzage. Je profite de l'effet pour poser délicatement ma main valide sur sa hanche. La bouteille est vide mais la fête ne fait que commencer. Je propose à Vera de m'accompagner à la tienda pour y acheter à boire. Nous passons par la plage, il fait encore chaud mais, en cette fin d'après-midi, le soleil est supportable. J'évite volontairement la première épicerie et j'entraîne Vera dans une petite rue perpendiculaire à la plage. Je sais que je peux trouver du rhum à la tienda de doña Alicia où c'est meilleur marché et où, surtout, on me fait crédit sans problème. Tranquillité et silence tandis que nous marchons, c'est l'heure de la sieste. Les Mexicains sont pour la plupart à roupiller dans leur hamac.

Plus loin au centre de la rue, des chiens grognent les uns contre les autres. Nous ne sommes pas longs à comprendre la cause de ce rassemblement. Au centre de la troupe, il y a une femelle en chaleur. Les mâles tentent désespérément d'assouvir leurs pulsions reproductrices. Au début, Vera rigole, mais prend vite en pitié la pauvre femelle qui ne semble pas apprécier les coups de reins du mâle qui la chevauche. La plupart de ces chiens n'ont pas de maître et vivotent de ce qu'ils trouvent ou de ce que les touristes leur donnent.

Une fois par an, à l'automne, avant la saison touristique, les autorités du village abattent les chiens errants pour éviter une surpopulation et tous les problèmes qui en résultent. Je ne les ai jamais vus faire parce qu'ils effectuent cette tâche tôt le matin. Toutefois, les jours suivants, sans immédiatement comprendre ce qui cloche, on sent qu'il manque quelque chose au décor habituel, tout y est subitement plus tranquille. C'est triste.

Doña Alicia se tient derrière son comptoir, grosse bonne femme sympathique. Elle me salue chaleureusement et en profite pour se moquer un peu de mon bras en bandoulière.

— Je vais prendre un kilo de limes, doña Alicia, s'il vous plaît. Ça va si je vous paie la prochaine fois ?

— Y a pas de problème, Max.

— Ah, pendant que j'y pense, je vais prendre aussi une bouteille de rhum… et mettez-moi aussi un paquet de croustilles, que j'ajoute, profitant de ses bonnes dispositions à me faire crédit.

— Vous en faites pas Max, c'est noté et on ne vous oubliera pas, me répond-elle toujours aussi aimable.

Vera, amusée, tente de suivre la discussion avec les quelques notions d'espagnol qu'elle connaît. En sortant de l'épicerie, elle m'offre de l'argent pour le rhum. J'accepte sans protester, ainsi elle se sentira plus à l'aise pour picoler. De plus, ça me fait un peu plus d'argent de poche. La meute en rut s'est dissipée. Il ne reste que le mâle gagnant, soudé à la femelle. Les deux bêtes sont collées par leurs organes génitaux, l'un faisant face à la mer, l'autre aux montagnes à l'opposé. J'ai lu quelque part qu'après une copulation les canins restent imbriqués ainsi pour que la semence du mâle gagnant atteigne son objectif de reproduction en évitant l'introduction de gènes qui ne sont pas les siens. De cette façon il assure la diffusion de son bagage génétique.

Nous arrivons au futur Beach-Stop. Les deux amies de Vera sont captivées par Gabriel qui les fait rire tout en multipliant les attentions à leur égard. Marc se contente d'écouter avec le sourire du gars qui est dans le coup. La joyeuse troupe manifeste sa joie lorsqu'elle nous voit arriver avec les emplettes. L'atmosphère est joyeuse, euphorique. Le même CD d'Alpha Blondie tourne encore, l'appareil est sur le mode repeat.

— Eh, Marc, regarde, on peut accrocher les enceintes au mur, de chaque côté du comptoir, que je suggère. Le son sera meilleur.

— Ouais, j'ai les crochets pour les fixer, qu'il me répond, sortant de sa torpeur.

Le déclic s'est fait à son esprit et aussitôt il s'active à cette tâche. Je lui tends un haut-parleur distraitement tout en observant le local où nous nous trouvons qui a la forme d'un triangle rectangle. Le comptoir, dont l'arrière est dissimulé par une cloison de plexiglas opaque, occupe la partie formée de l'angle droit.

— Eh ! Passe-moi le speaker, me dit le Canadien.

Il prend le haut-parleur que je lui tends et l'installe sur un crochet qu'il a fixé sur une des poutres du plafond.

— Marc, en tant que nouvel associé, je proposerais qu'on enlève cette cloison. Le comptoir doit être ouvert et rien ne doit nuire à la vente des boissons. On peut se faire faire quelques tabourets en bois ou en bambou. Je connais des artisans locaux qui se feront une joie de faire ça pour nous à bon marché.

— Pourquoi des tabourets ?

— Pour mettre devant le comptoir. Étant donné qu'il n'y aura plus de cloison, je pourrai préparer les boissons tout en amusant les clients.

— C'est pas bête, ça. Peux-tu mettre un autre CD pour essayer la nouvelle installation ?

Je m'exécute en prenant un disque au hasard. Quelques secondes d'écoute et je reconnais les accords d'un vieux hit des Rolling Stones. Je vais à la table préparer des verres. Les regards se tournent vers moi.

— How are you, girls ?

Une clameur me répond.

— J'adore cette musique, me dit une des Norvégiennes, le regard un peu flottant.

— Les bons vieux succès des années 1970. Il est rare que ça déplaise, que je lui réponds.

— Oui mon coco ! s'exclame Gabriel. Sans vouloir te contredire, ce hit date des années 1960, c'était tellement avant-gardiste qu'on l'aime non pas par nostalgie – parce que nous sommes trop jeunes pour ça –, mais parce que c'est super bon.

Puis Gabriel ajoute : « Un toast à toutes ces stars qui sont disparues ! »

Toute la bande lève son verre à la requête de Gabriel. Après le toast, avant que le calme s'installe, j'ajoute :

— Ici, tu es certainement le seul à pouvoir être nostalgique de cette musique, dis-je, ironisant sur les quelques années qui nous séparent. En passant, les Stones n'ont pas encore disparu. C'est toi qui as disparu du monde civilisé, et cela pour notre plus grand bonheur, puisque tu es avec nous loin de la métropole.

Nous rions en y allant d'accolades affectueuses à l'endroit de Gabriel qui aime bien ces marques d'amour à son égard. Soudainement, un énorme fracas nous fait sursauter. Un nuage de poussière nous cache complètement le comptoir. La première image que l'on discerne lorsque la nuée se dissipe est celle de Marc, une masse à la main, qui, un instant, prend les traits d'un dément de film d'horreur. Il vient de faire sauter la cloison du bar. Il nous regarde, tout souriant, fier de l'effet qu'il a produit sur le groupe. Tellement réussi qu'il a fait fuir les filles. Elles vont sans doute se préparer pour la soirée. Vera m'adresse un au revoir avec dans le regard un message qui dit que j'ai toutes les chances de mon côté, si j'y mets du mien. Je ne m'énerve pas avec ça, parce que si ce n'est pas elle, ce sera une autre, et si ce n'est pas une autre, ça me fera un peu de repos.

Le soleil a déroulé son tapis de lumière dorée sur la mer. En dégrisant lentement, nous préparons notre plan d'attaque pour la semaine. Marc aimerait ouvrir le week-end prochain, dans six jours. Demain, nous installerons une banderole annonçant l'ouverture du bar et Gabriel devrait être en mesure de me remettre un tract que je pourrai aussitôt commencer à distribuer. Je suis très excité par ce nouveau projet auquel j'ai l'intention de consacrer toute mon énergie pour en assurer la réussite.

Cela dit, j'ai encore de forts élancements dans le bras. Je vais devoir me ménager pour être rétabli de cette blessure avant l'échéance. Un bon barman doit avoir tous ses membres en état pour exercer son métier. Dommage pour Vera et ses copines. Elles devront se consoler de mon absence dans d'autres bras ce soir. Moi, au lieu de me saouler jusqu'aux petites heures du matin pour ensuite me changer en citrouille, je vais fumer de l'herbe dans mon hamac en regardant les étoiles et en méditant sur le projet.

CHAPITRE 20

J'AVANCE, torse nu, portant des lunettes de soleil et un chapeau pour me protéger du soleil qui deviendra insupportable dans quelques heures. Ma chemise est attachée à ma ceinture. J'ai balancé l'attelle qui immobilisait mon bras, et me suis contenté d'avaler deux cachets. Cela a fait l'affaire. Je fais gaffe de ne pas tomber dans le fossé toutes les fois qu'un camion passe, tout ça parce que j'ai vendu la jeep à Marc en échange de la belle pile de dollars qu'il m'en offrait. Et je me dis que quand il partira au printemps, la jeep me reviendra à nouveau. C'est le matin et je veux profiter du fait que l'air n'est pas trop chaud pour transporter à pied la planche de bois que je vais acheter, laquelle, grâce au coup de pinceau magique de Gabriel, deviendra l'enseigne du bistro-bar. J'arrive au bâtiment où j'avais repéré des piles de bois il y a quelque temps. J'appelle pour avertir de ma présence. Je regarde les tas de planches en me demandant si quelqu'un en sortira.

— Le monsieur n'est pas là, me lance un paysan qui travaille sur son tracteur.

— Vous croyez qu'il va revenir? que je demande en m'approchant.

— Ah oui ! Ça devrait pas être long.

— Peut-être qu'il ne reviendra pas aujourd'hui, que je dis.

— Il viendra si Dieu le veut.

Je reste à côté du paysan, l'observant graisser sa machine.

— Dans ton pays, me dit-il, tout ça se fait automatiquement, c'est plus facile.

À vrai dire je n'en sais rien et je m'abstiens de répondre.

— Vous êtes de la région, señor ?

— Oui, je suis de San Pancho. Je m'appelle Ramon Ramirez, l'assistant du maire. Tu connais San Pancho ?

— Non, c'est où ?

— Le troisième village au nord, par la nationale.

— Vous vivez là avec votre femme et vos enfants ? que je demande pour animer la conversation.

— Mes enfants sont grands. Un de mes fils est parti à l'université. Un autre est aux États-Unis pour travailler dans la soudure. Il fait beaucoup d'argent là-bas, il a même épousé une gringa.

— C'est super. Vous n'êtes quand même pas seul ici, il y a votre femme, dis-je sans vouloir être indiscret.

— Ah, ma femme… Elle ne veut plus de moi depuis qu'elle a appris que je l'ai trompée avec une jolie jeune de vingt-huit ans.

— Elle va bien finir par vous pardonner ?

— Au début, elle rageait et elle était morte de jalousie. Après elle ne voulait pas me voir et j'ai dû prendre la chambre de mon fils.

— Vous l'aimez ?

— Ouais, j'aimerais que tout revienne comme avant.

— Ça s'arrangera, que j'ajoute, compatissant.

— Ça fait sept mois que c'est arrivé et maintenant elle m'ignore, pire encore elle s'absente des après-midi entiers, ajoute-t-il avec l'air d'un gars qui sait quelque chose sans en avoir eu la confirmation formelle.

— Je ne voudrais rien insinuer, que je dis, abondant dans son sens, mais ça paraît louche.

— Ce que quelqu'un ne sait pas ne fait pas mal, vrai? Bon, je dois aller travailler.

Il monte dans le tracteur et le fait démarrer. Il me dit encore quelque chose que le grondement du moteur m'empêche d'entendre. Faisant mine d'avoir compris, je souris bêtement, en lui envoyant la main. J'ai envie, je repère un arbre. En pleine exécution, je constate que j'arrose un plan de tomates et je dévie le tir pour limiter les dégâts. Plus tard, je fais les cent pas, à la recherche de cette foutue planche. Je me mets à fouiller dans les morceaux de bois afin de trouver la pièce adéquate. Elles sont toutes trop grandes. Je demanderai au menuisier de me la couper à la bonne dimension. J'attends que le gars se pointe. Je l'imagine grassouillet et mal rasé, maudissant sa gueule de bois. Je ne le sens pas de voir un gars comme ça, ce matin. Je repasserai demain, ça peut attendre. Mieux, je vais aller voir le fournisseur de bière.

Je hèle une de ces minicamionnettes, appelées collectivo, qui transportent des gens d'un bout à l'autre du village pour quelques pesos. Comme il n'y a plus de places assises à l'arrière, je m'assois devant avec le chauffeur. On fait cent mètres, ça tapote sur le toit, on s'immobilise. Un vieil homme au chapeau crasseux descend de l'arrière, une machette à la main. Des rides profondes sillonnent son visage façonné au grand air et au soleil. Le chauffeur tend nonchalamment les mains pour recevoir les quelques piécettes que lui remet le vieux. C'est parti pour quelques autres centaines de mètres, toujours de nouvelles personnes montent tandis que d'autres descendent. Des badauds qui s'en vont travailler ou encore des femmes avec leurs jeunes enfants qui se rendent au marché en plein air acheter des provisions aux paysans descendus des montagnes. Une jeune fille, presque une enfant, porte son bébé dans un morceau de tissu accroché dans le dos; elle est, à n'en pas douter, de par sa physionomie et ses vêtements multicolores, de descendance maya ou zapotèque, deux des groupes autochtones de la région. Au bout du trajet se trouve l'entreprise de distribution de bières où je descends avec le reste des passagers, pour la plupart des ouvriers. Je prends la chemise accrochée à ma ceinture, la secoue vigoureusement et l'enfile. Je me prépare mentalement à aller négocier avec le patron. En fait, les deux sociétés de bières nationales ont chacune un centre de distribution. Je suis en ce moment dans le stationnement de l'un de ces deux centres concurrents. J'emprunte la porte vitrée du devant où se trouvent les bureaux. Une charmante réceptionniste m'accueille avec un sourire lumineux.

— Buenas dias, señor.

— Bonjour ma belle.

— Qu'est-ce que je peux faire pour vous? demande-t-elle, intriguée.

— J'ouvre un bar sur la plage et j'aimerais rencontrer votre patron à ce sujet.

— Le patron n'est pas là, mais son fils peut s'occuper de vous. Attendez un instant, je vais le chercher.

— Vous pouvez me dire comment il s'appelle ?

— Salvador.

— Merci, très aimable, que j'ajoute pour avoir encore droit à ce superbe sourire.

Elle s'éloigne en mouvant le bassin avec grâce. Elle ouvre une porte bleue, discute avec le gars à l'intérieur puis me fait signe de venir. J'entre avec enthousiasme.

— Bonjour, monsieur Salvador, dis-je en m'approchant la main tendue.

Le jeune homme, soigné et portant une eau de toilette de qualité, se lève avec désinvolture après mon entrée dans la pièce. Il prend ma main et pose sa main gauche sur mon épaule, ce qui a pour effet de me détendre.

— Appelle-moi Salvador, ça suffira. Dis-moi, tu vas ouvrir un business à la plage ?

— Oui, c'est ça. J'ai loué un magnifique local entre les deux plages, juste à côté des escaliers qui mènent à la rue, que je lui explique pour que mon interlocuteur puisse bien situer l'endroit.

— Tu parles du local triangulaire ?

— Oui, tout à fait.

— C'est un local idéal et bien situé en plus. Quand vous voulez ouvrir ?

— D'ici une semaine. Le temps de régler quelques détails, dont la bière.

— Combien de caisses vous voulez ? On peut vous livrer ça aujourd'hui même.

— Le fait est que vos concurrents font des pieds et des mains pour que j'aie leur produit, que je lui dis, un peu honteux de ce mensonge.

— Tu es allé les voir ?

— Non, un représentant est passé quand il a eu vent qu'on ouvrirait un bar. Il veut me prêter un frigo à bière et il m'a promis cinq tables avec des chaises à leur effigie. Avant d'accepter quoi que ce soit, j'ai décidé de vous voir. Je préfère votre bière, elle a une plus grande réputation internationale. Je me demandais si je pouvais profiter de la même offre avec vous ?

— Combien de caisses tu projettes de vendre par semaine ? me demande-t-il.

— Quinze ou vingt, que je réponds après avoir fait un rapide calcul.

— Qu'est-ce qui te fait croire que tu atteindras tes objectifs ?

— Par distribution de feuillets publicitaires aux touristes sur la plage. Je connais quelques beautés qui feront tout pour attirer les clients. Moi, je m'occuperai des femmes, que j'ajoute en rigolant.

— Tu crois que ça suffira pour avoir du monde ?

— Bien sûr que non. Il y aura de la bonne musique. En ce moment, un artiste peintre français décore l'endroit. Tu vas voir, Salvador, ce sera un bar où l'on veut être vu, que je précise en martelant les mots.

— Un frigo, cinq tables avec chaises et une dizaine de caisses de bières que je te ferai livrer au cours de la semaine, ça ferait ton affaire ?

— Oui, absolument, que je réponds avec joie et en lui serrant la main.

— Est-ce qu'il y a quelqu'un le jour ? demande-t-il.

— Oui, il y aura Marc mon associé, sauf qu'il ne parle pas bien l'espagnol.

— C'est pas grave, il a juste à signer le contrat à la livraison.

— Super et merci beaucoup, que je lui dis avec enthousiasme.

— Rachel, la demoiselle de la réception, ouvrira ton dossier. Moi j'ai un rendez-vous, je dois y aller.

— Merci Salvador, t'es mon sauveur, que je lui déclare, évoquant la signification de son nom. T'es le bienvenu pour venir prendre un verre quand tu veux. Tu connais l'adresse.

— À propos comment s'appellera le bar ? me demande-t-il en m'escortant à la porte de son bureau.

— Beach-Stop.

Il fait une moue perplexe avant de demander à Rachel de compléter mon dossier, ce qui prend quelques minutes. Je perçois dans les sourires et les regards de la jeune femme une invitation à aller plus loin dans nos échanges. Un appel auquel je ne réponds pas afin d'éviter d'éventuels conflits avec le fils du patron qui voit peut-être en elle plus qu'une collaboratrice. Une fois cette formalité terminée, je décide de me rendre au marché à pied où je pourrai faire divers achats d'équipements pour mon bar. En chemin je commande quelques tacos à la dame qui fait griller de la viande et des oignons sur son chariot au coin de la rue.

Plus tard je descends du taxi les bras chargés. Gabriel peint sur les piliers en béton des lianes et des fleurs tropicales. Je dépose les sacs sur le comptoir.

— Wow, c'est superbe, Gabriel.

— Ça me fait plaisir, c'était tellement moche sinon.

— Tu sais quoi ? Je reviens de la compagnie de bières. Ils vont nous livrer un frigo, des tables et de la bière cette semaine, dis-je dans un souffle.

— T'as de la bière ? demande-t-il.

— Non.

— Tu reviens de la compagnie de bières et t'es pas foutu de rapporter une caisse ! ajoute-t-il en haussant le ton. Tu crois quand même pas que je vais peindre la baraque en carburant à l'eau ?

Lorsque Gabriel est de mauvais poil, il ne faut pas le contrarier. Je sais que quelques bières feront l'affaire.

— J'ai compris, je reviens.

Je fais les cent mètres qui me séparent de la tienda, où je prends un pack de douze Corona, la marque que nous allons représenter.

— Vous avez vos bouteilles, me dit le patron en regardant au-dessus de ses lunettes.

— Non.

— Je vais devoir vous charger le deposito, ajoute-t-il.

— Faites donc, mais donnez-moi mon coupon pour les bouteilles, que je demande pour être certain d'être remboursé en rapportant les vides, car ici le prix de la bouteille vide est l'équivalent du tiers du prix du contenu, ce qui constitue une perte non négligeable, si on égare le coupon.

— Gracias.

J'empoigne la caisse et je rentre au local. À mon arrivée, je suis saisi par une forte odeur de marijuana. Gabriel est adossé au comptoir, il fume en toute insouciance. Derrière la grille qui donne sur la plage, un couple de touristes âgé nous jette des coups d'œil inquiets. Je me plante devant l'artiste et lui dis :

— Écoute, j'aimerais que tu ne fumes pas ici. Il y a beaucoup de passants et je ne voudrais pas qu'on déconne peu de temps avant l'ouverture.

— Je suis à mon sommet pour la création lorsqu'il y a un bon dosage entre l'alcool et l'herbe. C'est pas que je dessine mieux, je prends plus de plaisir à le faire. Il va falloir faire un compromis sinon je me barre vite fait. Allez hop, conclut-il, montant le ton.

— Bon, bon, calme-toi, on va faire un compromis.

Je réfléchis un instant avant d'ajouter : « Regarde ce qu'on va faire... mais prends d'abord une bière. »

— Merci, t'as tout compris.

— Regarde l'escalier près du comptoir, il monte sur le toit. Nous pourrons y fumer en toute quiétude et, comme la fumée a tendance à monter, les gens au sol ignoreront ce qui se passe si près d'eux.

— C'est bizarre, j'avais jamais remarqué cet escalier, on y va ?

Je prends une bière avant de monter. Le toit nous offre une magnifique vue sur la mer où défilent de belles vagues rondes sur lesquelles les surfeurs rivalisent d'équilibre et d'adresse. L'après-midi tire à sa fin. C'est le moment privilégié de prendre un instant de détente en assistant au spectacle offert par le soleil couchant.

— Oh ! C'est charmant ici, tu pourrais y faire une terrasse, me propose Gabriel, enchanté.

— Oui, je vais y mettre une table et quelques pots de fleurs. Ce sera la table V.I.P. de la maison.

Un bruit se fait entendre dans les marches, quelqu'un monte. Marc apparaît, une bière à la main. Il est visiblement de bonne humeur.

— Eh Gabriel, c'est très beau, les poutres. Regardez, les gars, ce que j'ai acheté.

Il ouvre son sac et en sort deux superbes hamacs, un noir et l'autre d'un rose profond.

— J'aime bien le rose, s'extasie Gabriel.

— J'ai bien pensé que tu l'aimerais, ajoute Marc.

— Ah, comme ça t'as des pensées pour moi ; écoute je ne veux pas te faire de peine mais t'es pas dans le coup mon vieux, se moque le Français.

— Retourne donc à tes pinceaux, c'est pour ça que j'te paie ! dit Marc en jurant.

Gabriel s'éclipse après avoir entendu Marc rugir ces paroles tel un ours canadien. Après quoi, Marc me donne un léger coup de coude avec un regard plein de connivence.

— Ça va bien nos affaires, ça avance, qu'il dit.

— En plus, j'ai réglé l'affaire avec le gars de la bière. Ils fournissent les tables et le frigo qui seront livrés cette semaine.

— Wow, c'est super. Tu connais ça le business par ici. Je l'ai su dès le début que t'étais le gars qui me fallait.

Il est fier de son jugement.

— Ici en haut, on va mettre une table avec des plantes. Demain, je dois faire imprimer un tract qu'on distribuera sur la plage pour annoncer l'ouverture du Beach-Stop.

— Parfait, fais comme tu veux. T'as carte blanche. Je me sers de ton expertise et toi de mon argent, ajoute-t-il avec aplomb en frappant sa bouteille contre la mienne.

Le soleil se pose tout en douceur et s'abrite d'une volute de feu. Le spectacle nous laisse sans voix. Je suis heureux en pensant que ce projet va mettre un peu de piquant dans mes aventures.

CHAPITRE 21

IL est tôt le matin. Je descends du collectivo juste devant chez le marchand de planches. Un vieil homme à la tête grise me voit approcher et dit :

— Eh gringo. Qu'est-ce que je peux faire pour toi ?

Il est âgé mais il a tout de même l'air vigoureux. Sa démarche rappelle celle du chimpanzé.

— Je voudrais cette planche de contre-plaqué, c'est combien ?

— Deux cent vingt pesos.

— Vous me la coupez en deux, s'il vous plaît ?

— Aide-moi à la mettre dans ma camionnette là-bas. On va aller voir le menuisier, il pourra la couper.

Nous déposons la planche à plat dans la boîte du pick-up. Je m'assois à l'avant, le vieux s'amène au volant en claudiquant sur ses jambes arquées. Il démarre.

— Après vous allez pouvoir m'amener à la plage, à mon local ?

— Ben, je sais pas. Si y a du monde qui veut m'acheter du bois.

— Ils attendront, ça ne sera pas long. Je vous donnerai vingt pesos de plus.

On s'arrête devant une baraque en tôle ondulée. À l'avant, une chèvre est attachée à un poteau avec très peu de corde. Je me dis : « La pauvre. » J'apporte la planche à l'arrière de la cabane. Le menuisier est à côté de son plateau de sciage.

— Bonjour señor, j'aimerais couper cette planche en deux.

— C'est bien.

Il prend la planche et la pose d'une main experte sur la machine. Le bruit strident de la scie se fait entendre. En quinze secondes, c'est terminé.

— Combien je vous dois ?

— Donne ce que tu veux.

Je fouille dans mes poches, en sors quelques pièces de dix pesos, que je lui remets.

— Gracias.

Je retourne avec mes deux morceaux de planche que je mets dans la boîte du pick-up. Le vieux m'attend toujours dans la cabine.

— Combien il t'a pris ? me demande-t-il, intrigué, lorsque je m'assois.

— Il m'a dit de donner ce que je voulais.

— Ah oui ! Et combien as-tu donné ?

— Trente pesos. Vous trouvez que c'est peu ? que je demande car il fait une moue étrange.

— Non, au contraire, c'est super, dit-il dans un éclat de rire.

— Pouvez-vous tourner sur le chemin qui descend à la plage après le pont por favor ?

Chouette, il est encore tôt. J'irai prendre un petit-déjeuner accompagné d'un bon café chaud. En sortant du véhicule je lui dis :

— Voici vos deux cent vingt pesos.

— Il en manque vingt pour le transport.

— C'est vrai, tenez ! que je lui dis en lui en donnant dix de plus. Gracias !

Il prend le billet avec un air heureux. Je retire mes deux enseignes du pick-up et tape sur la boîte pour lui faire savoir que c'est bon. J'ouvre la grille et je constate que Gabriel a dû travailler tard. Toutes les poutres de la pièce sont peintes de motifs floraux. C'est magnifique, du travail de pro.

Près du comptoir, le hamac rose est installé et quelqu'un y dort. Je ne peux pas voir qui c'est, ce doit être Gabriel. En voyant une de ces petites bouteilles de mescal vide au milieu des mégots et autres bouteilles qui jonchent le sol, j'en ai la confirmation. J'appuie les planches sur un muret et je referme la grille. Je vais aller prendre mon petit- déjeuner juste à côté, là où Marc et moi avons nos habitudes depuis une semaine. Nous profitons de ces moments pour discuter des tâches journalières de notre projet. Je m'assieds à notre table de prédilection pour nos discussions matinales. Je sucre le café que doña Rosa m'a gentiment apporté lorsque surgit Marc, échevelé, les paupières encore lourdes. Il habite dans une cabaña qu'il loue sur la plage. Il se réfugie aux toilettes quelques instants pour en ressortir frais et dispos. Il passe directement sa commande à la patronne qui lui sert son café. Marc se présente à la table, enjoué.

— Salut associé. Bien dormi ? me demande-t-il.

— Oui, mais y a déjà un moment que je suis debout.

— Aujourd'hui, je dois peindre le plancher.

— Ça c'est une bonne idée. Quelle couleur as-tu choisie ? que je demande avec inquiétude.

— J'ai pensé à un gris clair, dit-il sans trop de conviction.

— Ah c'est drôle, moi j'aurais plutôt pensé à quelque chose de plus foncé. C'est moins salissant.

— Quelle couleur alors ?

— Quelque chose comme terracota.

— C'est quoi ça ?

— Tu vois là-bas à côté de la cruche d'eau, le grand pot ? Bien, il est en terracota, qui veut dire terre cuite.

— Je vais noter ça sur un papier pour pas oublier.

Ce que j'aime bien avec Marc, c'est qu'il est facile à convaincre et quand il a tort, il ne suffit que de quelques arguments de ma part pour qu'il révise ses positions et penche vers le gros bon sens. Nous engloutissons le contenu de nos assiettes sans un mot. Quand Marc allume sa cigarette je lui dis :

— En allant chercher la peinture, tu nous emmèneras, Gabriel et moi, chez moi. Je vais lui faire dessiner et peindre les enseignes dans mon jardin, comme ça tu auras le plancher pour toi.

Je sais pouvoir compter sur la pleine collaboration de Gabriel, parce que chaque mois, lorsque l'argent tombe, il a vite fait de le dépenser en alcool et plaisirs nocturnes. Le problème, dans son cas, c'est qu'il a tant attendu son argent qu'il ne se contrôle plus au moment où il a les billets entre les mains. Alors il donne sans compter à des gens qui n'en ont pas nécessairement besoin ou encore qui ne le méritent pas. Normalement, il lui faut sept à dix jours pour tout claquer. Ensuite, il vit de la charité de ses nombreux amis ou il vend des dessins ou des peintures pour presque rien à des gens qui exploitent son immense talent. Il ne reste qu'une semaine avant que son fric tombe et j'ai l'intention de le faire travailler et de lui permettre de faire valoir ce talent en toute équité. Il n'a pas à s'inquiéter, je suis son ami et je veux le mieux pour lui. Marc lui donne de l'argent pour ses dépenses en nourriture, moi je m'occupe du reste.

Pendant que Marc met les enseignes dans la jeep, je réveille Gabriel. Je lui ai apporté du jus de fruits passé au malaxeur : banane, mangue, papaye et ananas. Avec ça, je sais qu'il se lèvera du bon pied. À part la voix un peu rauque, il n'est pas amoché plus qu'il ne le devrait. Faut dire qu'avec quelques bières et seulement une petite bouteille de mescal, il n'y a pas de quoi donner une gueule de bois à un aguerri de la cuite comme lui.

— Vraiment pour les poutres, tu t'es surpassé. Je te félicite. T'as pas travaillé trop tard ? que je lui dis.

— Non, pas trop. Je croyais m'assoupir quelques heures et continuer après. Je devais être fatigué, dit-il, hagard, en savourant son jus.

— Aujourd'hui, si tu veux, tu feras l'enseigne de ma maison, dans le jardin avec les bougainvilliers. Tu vas t'éclater.

J'essaie d'être convaincant, je connais Gabriel, s'il est de mauvais poil, il est capable de m'envoyer me faire foutre.

— Je vais m'ennuyer là-haut.

— T'en fais pas, y a la sono et toute la musique que tu veux et tu peux fumer à ta guise, j'ai un sac à la maison.

Pendant ce temps, j'irai faire des copies des tracts puis je remonte avec des gens et on se fera une fiesta.

— Vous venez ou quoi ? J'ai autre chose à faire, nous lance Marc, impatient.

Je rassemble le matériel de travail de Gabriel pendant qu'il fait sa toilette. On sort, je ferme la grille. Gabriel s'assoit à l'avant entre Marc et moi. Il a mis ses grosses lunettes noires à la Elton John et un foulard jaune, un peu comme le petit prince en beaucoup plus vieux. Pendant qu'on roule, Gabriel envoie la main ici et là lorsqu'on croise de ses connaissances. Il nous prend l'un et l'autre par les épaules en disant à quel point c'est super d'être entouré de deux jeunes hommes si virils. Il n'est pas surpris de la rebuffade de Marc. Moi, j'ai un bon lien d'amitié avec Gabriel et vois plutôt dans ses manifestations un besoin affectif qu'il comble aussi bien avec les hommes que les femmes. C'est une personne qui vit pleinement sa vie, souvent au détriment du sens commun, libre de toutes contraintes sociales. Sa souplesse d'esprit et sa liberté d'agir lui ont souvent fait vivre des situations rocambolesques, voire périlleuses. Parfois des fiers à bras, enivrés par la bière, l'ont malmené parce qu'il exprimait sa différence. On m'a raconté qu'au Guatemala, un soir qu'il était ivre, il a fait la rencontre de deux jeunes militaires dans la rue. Comme je peux imaginer, il devait les trouver mignons. Gabriel, tout heureux d'être en si bonne compagnie, leur avait offert à boire de sa vodka. Imbibé d'alcool et en toute confiance, il avait alors sorti sa coke et fait une ligne devant eux. Interloqués, ces deux représentants de l'ordre le livrèrent illico aux autorités locales. Après un an de prison et quelques milliers de dollars, il a été gentiment escorté à l'aéroport, direction Paris en aller simple. Un de ses amis français qui avait un business dans le coin m'a raconté cette histoire. Chaque semaine, il lui rendait visite à la prison pour lui apporter des vivres et lui donner un peu de réconfort. À ce qu'il m'a dit, Gabriel, contre toute attente, ne se portait pas si mal que ça. Il est rapidement devenu la coqueluche de la prison. Je ne suis pas surpris ; son excentricité, son espagnol qu'il maîtrise à la perfection avec toutefois un charmant accent français et ses qualités humaines pour ne pas dire humanitaires ont certainement joué en sa faveur. Semblerait-il qu'on lui avait permis de faire des spectacles dans lesquels, déguisé en femme, il captivait les détenus par son charisme et son talent de comédien. Les gardiens ont rapidement compris que ces représentations hebdomadaires contribuaient à calmer les prisonniers. De cette façon, ils avaient la mainmise sur le groupe. Gabriel devint donc important pour l'autorité carcérale. Ici, il a été ciblé par les autorités quelques fois pour avoir fumé de l'herbe dans des lieux publics. À présent, on ferme les yeux sur ses frasques parce qu'on a compris qu'il est plus compliqué qu'autre chose de sévir à son endroit et que c'est peine perdue, compte tenu du caractère inoffensif du personnage.

Marc nous a déposés chez moi et est allé vaquer à ses occupations. Je suis un peu inquiet à l'idée de le laisser seul acheter la peinture. On pourrait lui vendre n'importe quoi, étant donné qu'il ne parle pas très bien l'espagnol et que le peu de mots qu'il connaît sort métamorphosés étant donné son problème d'élocution. Au dernier moment, pour être certain, je note sur un papier exactement ce que l'on veut. Comme ça, l'employé de la quincaillerie n'aura pas à se casser la tête.

Ma maison est située dans une rue latérale à la nationale, du côté des montagnes. D'un côté les chemins descendent vers la mer et de l'autre ils montent vers la Sierra Madre. L'habitation est toute simple. La pièce principale sert de salon et de cuisine, et il y a une chambre et une salle de bain. Dans un pays au climat agréable, on passe beaucoup plus de temps à l'extérieur. C'est pourquoi souvent l'intérieur des maisons est modeste. Au lieu de faire une grande maison qui mange tout le terrain, on met l'accent sur la cour arrière puisque la plupart du temps, à l'avant, il n'y a qu'un balcon qui donne directement sur la rue.

Je propose à Gabriel de s'installer à l'arrière. Il aura plus d'ombre et d'intimité. Côté façade, il risque d'avoir trop de soleil et d'être incommodé par la poussière soulevée par les véhicules. Pendant qu'il roule son premier joint, je lui prépare son matériel. Comme il n'y a pas de chevalet, je pose une des planches sur le puits, bien appuyée sur l'armature de la poulie. Je mets une table ainsi qu'une chaise juste à côté, pour son attirail d'artiste peintre. Ce qu'on lui demande est bien simple : un globe terrestre où l'on voit l'Amérique ; partant d'un point de la côte du Pacifique, au Mexique, une traînée lumineuse va en grossissant et se transforme en signal routier : STOP. Grosso modo, le message que l'on veut lancer aux touristes est : « Eh gringo, t'es en vacances, tes problèmes et tes tracas tu les laisses dans ton pays, ici le temps s'arrête. La seule chose que tu as à faire est de savourer un de nos succulents drinks en contemplant l'horizon ! » De toute façon, ceux qui rêvent d'éternité ou encore de vie éternelle ont intérêt à ne pas chercher dans l'avenir ou ailleurs ; l'infini est ici et maintenant. Il faut vivre chaque instant intensément comme si c'était le dernier et, de cette façon, la vie paraîtra plus longue. Ainsi, quand viendra le moment de la mort, on n'en aura plus rien à foutre de l'éternité. S'il y a un Dieu, il est hors de toute religion, universel, et il a d'autres chats à fouetter. Nous sommes minuscules dans le temps et dans l'espace, pourtant si précieux.

— Eh ! Qu'est-ce qui se passe ? T'as l'air ailleurs, me dit Gabriel.

— Ah ! Rien, j'étais dans la lune.

— Tiens, prends le joint, ça agrémentera ton voyage. Pour ton enseigne, t'en fais pas, je crois que j'ai compris, ajoute-t-il pour me rassurer.

— Non merci, pas de fumette pour moi aujourd'hui et merci pour l'enseigne. Je sais que de toute façon ça va être bien.

C'est bizarre mais, parfois, sans raison, tout devient clair. On se sent investi d'un savoir global, au-delà de toute logique ou de tout raisonnement cartésien. Comme si on venait de mettre le morceau du puzzle qui manquait. Un exemple : un problème à régler. On se met à penser à une solution. Tous les paramètres sont minutieusement étudiés. On se creuse les méninges, mais il n'y a rien à faire. On ne réussit qu'à choper une migraine. Excédé, on passe à autre chose en maugréant en notre for intérieur : tout a été essayé. Après quelques heures, la détente arrive, on ne pense plus à rien de spécial et, comme un éclair, la solution apparaît de nulle part, le problème est réglé. On pourrait croire qu'il ne suffit que de certaines conditions pour que les idées surgissent d'elles-mêmes.

Je marche sur le sable lissé par l'eau. Mon corps projette son ombre surmontée d'un cercle presque parfait, mon sombrero. J'ai laissé Gabriel à ses pinceaux en prenant soin de cacher ma bouteille de tequila avant de partir. Je me félicite d'avoir pris cette précaution parce que Gabriel l'aurait trouvée et ne se serait pas gêné pour se servir jusqu'à la dernière goutte. Un artiste stone est plus efficace qu'un artiste bourré. Les vagues qui viennent mourir sous mes pieds provoquent en moi une sensation super agréable. Je ne peux résister à la tentation d'aller glisser sur quelques vagues. Après tout, je dois profiter de la mer avant de m'isoler devant l'ordi pour concevoir les tracts. Je pose ma chemise et mes sandales en ayant d'abord camouflé l'argent et mes lunettes de soleil. Je m'élance vers l'eau et perce une vague d'un plongeon, immédiatement surpris par la fraîcheur de la mer, au moins quatre degrés de moins que la normale. Je ne m'attarde pas à ce détail puisque je suis rapidement entraîné par une de ces arches d'eau. J'allonge le bras et arque mon corps vers la gauche pour glisser un maximum de temps au travers du tube. J'émerge des bouillons de la vague pour reprendre position dans l'attente de la déferlante suivante. Je sors de l'eau, reprenant mon souffle, après en avoir affronté quelques-unes de plus. Mon bras a bien récupéré de l'incident de l'autre jour. Il n'y a rien de mieux qu'une bonne baignade à la mer pour entreprendre sa journée du bon pied.

CHAPITRE 22

Dans l'après-midi, j'entre dans la boutique déserte. C'est une papeterie. Un ordinateur allumé sur un petit meuble dans un coin est mis à la disposition des clients. Un gamin de pas plus de douze ans tient la caisse.

— Bonjour, j'aimerais pouvoir me servir de l'ordinateur pour concevoir un feuillet.

— Mon patron n'est pas là. C'est lui qui s'occupe de ça d'habitude, dit-il, navré.

— T'en fais pas, j'ai l'habitude avec l'informatique. Après, je ferai des photocopies. Tiens, prends ça, j'en ai pour quinze minutes.

Je lui tends un billet de vingt pesos.

Le gamin hésitant prend le billet, le met dans sa poche et continue à vaquer à ses occupations, c'est-à-dire lire une bédé, assis sur sa chaise. À l'aide de différents programmes, je réussis en peu de temps à reproduire le logo de notre bistro-bar. J'insère des images dans le tract. Des lèvres sensuelles, un verre décoré d'une paille et d'une tranche d'agrume, puis un cocotier que j'ajoute aux autres images. Ça a déjà de la gueule. Il ne me reste plus qu'à insérer le texte avec un lettrage stylisé. L'aspect final me paraît assez convaincant.

Alors que je marche dans la rue qui borde la plage, un couple dans la quarantaine s'avance vers moi. Le gars est plus petit que sa femme d'une bonne tête ; trapu, il marche à petites enjambées rapides pour suivre le rythme de sa compagne. Le haut de son crâne est dégarni. Il ne lui reste qu'un anneau de cheveux poivre et sel. Son visage souriant exprime l'ouverture et la sympathie. La femme a de longues jambes qui lui permettent de faire un pas le temps que son mari en fasse deux. Elle me regarde, avenante elle aussi.

— Eh please, zou you no were ze marquette, qu'elle me demande lorsque je les croise.

— Mais vous êtes français !

— Ah ! Enfin quelqu'un qui comprend, s'exclame l'homme. Il y a longtemps que vous êtes ici ? me demande-t-il.

— Quelques mois et je m'y plais toujours. C'est le paradis, vous ne trouvez pas ? dis-je en désignant le paysage.

— Attention, chéri, c'est un petit malin, ça se voit. Vous êtes serpent en astrologie chinoise, n'est-ce pas ? s'enquiert-elle.

Je me demande un instant si elle est sérieuse ou ironique, je choisis la deuxième option.

— J'en sais rien, que je mens, alors qu'elle a visé juste.

— Pauline, tu ne vas quand même pas embêter ce jeune homme, dit son mari. Indiquez-nous seulement où est le marché.

— C'est plus haut dans le village. À cette heure, il vaut mieux prendre un taxi. J'habite par là, si vous voulez, je monte avec vous.

— Bon d'accord.

Je fais signe au premier taxi qui passe, nous montons. Moi à l'avant, les autres à l'arrière. Je donne mon adresse au chauffeur. Je suis heureux, je n'aurai pas à suer la montée.

— C'est la première fois que nous venons ici, j'aurais tellement de choses à vous demander, me dit le mec.

— À part couper ces feuilles, j'ai rien d'autre à faire. Si vous voulez, venez chez moi, on prendra un verre et on discutera de tout ça.

— Qu'est-ce que t'en penses chéri, on y va ? demande Pauline.

— Si c'est pour prendre un verre et s'amuser, c'est d'accord. On est en vacances, non ?

Je sais que Gabriel sera enchanté de rencontrer ces gens en se saoulant tranquillement. Pauline et son mari forment une belle paire d'énergumènes qui risque de s'entendre comme larrons en foire avec notre artiste.

— En passant, moi c'est Max, tout le monde ici me connaît, leur dis-je en tendant la main.

— Fabien, dit le mec, en me serrant la main avec vigueur.

Je me tourne, prends la main de sa compagne.

— Enchanté, dis-je en lui faisant le baisemain.

— Oh ! C'est qu'il est charmant, ce cher Max.

Fabien enchaîne sans prêter attention à sa femme :

— Ça fait deux jours qu'on est arrivés. Ça nous plaît beaucoup, et nous aimerions louer un truc sympa, pas trop cher, avec piscine. Peut-être que tu pourrais nous aiguiller sur quelque chose ?

— Sans problème, je connais des endroits superbes. On en reparlera. C'est ici qu'on descend.

Fabien s'empresse de payer le taxi. Je les entraîne à la tienda, juste à côté, pour acheter des Corona auxquelles j'ajoute un kilo de limes ; comme ça, si après on tombe dans la tequila, on aura de quoi l'adoucir. En arrivant devant la maison, je leur dis :

— Ne vous arrêtez pas à ça ; l'arrière est plus accueillant.

La musique résonne de l'intérieur, c'est un de mes disques.

— Ah ! J'ai oublié de vous dire : j'ai un ami chez moi, français aussi.

— Ça devient excitant, une rencontre entre compatriotes, déclare Pauline.

— Je vous avertis tout de suite : Gabriel est un excentrique.

Nous entrons, traversons la pièce. La porte arrière est ouverte sur la cour que le soleil inonde, accentuant ainsi les couleurs vives des fleurs des bougainvilliers. Gabriel est de dos, assis sur une chaise devant l'enseigne pratiquement terminée. Magnifique, mieux que je l'avais imaginée. Une odeur de cannabis nous monte soudainement aux narines. Ça tombe bien, Gabriel prend sa pause.

— Salut Gabriel, j'amène de la visite, dis-je en élevant la voix pour couvrir la musique.

Il baisse le volume, se lève et se retourne vers nous tout sourire. Il fait immédiatement connaissance avec le couple qui semble agréablement surpris de se trouver dans un si joli jardin avec des gens si aimables. Pauline paraît ravie de rencontrer ce personnage singulier qui lui fait la bise. En dépit des ravages de la quarantaine et des excès, Gabriel a toujours un beau visage mince aux traits fins, aux longs cils recouverts de mascara. Les gens qui le rencontrent la première fois ne tardent pas à comprendre qu'il est gay, tout à fait original dans ses manières, son habillement et son maquillage. Pauline accepte le joint que lui tend Gabriel qui fait la bise à Fabien, un instant intrigué. Pendant qu'ils discutent dans le jardin, j'ouvre les bouteilles et coiffe les goulots de quartiers de lime. Je range les autres bières dans le frigo. Lorsque je rapplique, ils sont devant l'enseigne. Gabriel en explique le concept. On me libère les mains et nos bouteilles s'entrechoquent dans un rayon de soleil doré. Gabriel et Pauline se mettent à danser côte à côte sur un rythme tropical.

— C'est super l'idée du bar, à quand l'ouverture ? me demande Fabien.

— Cette semaine. Aussitôt que la bière arrivera.

— C'est sur la plage… mais où exactement ?

— Tout près de l'endroit où nous nous sommes rencontrés plus tôt. Je te montrerai.

— Qu'est-ce que vous allez offrir à la clientèle ?

— De l'exotisme, du bonheur et aussi de délicieux drinks aux fruits frais : piñas coladas, daiquiris, margaritas.

— J'en connais une qui sera dans les parages.

Fabien, de toute évidence, fait allusion à Pauline qui semble bien aimer prendre un petit verre de temps à autre.

— Gabriel et toi vous vivez ensemble ? demande-t-il.

— Non, pas du tout. Il est ici parce qu'il travaille sur l'enseigne.

— C'est génial comme petite maison. Elle a l'air de rien, mais l'intérieur est beau et propre, le jardin est somptueux et cette vue sur la mer à couper le souffle.

Pendant qu'il me dit ça, une idée jaillit de mon esprit. Quand le bistro sera ouvert, j'aurai beaucoup de travail et il sera peu commode de vivre si éloigné du local. Ne pourrais-je pas louer ma maison à ce gentil couple français ? Ainsi je pourrais louer une de ces cabanes sur la plage tout près du bistro, comme le fait Marc.

— Viens, je te fais visiter l'intérieur.

Quand on entre par le côté cour, on tombe sur la cuisine délimitée par un comptoir. Il s'y trouve des bancs pour prendre les repas, mais on mange le plus souvent dans le jardin. Plus loin, dans le salon, il y a un canapé et un poste de télé que je n'ai pas essayé encore. La première porte sur la gauche donne sur la chambre à coucher, assez spacieuse, agrémentée d'une fenêtre donnant sur le jardin. La salle de bain, à l'avant près de l'entrée, est recouverte de fine céramique et équipée d'une entrée d'eau chaude. Après ma visite guidée, on se retrouve à l'arrière sur la terrasse, de nouvelles bières à la main. La musique s'est arrêtée. Tandis que Gabriel fignole l'enseigne, Fabien et moi nous nous assoyons à la table, à l'ombre des arbres. Pauline s'est allongée dans le hamac. Une fin d'après-midi paisible.

— C'est charmant, cette cour arrière. Tu dois passer beaucoup de temps ici ? me demande-t-elle.

— Oui, quand je suis à la maison, mais depuis quelques jours j'ai beaucoup de travail. Je ne suis ici que pour dormir, et encore.

Je prends une gorgée de bière qui me saisit la gorge de pétillements. Si j'étais seul, je lâcherais un rot.

— À propos, si ça vous intéresse, je peux vous louer ma piaule un ou deux mois. J'irai vivre près de mon bistro. Y a pas de piscine, mais la mer est toute proche et vous pouvez utiliser les piscines des hôtels pourvu que vous commandiez des boissons.

— T'entends ça, Fabien ? Ça serait super. Y a tout ce qu'il faut ici, dit Pauline, emballée.

— Combien tu nous la louerais ? demande Fabien.

— Le prix que vous coûteraient dix jours à votre hôtel, par mois.

Je ne sais pas ce qu'ils payent mais ce sera sûrement suffisant pour me prendre une modeste cabane pendant un mois. Le marché est conclu. Ils emménageront dans deux jours, ce qui me donne tout le lendemain pour me trouver quelque chose. Il faut fêter ça. Je vais à la cuisine chercher l'artillerie lourde et reviens avec un plateau sur lequel j'ai posé ma bouteille de tequila cuvée spéciale avec le fameux petit ver dans le fond, et beaucoup de petits quartiers de lime. Au passage, je mets le disque de Gainsbourg, la chanson *Je t'aime moi non plus*. Gabriel, qui vient de finir l'enseigne, manifeste sa joie avec des cris et des gestes théâtraux. C'est clair : les jours à venir s'annoncent bien.

CHAPITRE 23

Le lendemain, je déniche une cabane sur la plage à moins de cent mètres du Beach-Stop. Marc habite deux cabanes plus loin, donc à deux pas, comme moi, du local qui est à présent fin prêt pour l'ouverture, puisqu'il n'y manque que la bière, les tables et les frigos. Marc et moi passons les journées à attendre le camion qui nous livrera la marchandise espérée. Je remets à tous les vacanciers qui vont vers la plage un tract annonçant l'ouverture du Beach-Stop, le vendredi qui vient. Il reste deux jours avant cette grande ouverture qui risque d'être un flop monumental si ce foutu camion ne se pointe pas. Au cours de l'après-midi, nous avons installé la superbe enseigne de Gabriel, qui continue à peindre des arabesques sur les murs du local. Je profite du fait qu'il lui reste encore quelques jours avant que son argent arrive de France pour le faire travailler, en me disant qu'après il n'aura qu'à le dépenser ici comme client privilégié. Les passants nous observent et nous posent des questions. Depuis déjà plusieurs jours, la banderole annonçant l'ouverture prochaine est bien en vue, le mot commence à circuler dans tout le village.

Le vendredi, en fin d'après-midi, jour de l'ouverture, le camion de la Corona se pointe enfin. Il était temps parce que Marc et moi ne tenions plus en place. La bière, les frigos ainsi que les meubles, tout y est. À notre grande surprise, cependant, les tables et les chaises ne sont pas en plastique, imprimées du logo. Elles sont en bois et ont été fabriquées sur mesure par un ébéniste. Salvador, notre représentant chez Corona, s'est surpassé. C'est dans un décor crépusculaire aux teintes orangées que nous installons le mobilier en toute hâte puisque nous devons être prêts à dix-huit heures. Nous n'avons que quarante-cinq minutes pour voir aux derniers détails. Marc s'occupe de disposer les tables pendant que je remplis les frigos de bières, de fruits coupés et de boissons diverses. Je fais jouer une compilation de musique reggae pour mettre de la vie, pour montrer qu'il se passe quelque chose ici.

La première soirée se déroule à la perfection. À vingt heures, les tables sont déjà toutes occupées. Il faut dire qu'il n'y en a que cinq, l'exiguïté du local ne permettant pas d'en ajouter. Sur les six tabourets devant le comptoir sont assis Gabriel, Pauline et Fabien, nos représentants de la France, ainsi que Salvador et sa collaboratrice. Marc se démène comme il peut pour faire le service. Ce n'est pas compliqué, il y a de la bière, des daiquiris aux fruits frais, des piñas coladas, des rhums coca et mes fameuses margaritas. Tout ça est servi dans des verres jetables, solution pas très écologique, mais pratique pour le moment.

— T'as pas une serveuse digne de ce nom ? me demande Salvador en désignant Marc qui est totalement désorienté dans sa nouvelle fonction.

— C'est une solution temporaire, que je rétorque. Nous engagerons une belle serveuse mexicaine aussitôt que j'en trouverai une.

Je m'active derrière le comptoir.

— Ça semble un bon début, ajoute-t-il, faisant allusion à l'affluence de cette soirée.

— Nous allons travailler fort pour te donner raison de nous avoir fait confiance.

— À propos, ma sœur pourrait faire le boulot, elle a de l'expérience et elle est aussi très mignonne, dit Rachel, sa collaboratrice, qui cherche en effet un emploi pour sa sœur.

En tout cas, si elles ont des airs de famille, je l'engage à coup sûr.

— Demande-lui de passer, si tout va bien, je l'engage immédiatement.

Sur ces entrefaites, Marc me donne la commande pour les tables du fond. J'en profite pour servir trois nouvelles margaritas aux Français qui sont en plein délire de rire après avoir entendu une histoire farfelue que leur raconte Gabriel. Le temps que Marc s'allume une cigarette et qu'il en prenne deux taffes, j'ai déjà déposé la commande sur son plateau, soit quatre Coronas et trois daiquiris aux fraises. Il s'éloigne ensuite de sa démarche titubante tenant le plateau à deux mains. Je prends un moment pour faire le tour des tables, saluer les clients et prendre d'autres commandes au passage. Il y a dans le bar des Américains, des Français, des Mexicains, des Allemands, des Canadiens et certainement des représentants d'autres nationalités. Je n'ai pas pu vérifier auprès de tout le monde. Ce sera assurément une clientèle hétéroclite comme ça tous les soirs.

Après deux semaines d'activité, nous constatons que l'affluence n'est pas aussi grande que nous l'avions espéré. À part la soirée d'ouverture où nous avons été occupés jusqu'aux petites heures du matin, les soirées suivantes ont été plus tranquilles. C'est pourquoi ces jours-ci, je fais de mon mieux pour recruter de la clientèle par la distribution de tracts sur la plage. Je prends le temps de parler aux gens. Je leur demande d'où ils viennent, combien de temps seront-ils à Puerto Loco, ensuite je leur parle du Beach-Stop en leur désignant le local du doigt. Pour inciter les gens à venir, j'ai instauré les soirées « Battre le temps ». À dix-neuf heures, c'est dix-neuf pesos la consommation, à vingt heures, vingt pesos, à vingt et une heures vingt et un pesos et ainsi de suite jusqu'à vingt-trois heures. À partir de là, c'est quarante pesos la consommation… Quoi, il faut bien se refaire.

Marc est resté calme et positif malgré le peu d'affluence des premiers jours. Il a même nuit inconsciemment à la fréquentation. Je m'explique : l'autre soir un groupe de quatre Américains s'installe à une table. Je m'empresse d'accueillir ces gringos fin vingtaine ou jeune trentaine. Deux hommes et deux femmes que rien ne laisse croire qu'ils sont en couple. Ils sont joyeux et semblent prédisposés à s'amuser tout en consommant à satiété. Je leur propose des margaritas. Pendant que je suis au malaxeur, Marc qui se tient en retrait décide d'aller les saluer. Je vois de mon poste qu'il les fait rigoler. Je me dis tant mieux s'il peut les divertir, de surcroît mousser les ventes. Une musique brésilienne de David Byrne crée une ambiance décontractée. J'apporte les verres, bien heureux de servir une table pleine. C'est alors que deux nanas entrent et s'installent à la table d'à côté. Je me dis : super, le monde attire le monde. Avec deux tables à présent occupées, les prochains passants seront attirés par ce début d'attroupement, ce qui laisse présager une belle soirée pour nous. J'apporte directement des margaritas aux filles, une gracieuseté de la maison. Il en restait dans le malaxeur, c'est le début de la saison, et je n'ai pas encore l'habitude des dosages. Le temps que je retourne derrière le bar pour mettre un peu d'ordre, Marc a déjà invité tout le groupe de clients à fumer un joint sur la plage. Je me retrouve seul dans le local. La même musique brésilienne me semble moche tout à coup. Au même moment, plusieurs touristes en quête de plaisir nocturne passent leur chemin sans entrer. À leurs yeux, l'endroit désert ne doit pas être trop accueillant. Moi seul derrière mon bar, je rage intérieurement contre Marc qui, sans s'en rendre compte, agit contre ses intérêts, réduisant du coup mes efforts à néant pour faire lever cette boîte.

Le lendemain, je redouble d'ardeur pour le bon succès de notre entreprise. Après un petit-déjeuner expéditif avec Marc où je tente de ne pas laisser transparaître ma mauvaise humeur, je prétexte une urgence et le laisse à ses rêvasseries. J'occupe la matinée à faire les achats de fruits frais et d'alcool au marché du village, là où les villageois d'origine habitent. On y trouve des écoles, une église et le marché, à savoir un grand bâtiment à aire ouverte dans lequel les commerçants disposent leurs articles sur des étals de fortune. Les kiosques à fruits et légumes côtoient aussi bien un cordonnier qu'un boucher. Une barre traverse l'étal du boucher sur lequel pendent des morceaux de viande et des têtes de cochons. À l'aide d'un bâton au bout duquel sont fixées des languettes de papier plastique, le boucher éloigne la quantité effarante de mouches qui virevoltent autour d'un tel festin. L'odeur fétide de viande morte nous annonce son kiosque bien avant que nous le voyions. On peut lire le dédain sur le visage des touristes devant ce manque d'hygiène qui ne correspond en rien aux usages de leur pays.

Au début de l'après-midi, je suis de retour au local pour faire le ménage en attendant que le camion de bières passe pour sa livraison. Je n'en ai pas besoin, les frigos sont pleins, néanmoins j'en prends une caisse pour faire bonne figure. Par la suite, je vais faire un tour sur la plage pour recruter la clientèle à l'arraché. Je me demande ce que je fais en ce monde à tenter de convaincre les gens qu'il y a un paradis et que c'est ici et maintenant. Je me mets à leur place ; avec deux semaines de vacances pendant l'hiver hors de leur quotidien étriqué, ils ne savent pas réellement où se divertir. Chaque jour qui passe il fait soleil, pas un nuage à l'horizon, les soucis sont restés au pays. C'est vrai que je travaille fort pour faire fonctionner cette boîte, mais j'aime ça, je meuble mes journées. Après tout, l'inactivité provoque le désœuvrement. Même à la plage, il peut devenir lassant de se baigner dans les eaux turquoise ou encore de manger des fruits de mer en sirotant une bonne bière fraîche, en compagnie d'une super belle femme qui sera remplacée par une autre le lendemain.

Aux premières couleurs du crépuscule, je rejoins ma cabane pour y prendre une douche et me préparer pour la soirée qui s'annonce mouvementée. Après une toilette efficace, j'enfile mon uniforme de travail, un short de soirée et une de mes chemises aux couleurs vives et aux motifs variés. Je suis tenaillé par la faim, mais ne veux pas me faire attendre au Beach-Stop. J'imagine mal Marc servir autre chose que de la bière. Je me nourrirai de fruits frais et de cacahuètes piquantes que je sers aux clients pour accélérer leur rythme de consommation. J'arrive tel un vampire au moment où l'astre diurne disparaît derrière la courbe terrestre plus loin dans l'océan. Deux gars sont à la table près de l'entrée, et boivent tranquillement leur bière en observant le spectacle du coucher de soleil. Gabriel, Pauline et Fabien, arrivant de la plage, sont au comptoir.

En me voyant, Pauline s'exclame :

— Te voilà toi, enfin ! Nous nous languissons à l'idée de boire tes piñas coladas.

Elle me fait la bise, la peau de son visage est chaude d'avoir accumulé des ultraviolets toute la journée. J'allume la sono sur un tube de Dire Straits. Le choix est apprécié des Français. Je salue Marc en lui serrant la main derrière le bar.

— Ça va ?

— Oui.

— Je vais préparer leurs drinks, que je dis, il faudrait allumer les bougies sur les tables, c'est l'heure, et ça attirera l'attention des passants.

— Je m'en occupe tout de suite, obtempère-t-il.

Je me rince les mains, prends l'ananas, l'épluche et le coupe en morceaux. J'en mets quelques-uns dans le malaxeur et range le reste au frigo. J'y ajoute une poignée de glaçons, une bonne rasade de rhum, du lait et du sucre de coco. Les ingrédients fusionnent dans un tourbillon lorsque j'appuie sur le bouton de l'appareil. Je remplis quatre verres du liquide onctueux et je termine les cocktails en y saupoudrant une pincée de cannelle.

— Voilà mes amis, vous êtes servis, que j'annonce en posant les piñas sur le comptoir.

— Wow ! Super ! T'es doué, mon coco, s'exclame Gabriel.

— Santé, amour et argent, mes amis.

Je lève mon verre, imité par les autres.

Marc se ramène et demande deux bières pour les gars près de l'entrée. Je m'exécute illico. Deux jolies blondes s'assoient à la table devant le bar, l'une naturelle et l'autre m'a tout l'air d'être décolorée. Américaines ou Anglo-Canadiennes, je ne fais pas la différence de prime abord. Je rapplique rapidement à leur table avec mon plus beau sourire avant que Marc ne vienne faire des dégâts.

— Qu'est-ce qu'on vous sert mes belles ? que je demande en anglais.

— Vous n'avez pas un drink à base de tequila ?

— Je vous prépare une vraie margarita locale si vous voulez.

— Ça sera parfait.

J'aurais pu proposer n'importe quel autre cocktail, et ça aurait été parfait aussi.

— Vous n'auriez pas une musique plus exotique ? Dire Straits, c'est ce qui joue toujours chez nous.

— Vous avez tout à fait raison, mesdemoiselles, dis-je en m'exécutant.

— Elles ont raison, mon vieux, mets-nous un rythme latino, ajoute Gabriel à haute voix.

Je choisis une compilation de salsa, cumbia et autres musiques locales. Pendant que je prépare les margaritas, Gabriel et Pauline dansent gaiement, heureux de ce changement de registre. Un jeune homme aux cheveux longs et au look de surfer rejoint les deux blondes à leur table. Je me dis qu'il est tôt et que la soirée commence bien. On sent naître une ambiance. Marc sera satisfait de son investissement dans l'affaire. Il est maintenant au comptoir à discuter avec Fabien. Je sers les boissons aux filles et, avec ce qu'il restait dans le malaxeur, j'offre un verre au surfer qui se montre ravi. Je sens un bouillonnement dans le ventre, c'est mon estomac qui tourne à vide. J'en profite pour distribuer des cacahouètes piquantes aux convives. Une fois que j'ai la bouche pâteuse et les yeux larmoyants d'avoir grignoté à même le pot, j'ouvre une Corona bien froide, et, en deux coups de pomme d'Adam, avale la moitié de la bouteille. C'est savoureux ; sans attendre je fais un autre essai, je me remplis la bouche d'arachides, mâchouille jusqu'à ce que ça devienne une pâte et avale ce qui reste de la bière. Le mélange pâteux, piquant, acide et pétillant est fabuleux.

— Tu nous remets ça ? demande Gabriel en posant son verre vide sur le comptoir.

— Tout de suite.

En moins de soixante secondes, les trois piñas coladas sont servis. Je débouche une bière pour Marc. Le surfer est maintenant avec un ami. Celui-ci me regarde en levant deux doigts.

— Beers, Corona.

Je refile les bières à Marc qui les pose devant les Américains. Je range un peu derrière le comptoir, je rince le malaxeur et je jette les pelures de fruits. Ensuite je m'applique à vider les cendriers et prends une commande des gars du fond au passage. Une salsa cubaine égaye l'atmosphère. Marc me dit à l'oreille :

— C'est l'heure, je vais fumer.

— Fais gaffe aux flics sur la plage, n'oublie pas le truc du doigt dans le cul.

Je fais référence à une anecdote qui m'est arrivée un jour sur la plage. J'étais avec César, un ami mexicain. Nous avions fumé un joint, et nous observions tranquillement, buzzés, les dernières lueurs solaires à l'horizon. C'est alors que César m'ordonne subitement de me mettre le doigt dans le cul ! Les flics arrivent. Surpris, je m'exécute sans poser de questions, sentant l'urgence dans la voix de mon ami. Trois flics arrivent, et une discussion s'ensuit avec César. Un des gars éclaire le sol à la recherche du mégot incriminant. Ne découvrant aucune évidence, le trio repart à la recherche d'autres fautifs qui ne sont pas rares à cette heure.

— Pourquoi le doigt dans le cul ? que je demande aussitôt.

— Y a des fois, lorsqu'ils ont des soupçons, ils te reniflent les doigts pour sentir l'odeur du joint. Nous étions parés à cette éventualité, ils ont eu de la veine les salauds.

Nous avons bien rigolé.

Derrière le comptoir, je rigole en me remémorant cet événement.

— Max qu'est-ce que tu as à rigoler tout seul comme un abruti ? demande la grande Pauline.

Alors je raconte l'anecdote aux Français qui explosent de rire.

— Putain, t'as de drôles de pensées en solo, réussit à me dire Pauline entre deux quintes de rire.

— Je ne pense pas être le seul tordu ici ce soir, que je réponds du tac au tac.

La soirée est bien partie, tout le monde a un verre à la main et le sourire facile, je me dis : « Enfin on cartonne. » La brise de la mer adoucit l'atmosphère qui s'échauffe au rythme de la musique latine et des glaçons qui s'entrechoquent. Soudain Marc entre précipitamment et lance aux clients :

— There is a moon eclipse. Il y a une éclipse de lune dehors, répète-t-il.

Il n'en faut pas plus pour que tous les clients se précipitent sur la plage à contempler le ciel. Je reste derrière le bar, un coude sur le comptoir, une main au visage, ne pouvant croire que Marc encore une fois a réussi à foutre en l'air nos efforts.

— Il est con ton associé, ou quoi ? demande Pauline, la seule qui soit restée au comptoir avec Fabien.

— Oui, que j'approuve, et de plus il n'a même pas conscience de ses bourdes.

La moitié des apprentis astronomes reviennent au bout de vingt minutes, les autres se sont éclipsés dans la nuit en même temps que l'éclipse. Marc, voyant que ça s'est passablement calmé, décide d'aller se coucher. Pour atteindre mon quota de ventes de bières fixé par la compagnie, je propose la bière à moitié prix. J'en prends un bon paquet moi aussi.

Plus tard, tous les clients sont partis. Il ne reste plus que Pauline, Fabien et Gabriel qui est aux toilettes. Mes yeux se posent sur le corps de Pauline avec un regard différent. Ses seins pointent sous son chemisier. S'appuyant sur son mari, elle ouvre subtilement les jambes. Je me tourne vers Fabien, il me sourit, se foutant éperdument de sa femme.

— Eh ! Les cocos, j'ai manqué quelque chose ? demande Gabriel en revenant des toilettes.

Cette nuit, nous sommes plus allumés que le soleil. Une musique rythmée nous enveloppe. Pauline nous propose d'aller continuer la fiesta chez elle et Fabien, une idée qui plaît à toute la bande. J'éteins les bougies et l'électricité. Je pense à prendre le double des clefs de la jeep. Nous montons dans le véhicule, Gabriel et Pauline s'entassent dans l'espace exigu de l'arrière. Nous parlons et rions tous en même temps, il doit être une heure du matin tout au plus, la nuit est encore jeune. Je garde un œil sur la route en faisant gaffe de ne pas avoir une conduite trop suspecte pour une éventuelle patrouille de policiers. Ça serait une aubaine pour eux, quatre étrangers bourrés sur la route en pleine nuit. Je ne m'en inquiète pas outre mesure puisque j'ai la recette de la soirée dans mes poches. Avec ça, nous avons assez de pesos pour contenter tout un régiment. En moins de deux, nous arrivons à mon ancienne piaule. On s'installe dans le salon, les nuits étant un peu fraîches en cette saison. Fabien met un CD des Bee Gees fort bien accueilli. Dans l'état où nous sommes, n'importe quoi ferait l'affaire. Pauline devient plus aguichante à mon égard. Tous les prétextes sont bons pour me toucher. Sa main passe de mon épaule au bas du dos pour ensuite frôler mes fesses.

Gabriel et Fabien discutent de l'époque du disco. La belle Pauline, oui c'est vrai, je la trouve superbe cette nuit, me prend la main et m'entraîne dans la chambre. Elle s'assied sur le bord du lit près de la table vitrée. Je me plante debout à côté d'elle. Elle se prépare une ligne de cocaïne sur la table puis me demande si j'en veux. Je lui dis que non puisque ça m'empêche de bander. Sa main se pose sur la protubérance de mon short. Elle palpe mon sexe doucement qui rapidement monte d'un cran. Je vois dans ses yeux brûler le désir, elle se mouille les lèvres. D'un mouvement expert, elle sort mon sexe tuméfié de mon short. Elle le porte à sa bouche sans autre préambule. C'est exquis, je sens le bout de mon sexe glisser le long de son palais. Une main s'active sur la hampe, l'autre est en coupe autour de mes couilles. Je pense aux autres à côté qui pourraient surgir inopinément. Pauline qui a certainement senti une baisse de tension, relâche mon sexe et dit :

— T'en fais pas pour Fabien, il n'en a que pour Gabriel.

— Ah bon ?

Je prends mon verre et avale une gorgée de tequila pure. À cette heure, on boit sec. Pauline s'allonge sur le lit en gémissant de désir. Elle retire son short et son bas de maillot. Je plonge et commence à la lécher. Son sexe est chaud et mouillé. C'est tellement savoureux que je prolonge ce petit manège jusqu'au moment où les convulsions de ma partenaire m'en empêchent. Elle se redresse et prend un condom sous la table et l'enfile sur mon sexe. Elle se retourne sur le ventre puis relève le bassin. Je la pénètre sans rencontrer la moindre résistance. Le mouvement de va-et-vient au début va en s'accélérant. Elle gémit de plus en plus pendant que mon mouvement perdure. Au moment final, je ne peux retenir un râle profond et Pauline crie littéralement. Je me laisse choir à ses côtés. Peu après, du salon, nous viennent deux cris rauques. Gabriel et Fabien, à leur tour, ont atteint l'extase.

CHAPITRE 24

Un ronflement persistant me sort de mon sommeil comateux. Je suis étendu de tout mon long sur le lit king, entre Pauline et Fabien. Je lève la tête pour voir le réveil sur la table de chevet ; il est dix heures. Je fais gaffe en m'extirpant du lit pour ne pas réveiller mes hôtes si accueillants. Marc fait sans doute les cent pas en se demandant ce qu'il est advenu de moi, et surtout ce qui est advenu de la jeep, le vrai centre de ses préoccupations. Je m'asperge le visage à l'évier de la cuisine. À part mes yeux injectés de sang, je suis présentable. Au passage, j'ouvre le frigo pour trouver quelque chose à boire. Je prends une bouteille de boisson hydratante rouge. La première gorgée m'aide à avaler les deux cachets que j'avais dans la main. Je me tire avant que Gabriel ne se réveille de la drôle de position dans laquelle il dort sur le divan, à genoux, la tête appuyée sur l'appuie-bras et les fesses relevées.

Je m'installe au volant de la jeep, les lunettes de soleil sur les yeux. Je mets le levier au neutre, le véhicule suit la pente descendante silencieusement. Lorsque j'ai assez de vitesse, j'embraye en deuxième pour faire démarrer le moteur dans une nuée de poussière.

En route, je pense à la folle nuit que nous avons vécue en me disant que rien ne m'aurait laissé croire que la soirée pouvait évoluer ainsi. Peut-être Fabien et Pauline avaient une petite idée là-dessus. Près de la station d'autobus, je croise un type qui marche le long du chemin. Le sac à dos qu'il porte me confirme son arrivée récente. Je constate que ce qui a attiré mon attention sur lui, c'est sa démarche familière. Je reconnais aussitôt un ami mexicain que j'ai rencontré il y a quelques années dans le Yucatan. Son nom est César, un gars au corps athlétique qui exerce un attrait irrésistible sur la gent féminine. À l'époque, il rabattait les touristes vers un petit bar sur la plage, moi, je concoctais les différents cocktails derrière le comptoir. En échange, le patron nous fournissait nourriture et alcool. Je me range sur le bord du chemin et cours à la rencontre de mon vieil ami.

— Eh ! César, que tal ? Qu'est-ce que tu fais ici ? J'imaginais que tu te faisais vivre par une riche Européenne quelque part au Yucatan.

— Max, je le savais que je devais venir dans le coin, répond César de sa voix de ténor en me serrant dans ses bras au point de me faire craquer le dos.

— Arrives-tu de Santo Paraiso ?

— Non, de Norvège où j'ai passé les deux dernières années.

— Attends, laisse-moi deviner. Tu vivais aux crochets d'une Norvégienne follement amoureuse de toi.

— Ça ressemble à ça. Tu sais, ce monde est aux antipodes de ce à quoi je suis habitué. Puis le retour de l'hiver m'a convaincu.

— Pourquoi n'es-tu pas retourné au Yucatan ?

— Pour faire changement. J'ai eu vent que tu étais ici par des voyageurs de passage et que, selon leurs dires, tu ne t'ennuyais pas trop.

Je suis très heureux de retrouver mon ami. Il tombe à point parce que je commençais à avoir besoin d'effectifs au travail. Au moins, avec César, ça palliera la perte de la clientèle que Marc, inconsciemment, fait fuir. Il dépose ses affaires dans la jeep. En chemin, je lui fais le topo de la situation. Il est très emballé de se joindre à notre équipe et moi encore plus. Toutes les clientes étrangères seront séduites par ce spécimen qui pourrait devenir pour elles le fantasme latino tant recherché.

Nous arrivons au restaurant sur la plage où Marc et moi avons pris l'habitude de déjeuner. Il est justement assis à notre table habituelle. Aussitôt qu'il me voit, il s'écrie sans retenue :

— Où t'étais, tabarnak ! Pis ma jeep, elle est où ?

— Calme-toi mon vieux, j'ai raccompagné les Français chez eux. Il était tard et il n'y avait pas de taxi.

— Pourquoi t'es pas revenu après ?

— Écoute, ils m'ont offert un verre, puis je me suis endormi.

— C'est tout ? demande-t-il, incrédule.

— À quelques détails près.

Marc remarque César qui n'a rien compris à la discussion. Je lui présente mon ami mexicain comme un homme de confiance en lui racontant sommairement notre passé à l'autre bout du pays. J'explique à mon associé le rôle que jouera César au sein de notre entreprise. J'ai l'intention de le faire travailler à la porte du local pour inciter les touristes à entrer. Lorsque le bar sera plein, il se chargera du service. En somme, il fera plus ou moins ce que faisait Marc, mais avec plus de professionnalisme, j'en suis convaincu. Je connais assez mon ami pour savoir qu'avant longtemps il aura son fan club de gonzesses minaudant à chacune de ses paroles. Et avec elles suivront les hommes qui consomment autrement plus que ces dames. Je propose à Marc d'accompagner César au marché, de façon à ce qu'ils fassent plus ample connaissance. Pour le Mexicain, il sera plus facile de négocier des prix, puisqu'il n'aura pas à payer le surplus que les marchands ont l'habitude de demander aux étrangers.

Notre nouveau serveur s'extasie en voyant le Beach-Stop pour la première fois. La terrasse sur le toit lui plaît particulièrement. Il m'affirme qu'il ne verrait aucune objection à y vivre. L'idée n'est pas bête, il pourra dormir dans le hamac et, à la rigueur, se construire une hutte pour avoir un peu d'ombre et d'intimité. Je serai rassuré car, du coup, il assurera la sécurité des lieux la nuit. Marc et moi approuvons cette proposition. Notre nouveau serveur play-boy va chercher son sac sans attendre.

Pendant que mes deux amis sont au marché, j'en profite pour distribuer quelques dépliants ici et là sur la plage, un travail facile, car je cible les peaux rouges et les peaux blanches. Les Blancs sont arrivés aujourd'hui et les Rouges il y a moins de trois jours. Je leur indique le local du doigt en faisant remarquer l'enseigne multicolore que Gabriel a peinte avec brio. J'insiste sur la qualité de la musique, des drinks et sur l'ambiance exotique du bar. Ceux qui savent lire entre les lignes comprennent que je leur offre un peu de bonheur en échange de quelques pesos. L'aspect pécuniaire est secondaire pour moi, je veux seulement faire de nouvelles connaissances. Parfois, dans la vie, une rencontre fortuite peut changer une destinée. Je n'ai pas cette prétention, mais les gens qui ont changé la mienne, comme Nova en m'offrant sa maison, ne l'avaient pas non plus. Ce soir, César sera avec nous, sa belle prestance et son dynamisme auront un effet direct sur le bon déroulement de la soirée.

Après une bonne douche froide, puisqu'il n'y a pas d'eau chaude, je mange un poisson grillé au petit restaurant sur la plage en admirant le coucher du soleil. Lorsque j'arrive au Beach-Stop, il est dix-huit heures et la dernière lueur du soleil vient de disparaître à l'horizon. Les nuages au-dessus de la mer s'enflamment et baignent le local dans un éclairage orangé. Gabriel, Fabien et Pauline sont assis à la table qui leur offre la meilleure vue sur le couchant, une bouteille de blanc plus vide que pleine entourée de verres plus pleins que vides devant eux. Ils ont l'air joyeux, et comment ne pas l'être dans ce contexte magnifique ? César, accoudé au comptoir, m'accueille avec une accolade chaleureuse. Sa chemise blanche déboutonnée jusqu'à la ceinture laissant paraître une toison fournie lui donne une allure désinvolte. Un jean ajusté et des bottes de cow-boy complètent son look. Les trois Français me font la bise. Dans leur regard, je vois la connivence et la complicité. Le souvenir de la nuit passée vit en nous. J'ai comme l'impression que nous serons occupés ce soir. Première chose à faire, changer cette musique de Kevin Parent, très bonne et qui plaît à mon associé, mais qui n'a pas sa place ici. Une compilation de musique latine sera plus appropriée. Les exclamations de Gabriel et les mouvements de danse de César me confortent dans mon choix. Je donne mes instructions avec assurance.

— Marc, allume les lampions sur les tables, c'est l'heure.

— Oui Max, tout de suite.

— Toi, César, fais comme à Santo Paraiso : va dans la rue près de la porte et incite les gens à entrer en te servant de ta belle gueule, lui dis-je en espagnol.

— Oui, Max, je suis prêt, tu vas voir.

— Je sais que ça va aller, je te connais, t'es le meilleur, que j'ajoute, non pas pour le convaincre, mais pour lui rappeler le bon vieux temps pas si vieux que ça d'ailleurs.

Déjà à l'époque, il attirait les femmes avec son charme et son charisme. À ces qualités s'est ajoutée la maturité. Il a perdu ses airs d'adolescent volage et il a l'air à présent d'un homme en pleine possession de ses moyens. Il est beau, il inspire confiance, de sa personne émane à la fois une force brute et une extrême douceur. Avec un tel spécimen il y aurait lieu de s'inquiéter, mais j'ai pleine confiance en lui et je suis certain que jamais il ne toucherait à une de mes femmes parce qu'il est loyal. Ce soir, je me félicite que tout se mette en place aussi facilement. Mais je me méfie : n'est-ce pas quand ça augure bien qu'une merde se pointe ?

CHAPITRE 25

Depuis quelques jours, Marc s'est enfermé dans le mutisme. Quelque chose ne tourne pas rond avec lui. Il s'assoit toujours à la même table du fond, hagard. L'herbe qu'il fume avec régularité semble jouer sur sa personnalité. Je le soupçonne aussi de négliger sa médication. Il doit prendre une petite pilule orange par jour pour éviter les crises d'épilepsie. À part ça, tout va pour le mieux. L'arrivée de César a eu un effet positif sur le chiffre d'affaires. Ce dernier a su transmettre son enthousiasme à toute l'équipe (si on exclut Marc) ainsi qu'à la clientèle. Au début de la soirée, en effet, il n'y a pas beaucoup de touristes qui passent leur chemin sans s'arrêter pour au moins un verre. Et on peut maintenant compter sur Bianca qui s'est jointe à nous pour assurer le service, une beauté mexicaine au teint chocolat au lait qui a un corps élancé et voluptueux. C'est la sœur de Rachel, la collaboratrice de Salvador de la compagnie de bières. Mis à part le fait qu'elle ne parle que l'espagnol, elle est très efficace, dynamique et souriante. Malgré cette lacune, elle réussit toujours à se faire comprendre. Maintenant que le business roule un peu mieux et que j'ai du personnel à qui je peux déléguer une bonne partie du travail, je me permets un ou deux jours de congé par semaine pour me reposer. Lors de ces congés, Marc s'est imposé barman d'office. Je me suis dit tant mieux, si ça peut l'aider à sortir de son mutisme et à se sentir valorisé d'être un peu plus engagé. Je lui ai enseigné à faire des daiquiris, ainsi, lorsqu'il est de service, il pourra servir autre chose que de la bière. Il lui suffira de mettre les daiquiris en deux pour un.

Je profite de ces journées de repos pour faire du body surf quand les vagues le permettent. J'aime celles qui cassent en un beau tube arrondi car je peux alors y laisser glisser mon corps tendu vers la sortie. Certaines fois, lorsque la mer est calme, je prends mon masque et mes palmes et je plonge près d'une zone de coraux d'où je peux contempler la faune aquatique. C'est fascinant d'observer la diversité de poissons dans ces eaux, de petits poissons fluorescents, de plus gros qui nagent en banc dans un synchronisme mystérieux, d'autres encore plus volumineux tels des mérous, des murènes, des raies. L'autre jour, alors que j'étais à quelques centaines de mètres du rivage, je nageais en toute quiétude en contemplant le fond lorsqu'une raie d'environ deux mètres cinquante m'a frôlé. Je l'ai regardée s'éloigner, le cœur battant, heureux qu'elle n'ait pas planté son éperon venimeux dans l'une de mes zones vitales. Je termine ces journées en dégustant une douzaine d'huîtres ou un cocktail de fruits de mer à l'ombre d'un toit de paille tout en me désaltérant d'un bloody césar.

Je suis heureux de reprendre le travail après une pause. César me fait le compte-rendu le matin en déjeunant au restaurant. Selon lui, tout va toujours très bien, l'affluence reste stable et tout se déroule à la perfection. Je ne mets pas en doute ses dires puisque le frigo à bières est vide, la réserve de rhum a fortement diminué ainsi que les fruits et glaçons. Ce qui cloche et me taraude, c'est que, chaque fois que j'ouvre le tiroir-caisse, je le trouve vide. Je me dis qu'il n'y a pas de fumée sans feu, et que Marc doit me cacher quelque chose. Pourtant, lorsque je l'interroge sur le sujet, il se fait évasif et proteste. Il m'a déjà avoué qu'il a pigé dans la caisse pour récupérer un peu de son investissement. Il y a une marge entre piger et tout prendre. Je décide donc de l'affronter de nouveau. C'est accompagné de César que j'entre par la porte entrouverte de la cabane de Marc. Il ronfle paisiblement sur son lit. Je m'étonne de découvrir sur la table un miroir, une lame et un billet de banque roulé... le kit parfait du cocaïnomane. Je comprends à présent les changements d'humeur de Marc. J'aurais dû m'en douter, mais j'étais tellement pris par le travail que ce détail m'a échappé. Je décide que le moment n'est pas indiqué pour faire la lumière sur le sujet. Je fais signe à mon ami de sortir en silence. En marchant sur le chemin, je dis à César :

— Je me demande bien comment nous allons ouvrir ce soir, y a plus de bière, plus de rhum et pas d'argent non plus.

— J'ai une idée, réplique aussitôt César, quand le camion de bières passera, t'as qu'à te cacher. Je demanderai deux ou trois caisses. Une fois les caisses déchargées, je dirai au gars que tu n'es pas là et que tu payeras les arriérés demain.

— C'est bon, ça devrait marcher. Qu'est-ce qu'on fait pour le rhum et les fruits ?

— Tu dois bien connaître un marchand qui te fait crédit ? demande César.

— Oui en effet, que je réponds en pensant à doña Alicia de la petite tienda du chemin qui mène à la plage.

César ira attendre la bière au local pendant que j'irai convaincre doña Alicia de me faire crédit. Ça devrait fonctionner puisque la dernière fois qu'elle m'a dépanné, je l'ai remboursée sans trop la faire attendre. Je suis assoiffé et en sueur lorsque je pénètre dans le commerce. C'est avec une expression moqueuse que la grosse commerçante me reçoit. Je me décapsule un coca sans attendre.

— Bien le bonjour, Max. Qu'est-ce qui vous amène dans le coin ?

— Rien, rien… je passais par là et je me suis dit : « Tiens pourquoi ne pas aller saluer cette bonne vieille doña Alicia », que je réponds après avoir pris une autre bonne gorgée du liquide pétillant.

— C'est pas en me traitant de bonne vieille que je te ferai crédit, affirme-t-elle.

— J'ai jamais dit qu'il était question de crédit.

— T'as pas besoin de le dire, c'est écrit sur ta figure. De toute façon, tu fais jamais le détour pour rien n'est-ce pas, Max ? Que veux-tu au juste ?

Je lui énumère les articles de la liste que j'ai préparée. Doña Alicia, sans dissimuler un sourire moqueur, réunit les denrées sur le comptoir. La note qui devrait être salée ne l'inquiète nullement, elle sait que je suis réglo. C'est avec deux sacs bien remplis que je retourne au bar d'un pas nonchalant, regrettant de ne pas avoir pris la jeep de Marc. J'aperçois au loin le camion de bières devant le

Beach-Stop. Je m'assois sur un parapet le long du chemin, caché à l'ombre d'un amandier pour ne pas être repéré par le conducteur. D'où je suis, je peux voir César qui dirige à merveille l'opération de déchargement des caisses. Il discute ensuite quelques instants avec le livreur, puis lui serre la main avant que celui-ci monte dans son camion et démarre dans un nuage de fumée noire. César qui avait remarqué les fleurs jaunes de ma chemise derrière les feuilles de l'arbre, me fait signe de venir. On se tape dans les mains, heureux de la réussite de notre stratagème. Pendant que je prépare mon bar, mon ami balaie le plancher et fait du ménage. Ensuite, je lui propose de venir avec moi sur la plage pour distribuer des prospectus, activité devenue routinière pour moi maintenant, néanmoins toujours agréable. Une fois que nous avons distribué une trentaine de dépliants aux nouveaux touristes du jour, nous achetons deux boissons rafraîchissantes à un marchand ambulant. Le vieil homme passe ses journées à déambuler en boitant sur la plage pour offrir ces boissons. Un énorme glaçon fond lentement dans sa brouette. Il frotte d'un rabot le glaçon géant pour en faire des copeaux qu'il met dans un verre de plastique. Une série de bouteilles contenant du liquide aux couleurs vives constitue le choix de saveurs. J'opte pour la lime tandis que César y va avec l'orange. Beaucoup de touristes se privent de ce rafraîchissement parce qu'ils se méfient de l'hygiène douteuse des équipements. Dommage pour eux puisque ces boissons sont succulentes en plus d'être économiques.

Lorsque je me retourne, j'aperçois Marc au loin sur le bord de l'eau qui avance de son pas traînant précédé de

Gabriel. César les a repérés aussi. Nous nous dirigeons vers eux d'un pas alerte. À dix mètres devant nous, je siffle pour attirer leur attention. Gabriel sourit lorsqu'il nous reconnaît. Marc, qui a les traits tirés, paraît plus méfiant. À quelques pas de lui, je dis de but en blanc :

— Où est l'argent de la caisse ?

— Y a pas eu trop de monde hier, donc y a pas trop d'argent, répond-il en jetant un regard furtif à César.

— Écoute, Marc, j'ai pas eu besoin de demander à César. Le frigo et les caisses vides parlent d'eux-mêmes. Où est l'argent ? que je demande encore.

— Non, toi, écoute, sans moi le Beach-Stop n'aurait jamais existé, c'est parce que j'ai investi mon argent, hostie. Ça fait que t'as pas un mot à dire. C'tu clair ?

— Je te laisserai pas détruire notre affaire parce que t'as un problème de drogue, que je lâche, sachant que ça le fera réagir.

Il s'approche de moi en vociférant des choses incompréhensibles. Ses deux mains empoignent solidement ma chemise et il se met à me secouer. Une douleur fulgurante envahit mon épaule droite déjà affaiblie par mon accident de body surf quelques mois auparavant. Un réflexe non contrôlé propulse violemment mon genou gauche dans les parties de Marc. Une fraction de seconde, le monde reste en suspens, puis mon associé s'écroule au sol tête première, mordant littéralement la poussière. Gabriel, qui n'a rien manqué de la scène, reste pétrifié, la main sur la bouche, et dissimule mal son expression d'étonnement. César prononce quelquefois mon nom avant que je réagisse.

— Viens, mon ami, partons, ajoute-t-il en m'entraînant à sa suite.

Je suis dans un état de torpeur assez compréhensible. Nous revenons au local. Mon fidèle compagnon m'aide à m'étendre dans son hamac sur le toit. À l'ombre du toit de feuilles, je me laisse bercer par la brise marine. Tranquillement, l'agitation post-altercation s'estompe. À la façon d'un métronome, les vagues cassent à un rythme régulier. J'entends César s'affairer en bas. Je peux me laisser aller au sommeil en toute confiance. Je sais que mon ami veille au grain.

— Max, Max...Réveille-toi.

— Heu ! Quoi ?

— Y a Marc qui veut te parler en bas.

Je sors du hamac et prends le temps de m'étirer. Mes articulations craquent de toutes parts. Je trouve Marc assis sur un tabouret au comptoir. Il a la mine pitoyable. Je vois bien qu'il se sent honteux. Je vais derrière le comptoir pour lui faire face. Il accepte le jus de fruits que je lui propose. Nous buvons en silence. Soudain mon associé se racle la gorge, il semble qu'il soit sur le point de me dire quelque chose d'important.

— J'ai décidé de retourner au Québec. Je prends le vol de vendredi à destination de Montréal.

Je reste sidéré par la nouvelle. Marc poursuit :

— J'ai quitté Montréal pour venir ici il y a quelques mois justement pour faire une cure de désintoxication à la cocaïne. J'ai pas été long à découvrir que c'était encore plus facile de s'en procurer ici et pour pas mal moins cher. Tu comprends que je n'ai pas de contrôle là-dessus.

— Comment veux-tu qu'on s'arrange ? que je dis. J'ai pas d'argent pour racheter ton investissement.

— Je m'en fous de l'investissement, de toute façon l'argent je l'aurais dépensé autrement s'il n'y avait pas eu ce projet.

— Et la jeep ?

— Je te la laisse, elle était à toi avant. C'est comme si tu me l'avais louée pour quelques mois.

— Es-tu certain de ta décision ? Tu peux prendre quelques jours pour y penser.

— Non, ma décision est prise. Je vois bien que je suis un boulet pour vous. À part l'investissement initial, j'ai plus nui qu'autre chose. Je suis heureux de revenir au pays, je m'ennuie de ma famille et de mes amis. Du quotidien aussi.

Je me souviens de mes retours au pays, c'est toujours agréable de revenir, mais ça dure deux ou trois semaines. Une fois qu'on a revu tout le monde et fait toute les choses auxquelles on pensait, la monotonie s'installe. On se sent changé, on a plein d'histoires à raconter, mais les gens s'en balancent de nos aventures. Ils ont d'autres chats à fouetter. La marche est souvent haute lors des retours. On passe d'une vie excitante toute en couleurs, puis on se retrouve dans un film en noir et blanc dans l'anonymat le plus complet. Je respecte la décision de Marc, c'est dommage que ça arrive juste au moment où le gâteau commençait à lever. Non que je croie que le départ de Marc nuise aux affaires, bien au contraire, mais j'aurais aimé le voir en profiter un peu plus. D'un autre côté, je suis soulagé qu'il s'en aille. Je commençais en avoir marre de ses frasques qui souvent nous nuisaient. Il refuse l'offre que je lui fais de l'accompagner à l'aéroport, il prendra un taxi. Il me sert énergiquement la main avant de s'en aller sans un regard en arrière.

Même s'il ne parle pas français, César a saisi que mon associé était venu faire ses adieux. Tout comme moi, il a compris que c'est une bonne chose et semble secrètement s'en réjouir.

CHAPITRE 26

Nous sommes samedi et je n'ai pas vu Marc depuis qu'il m'a annoncé son départ. Il est sans doute déjà de retour à Montréal. En plein mois de mars. Atroce de se retrouver les pieds dans la gadoue à moins dix sous zéro. J'évite de m'attarder sur le sujet pour ne pas déprimer. Ce matin, lorsque je suis revenu de ma baignade, Billy et Lorenzo m'attendaient devant le Beach-Stop. Ils sont musiciens et ils ont joué un peu partout dans le bled. Ils m'offrent d'animer les soirées de plus en plus occupées. Je trouve l'idée intéressante, différente en tout cas de mes éternelles compilations. Le prix qu'ils demandent me paraît ridiculement bas. Bon c'est d'accord, je leur demande d'être là pour dix-huit heures. Billy, le leader du groupe, est mexicain de parents allemands. Son père et sa mère sont ici depuis plus de quarante ans, aussi Billy ne parle que l'espagnol, ce qui paraît incongru puisqu'il a la tronche d'un Allemand. Il est blond aux yeux bleus, de stature supérieure à la moyenne. Lorenzo contraste avec lui. Il est petit, a le teint tout aussi foncé que les yeux. Il s'occupe des percussions tandis que Billy chante et joue de la guitare. Billy me précise que la plupart des chansons de leur répertoire sont ses compositions.

Ça fait quelques jours que les musiciens se produisent et l'ambiance a complètement changé. Une petite bande de fans du groupe vient les voir jouer chaque soir. Comme le monde attire le monde, on est passablement plus occupés. À Gabriel, Pauline et Fabien qui sont des réguliers, s'est ajouté Javier un artiste poète catalan de Barcelone. Ce personnage dans la cinquantaine, un hippie avec barbe et lunettes, semble toujours dans un état contemplatif. Il est souvent silencieux, mais parfois il part dans des montées lyriques en français, en espagnol ou en catalan. Toujours vêtu d'un caleçon moulant et d'une chemise indienne brodée, il frappe le regard par l'aspect insolite de son apparence. L'énorme protubérance dans son maillot étonne les gens qui ne savent plus où regarder. Pourtant, son corps est malingre et ses jambes tout aussi maigres. Lorsque Gabriel et Javier se mettent à danser devant le comptoir, ils font une belle paire d'hurluberlus. Le reste des clients varient beaucoup d'une journée à l'autre, étant donné le fort roulement de touristes qui arrivent et qui partent. Les musiciens et moi avons mis au point un stratagème pour me faire chanter une chanson de Manu Chao que je maîtrise assez bien. À un certain moment de la soirée, Lorenzo, qui parle anglais, dit aux spectateurs que j'ai un talent de chanteur et que je pourrais le montrer si on m'y encourage. À tout coup, les gens se mettent à scander mon nom en tapant des mains. Alors je fais mine modestement de refuser. Les encouragements redoublent, puis, finalement, je consens à m'exécuter dans un délire d'enthousiasme. À ce moment, Billy me passe son micro dont le fil est assez long pour atteindre le comptoir puis les premiers accords de la chanson *Clandestino* se font entendre. Derrière le bar, je m'exécute avec désinvolture et la clientèle ne manque jamais d'apprécier cette mise en scène. Particulièrement Bianca, la serveuse aux formes ensorcelantes, qui me mange du regard.

Aujourd'hui, il fait un soleil radieux. Non que ce soit nuageux les autres jours, mais l'air est plus limpide ce matin. Ce n'est peut-être qu'une fausse impression qui émane des cellules de mon cerveau oxygéné par une heure de glisse sur les belles vagues que la mer nous a envoyées en ce début de journée. Enfin bref, tout ça pour dire que je me dirige d'un pas léger vers le petit marché du coin pour acheter des fruits et quelques autres articles nécessaires au bon fonctionnement de mon commerce. En déambulant dans les allées, je croise Diego, un ami que je n'avais pas vu depuis quelques mois. Je le salue en souriant. Il me jette un regard dur. Il me montre le poing, je lui montre le mien pour frapper le sien amicalement comme le font ici les locaux. Cependant, il frappe avec force, au point que ça me fait mal. Je suis surpris. Diego m'en veut-il pour quelque chose ? Sans doute, puisqu'il continue son chemin sans rien dire. Je suis là au milieu de l'allée à me frotter le poing et à me demander ce qui lui a pris d'agir ainsi. Ça me préoccupe un peu, surtout que j'ai senti de la haine et de la rancœur dans son regard. C'est certainement à cause des figurines précolombiennes qu'il m'avait laissées pour que je les vende en Espagne. En fait, c'était deux figurines représentant des personnages assis, à l'expression hideuse. La facture était tellement grossière que j'ai douté de leur authenticité la première fois qu'il me les avait montrées. J'ai néanmoins consenti à les emporter en promettant à Diego que je le payerai à mon retour. Finalement, la marchandise n'a pas plu à mon contact de Valencia. Je les ai donc laissées en Espagne chez une amie. Je ne pouvais tout de même pas les rapporter au Mexique. A-t-on déjà vu un type importer de la cocaïne en Colombie ? C'est avec ces pensées sombres que je termine mes emplettes.

Sur le chemin du retour, je croise Javier qui décide de me raccompagner au local. En théorie, nous sommes fermés le jour, mais depuis quelque temps, je laisse le poète prendre une bière pendant que je fais les préparatifs pour la soirée. Il s'installe tranquillement à une table et se met à écrire en sirotant paisiblement sa Corona. Ça fait plusieurs mois qu'il est dans le coin et il connaît pas mal tout le monde au village.

— Dis-moi, Javier, tu connais Diego ? que je demande, même si je sais déjà la réponse.

— Celui qui habite au croisement du chemin ?

— Oui, c'est bien lui ; je l'ai vu tout à l'heure et il s'est montré très agressif. T'as pas une idée pourquoi ?

— Diego m'a dit l'autre jour qu'avant de quitter le bled à la fin du mois, il allait te tuer. Je ne sais pas ce que tu lui as fait, mais il est vraiment déterminé d'en finir avec toi.

— Quoi ! Qu'est-ce que tu racontes ? que je demande sentant l'angoisse m'envahir.

— Il m'a même montré un flingue en m'assurant que le jour de son départ, il te mettra une balle dans la tête.

— Pourquoi ne pas m'avoir dit cela avant ?

— Tu ne me l'as jamais demandé, répond-il laconiquement.

— Mais c'est de ma vie dont il est question, c'était ton devoir de m'avertir.

— Ta vie ou celle d'un autre, ça n'a pas d'importance, on va tous y passer un jour ou l'autre ; qui suis-je pour vouloir intervenir là-dedans ?

L'expression extatique de son visage me dissuade d'insister.

— Qu'est-ce que je peux faire ? que je demande, presque implorant.

— C'est simple, tu dois l'affronter. N'aie pas peur. Les Mexicains valorisent le courage, et en l'affrontant tu manifesteras ta bravoure. Si vous vous battez, au moins ce sera à la loyale ; par la suite, il n'osera pas te tuer sans se sentir comme un lâche.

Wow ! J'ai un dossier chaud entre les mains et ma vie en est le prix. Je dois absolument faire ce que m'a conseillé l'Espagnol et au plus vite. Je crois pouvoir trouver Diego en ce milieu d'après-midi au bistro du vieil oncle plus loin sur la plage. Je m'y rends donc d'un pas décidé. À deux cents mètres, j'aperçois sa silhouette à une table. Il est accompagné d'une étrangère. Il m'a repéré presque immédiatement et a compris que je venais à sa rencontre. Il fait mine de ne pas m'avoir vu et poursuit sa conversation avec sa compagne, une belle rousse de type anglo-saxon. À quelques mètres, je l'interpelle.

— Diego !

— Que veux-tu ? demande-t-il sèchement.

— Je veux te parler.

— J'ai rien à te dire.

— Moi oui, approche.

Il dit à la fille d'attendre et me rejoint en se gonflant le torse.

— Pour tes sculptures, je t'ai expliqué ce qui s'était passé. J'ai pas trouvé d'acheteur et je ne pouvais pas les rapporter au pays, tu le sais bien.

— J'en ai rien à foutre, donne-moi mon fric.

— J'ai pas d'argent, mais si tu veux, viens au bar ce sera gratuit pour toi.

— Si tu penses pouvoir me faire oublier tout ça avec quelques verres, tu te trompes.

— Rien à payer ni ce soir ni jamais.

Je fais une pause. Diego doit rêver de venir faire son tour, ça se dit au village que le bar fonctionne bien.

— Si ce n'est pas suffisant pour apaiser ta rancune à mon égard, eh bien je suis là. Réglons ça maintenant, dis-je, en montrant les poings.

C'est comme si je l'avais frappé sans avoir eu à le faire. Aussitôt désarçonné, il a même semblé rétrécir de quelques centimètres. C'est le moment, je fais un pas dans sa direction en tendant la main. Il hésite quelques secondes avant de consentir à me serrer la pince. J'en profite pour lui faire une accolade amicale, comme à l'époque où nous n'étions pas en conflit. On se tapote le dos mutuellement. Je me sens soulagé du dénouement positif de ce différend. Diego aussi. Je sais qu'il n'aurait pas hésité à passer à l'action. C'était devenu pour lui une question d'honneur et ici dans ce village l'honneur vaut plus qu'une vie.

Au crépuscule, tout se déroule comme c'est souvent le cas, avec quelques imprévus. Billy et Lorenzo jouent leurs chansons comme d'habitude, mais on sent dans l'air une certaine tension. En plus des habitués, César a réussi à remplir les tables. Diego se pointe avec son Anglaise, je leur propose la dernière table. Je dis à Bianca de servir à ce couple toutes les boissons qu'il désire sans rien lui réclamer. Pendant que je me démène derrière le bar pour servir tout ce beau monde, de fausses notes agacent mon ouïe. J'observe Billy pour m'assurer que tout va bien. Il affiche une expression confuse et paraît dérangé par deux spectateurs assis tout juste à l'avant de la scène. Les deux gars, des Canadiens, rigolent ferme. Au moment où je comprends ce qui se passe, il est déjà trop tard. Billy s'interrompt en plein milieu de la chanson et se lève, s'approche des deux gars puis, sans avertissement, frappe le premier au visage sous les yeux ahuris des clients. Il se tourne vers l'autre et le frappe aussi. Ensuite, c'est la pagaille. Lorenzo s'en mêle, puis César. La plupart des tables se vident et les gens s'en vont, profitant de la confusion pour ne pas payer leur addition. Le brasse-camarade ne dure que quelques instants, mais c'est suffisant, la soirée est foutue et c'est le bordel. Billy s'approche de moi et demande à être payé. Quel culot, je me dis. Il fout la soirée en l'air et en plus il réclame sa paie ! Je refuse catégoriquement de lui donner quoi que ce soit et lui ordonne de partir. Il se fait menaçant, il a les yeux injectés de sang. Au moment où je sens qu'il va me frapper, Bianca s'interpose et lui tend un billet de deux cents pesos. Il prend l'argent, ramasse son matériel de musique et s'en va, suivi de Lorenzo qui, comme on le voit à son regard, semble vraiment désolé de la situation. Je dis aux gens qui sont restés malgré tout que la soirée est terminée, et que nous les attendons demain. Je suggère à César et Bianca de partir aussi. Bianca insiste pour m'aider à ranger le bordel. En effet, quelques tables ont été renversées. Des chaises, des cendriers, des verres et toutes sortes de déchets jonchent le sol. Je me félicite de l'utilisation de verres plastiques jetables, ce qui a grandement limité les dégâts. Les cendriers qui sont des coquillages et des noix de coco ont tenu le coup aussi. J'observe Bianca qui s'affaire. Elle me jette un regard entendu.

— Pourquoi t'as donné le fric à Billy ?

— Il était complètement hystérique. Il allait te faire mal, me dit-elle d'une voix inquiète.

— T'en fais pas, tu as fait ce qu'il fallait.

Je lui souris. Elle sourit à son tour, elle est tellement belle. Je lui propose une tequila que je nous sers dans de vrais verres à cet effet. De la tequila cuvée spéciale qui se boit avec des tranches de lime. Nous faisons un toast. Je remplis les verres à nouveau. Nous nous faisons face sur le même côté du bar. Je remarque une forme de cœur au sol. Oui, oui, un cœur de soixante centimètres. Je constate qu'il est desssiné par l'ombre du dossier d'une chaise. Étrange… Je prends la main de Bianca, elle me regarde avec des yeux doux. Elle baisse le regard et voit l'ombre au sol.

— Vois-tu le cœur ? dit-elle en désignant la forme.

— Oui, c'est étonnant.

La magie se manifeste lorsque nos yeux se rencontrent à nouveau. Aussitôt nous nous embrassons. Mes mains se font furtives sur ce corps splendide. Entre deux baisers,

Bianca propose d'aller se promener sur la plage, et je ne me fais pas prier. Au diable le ménage, nous le ferons demain. Je ferme la porte à clef. Nous entendons la voix grave de César sur le toit, puis un rire féminin. Je me dis que ça doit être une touriste dont les vacances se terminent demain. Sinon, connaissant mon ami, il n'aurait jamais emmené une fille dans son antre. Bianca et moi déambulons sur la plage en nous tenant par la main.

— Allons là-haut sur le mirador, me propose-t-elle.

Le mirador a été aménagé sur la montagne rocheuse qui sépare les deux plages. Pas très élevé, il offre toutefois une vue à trois cent soixante degrés. Romantique comme décor, je me laisse prendre au jeu. Nous recommençons à nous embrasser. Je déshabille lentement Bianca. Elle est adossée à un pilier du mirador. Je la soulève et je la pénètre. L'excitation va grandissante, au rythme des mouvements de hanches. Je sens Bianca sur le point de jouir, elle n'attend plus que moi. Je lâche un gémissement rauque. Deux trois éclairs lumineux irradient près de nous. Le temps de comprendre ce qui se passe, on voit un gars filer à toutes jambes.

— C'était quoi ça ? demande Bianca, un brin inquiète.

— T'en fais pas, ce n'était qu'un connard qui nous observait et qui a décidé d'immortaliser la scène avec sa caméra.

CHAPITRE 27

Au fil des jours, Bianca et moi vivons cette nouvelle idylle avec légèreté. Nous assouvissons mutuellement nos désirs. Je fais néanmoins en sorte que notre relation n'évolue pas au-delà du cadre sexuel et professionnel. Je redoute tout engagement sentimental. Jusqu'à maintenant tout va bien, mais ça ne saurait durer. Bianca va tôt ou tard en vouloir plus. Ça fait un mois qu'on a commencé elle et moi, que déjà elle met le nez dans mes affaires. J'ai suivi son conseil d'augmenter les prix. Au début, je lui ai fait savoir que ça risquerait d'affecter l'affluence. Elle m'a répondu que ce n'était pas grave puisque nous allions travailler moins pour les mêmes profits. Elle avait raison, c'est devenu moins contraignant pour moi de travailler. On peut fermer plus tôt et passer plus de temps ensemble. Nous avons pris l'habitude de dormir chez elle. Elle loue une chambre au village en haut près du marché. C'est un peu plus discret que dans ma cabane sur la plage où nos ébats n'auraient de secret pour personne.

Au milieu de l'après-midi, après avoir passé la matinée à baiser, je me pointe au bar. César a fait le ménage, tout est impeccable. Je suis surpris de trouver un client au comptoir.

L'homme, la cinquantaine, n'est pas un touriste. Il porte un costume, sans la veste, et on peut voir deux auréoles de sueur sur sa chemise. Un porte-document est posé sur le comptoir. En m'apercevant, César dit :

— Ah ! Petit Max, te voilà enfin, me lance-t-il d'un ton autoritaire, tiens prends ça et va acheter les fruits pour ce soir. Aujourd'hui je ne peux pas, je suis en entretien.

Il me regarde droit dans les yeux et me tend quelques billets. Son regard me dit de les prendre sans poser de question.

— Oui monsieur, que j'obtempère en prenant l'argent.

Je salue le señor de la tête avant de tourner les talons.

Qu'est-ce que c'est que cette mascarade ? que je me demande en avançant sur le chemin. J'achète une noix de coco à un marchand ambulant, muni de sa brouette et d'une machette. Je m'assois sur la rambarde, à l'ombre, pour réfléchir. Je crains que ce monsieur soit au bar pour une question de permis d'alcool. J'ai en effet négligé de le réclamer aux autorités étant donné ma situation de visa qui ne me permet pas de me procurer un tel permis. Ça ne peut être que ça ; l'attitude de mon ami était assez révélatrice. Souhaitons que ce ne soit pas les emmerdes qui commencent. J'ai la conviction que César saura manœuvrer. Tiens, je vais aller voir Bianca pour faire une petite sieste.

Le soir venu, Bianca et moi nous pointons au boulot. À ma grande surprise, le gars au porte-document est encore au comptoir avec César. Il est plus expansif et joyeux, il a déboutonné le col de sa chemise. Je vois que mon ami a été généreux sur la tequila. Le señor paraît enchanté à la vue de Bianca ; c'est ce que je constate à son expression lubrique. César me fait un signe qui veut dire que tout va rentrer dans l'ordre sous peu. J'entraîne Bianca sur le toit pour la soustraire à l'emprise de l'inquiétant personnage. Du haut de l'escalier, nous écoutons la conversation.

— Elle est très belle la jeune dame, il a de la chance votre employé, dit l'homme.

— Faisons comme nous avons dit plus tôt, don Francisco, déclare César en faisant fi de la remarque, vous me donnez un permis temporaire pour un mois et après j'irai vous voir à la mairie.

— Qu'est-ce que l'on fait des arriérés ? s'enquiert le fonctionnaire, reprenant son sérieux.

— On vient à peine d'ouvrir... regardez, il n'y a personne. Donnez-nous une chance.

— Bon, d'accord. Mais le mois prochain, je vous attends à mon bureau.

Le dialogue s'interrompt. Nous entendons l'homme ouvrir son attaché-case. La bouteille de tequila tinte sur un verre. César remplit les verres pour sceller l'entente. Bianca et moi trinquons en silence à même une bouteille de rhum que mon ami a laissée traîner sur la terrasse.

Officiellement, le business appartient à César, officieusement il est à moi. Mais tout ça n'a pas d'importance. Le printemps approche et la saison touristique se terminera bientôt. Encore quelques semaines d'affluence et ce sera le calme plat, la période de l'année où les avions arrivent vides et repartent pleins. La note pour le permis d'alcool sera salée. Peut-être sera-t-il temps de fermer et de lever le camp. Il y a plusieurs mois que je suis à Puerto Loco, je sais que je devrai bouger, mais où… Bon je n'en suis pas encore là, un mois, ici, est une éternité.

Le lendemain, j'arrive au local plus tôt, n'ayant pas le goût de faire la sieste. Avec Bianca, il y aurait eu un prix à payer avant de dormir et je n'ai pas la tête à baiser. En fait, je commence à en avoir marre de cette relation amant-maîtresse, patron-employée où les rôles commencent à s'inverser. Lorsqu'il faut rendre des comptes à autrui pour éviter des prises de bec ou encore demander la permission pour quoi que ce soit, il est temps de remettre les pendules à l'heure. Cela est sans compter que Bianca est jalouse, toujours à me soupçonner de quelques infidélités. Il y a souvent quelques jolies touristes qui boivent mes drinks au comptoir, pour ne pas dire mes paroles, mais c'est devenu difficile maintenant de rester naturel de peur de la réaction de Bianca, qui se conduit comme une matrone. Je décide de mettre de l'ordre derrière mon bar et du même coup dans ma vie. Avant longtemps j'aurai une discussion avec Bianca.

Au début de la soirée, je suis attablé en compagnie de mes amis, Pauline, Fabien et Gabriel. Nous savourons d'excellents daiquiris à la mangue que je nous ai préparés. César est à son poste pour inviter le peu de passants qu'il reste en cette fin de saison à entrer au Beach-Stop. Le couple de Français m'annonce son départ pour le lendemain. Ça sonne le début de l'exode des touristes qui n'ont plus besoin de fuir l'hiver puisque le printemps est arrivé. Je me lève pour changer la musique, et tous ces petits gestes me semblent tout à coup répétitifs. Encore une soirée à mon comptoir à me saouler et à rire des mêmes blagues que je répète soir après soir. Eh oui, c'est ce que le quotidien a fait de moi, un perroquet aux couleurs vives, mais au discours creux. Quelque chose doit se passer.

Malgré tout, César a réussi à remplir l'endroit. La soirée bat son plein, Bianca se démène du mieux qu'elle peut. Nous avons été pris par surprise par cette affluence. Je suis à faire le pitre lorsque j'aperçois Gina, de retour d'Oaxaca. Elle rejoint Gabriel qui explose de joie en la voyant. Je les observe discuter avec vivacité. Le visage de Gina s'illumine en m'apercevant ; elle s'approche, me rejoint derrière le comptoir et me saute au cou en m'embrassant fougueusement. Je retrouve le goût de sa petite langue qui se fraie un chemin au travers de mes lèvres.

— Hey toi, qu'est-ce que tu fais à mon amoureux ? s'écrie Bianca en posant brutalement son plateau sur la table la plus proche.

Gina qui doit être la seule au village à ne pas savoir ce que tout le monde sait déjà, se retourne, ahurie, vers elle.

— Comment ça, ton amoureux ? Ce gars-là est à moi.

Les deux filles, le feu dans les yeux et la rage au cœur se dirigent l'une vers l'autre. Je m'interpose avant le clash. Je me retrouve les bras tendus, une fille à chaque extrémité, évitant les coups qui partent de chaque côté. Bianca attrape une bouteille de bière vide et fait des moulinets avec. Nous nous tenons devant le comptoir, la bouteille va se fracasser sur une des poutres de ciment. Des morceaux de verre éclatent dans toutes les directions. Un mouvement de panique s'empare des clients qui se bousculent à la sortie. Je demande du regard à César d'intervenir. Il enserre Gina de ses larges bras, tandis que, de mon côté, j'essaye de maîtriser Bianca qui se débat comme une damnée. Puis, tout à coup, sa rage se retourne contre moi, elle me saute au visage. Avant que j'aie le temps de réagir, elle me mord le nez à pleines dents. Je hurle plus par surprise que par douleur ; de mes deux mains je tire sur sa chevelure sans ménagement, elle ouvre la bouche et me libère le visage du même coup. Je la balance au sol et je trouve la force de ne pas lui envoyer un coup de pied dans les côtes. La première chose que je vois ensuite, c'est de grosses gouttes rouges sur le plancher. Je croise les regards horrifiés des trois Français lorsqu'ils voient que je pisse le sang. Pauline décide de prendre les choses en mains, à l'aide de serviettes, et éponge l'entaille. Les flics, qui n'étaient pas trop loin, ont embarqué les bagarreuses après avoir eu les explications des différents témoins. Fabien et Pauline m'entraînent dans leur maison qui, d'ailleurs, redeviendra chez moi demain. Gabriel nous accompagne. Fabien conduit ma jeep, pendant que Pauline m'administre les premiers soins sur la banquette arrière. Je me dis que la fête est finie, c'est le signe que j'attendais. J'arrête de travailler, je laisserai tout à César, il l'a bien mérité. Moi je m'en vais de ce bled, j'y ai tout pris ce qu'il y avait à prendre, je dois partir parce sinon je ne partirai jamais.

Il y a plus d'une semaine que je n'ai pas bougé, le calme me fait du bien. Je passe mes journées à écrire à l'ombre des bougainvilliers dans la cour arrière. Je ne veux voir personne, peut-être ai-je honte de cette croûte répugnante qui recouvre mon nez. Le lendemain de la bagarre de mes maîtresses, j'ai envoyé Gabriel chercher César. Ce dernier a eu de la difficulté à contenir sa joie quand je lui ai annoncé que je lui laissais le Beach-Stop, incluant la sono, les hamacs et tout le bataclan pour opérer ce genre de business. Il m'a timidement supplié de rester, mais ça c'était pour la forme. Je lui ai seulement demandé de me rapporter mes effets personnels qui sont restés au local et dans ma cabane. Je n'ai plus ni le goût ni le cœur de m'y présenter.

Hier, Gabriel a reçu deux emails importants. Le premier de sa sœur en France lui annonçant la triste nouvelle du décès de sa mère. Il m'a semblé affecté, mais sans plus. Il doit partir pour Avignon le plutôt possible. Le deuxième email me concerne particulièrement et va changer ma vie. Sandra, qui écrit de la Martinique, demande à Gabriel de m'annoncer qu'elle est enceinte de quelques mois, plus précisément depuis notre rencontre à Puerto Loco. Elle va garder le bébé. Je vais être père. Ma surprise est à la mesure du bonheur qui aussitôt m'envahit. C'est fou comme la vie peut être magique.

Néanmoins, à la demande de Gabriel, je décide de l'accompagner en France le temps de régler la succession de sa mère. Ensuite nous rejoindrons Sandra dans les Caraïbes pour d'autres aventures sous les Tropiques.

ÉPILOGUE

Je roule sur le chemin qui mène à la grande plage pour aller rendre visite à la personne sans qui aucune de ces aventures ne me serait arrivée. Je stationne la jeep devant le seul cinéma qu'il doit y avoir à plusieurs centaines de kilomètres à la ronde. Un truc incroyable dans un coin pareil. Or, contre toute attente, c'est devenu le rendez-vous des touristes et des locaux. C'est ce que j'ai appris par les rumeurs. Tout se sait dans ce village.

J'ai laissé le Beach-Stop il y a déjà deux semaines, et ça m'a pris au moins cinq jours à me décider à venir voir Nova et encore deux jours à attendre que la croûte sur mon nez tombe enfin. L'endroit est désert en ce milieu d'après-midi. De jolis palmiers ont été plantés devant l'hideux bâtiment érigé grâce au trafic de narcotiques. Ça le dissimule, c'est esthétique. Soudainement, j'entends la voix de Nova.

— Hey, Max !

Je souris.

— Monte, ordonne-t-il lorsque je lève la tête, je savais bien que tu passerais un jour.

J'ai peur de monter, Nova est devenu un killer, c'est évident. Je me sens comme un insecte sur le point d'être écrasé par sa semelle de caïd sans pitié. Vais-je ressortir de ce trou ? Pourtant, j'emprunte l'escalier latéral conduisant à la terrasse. Nova m'accueille avec un sourire narquois. Son visage est toujours à moitié caché par ses lunettes de soleil. J'ai peine à croire que ce type, par un seul geste d'hospitalité, a jadis changé le cours de ma vie.

— Assieds-toi, me dit-il en m'indiquant une table.

Il prend place face à moi l'air triomphant.

— Dis-donc, elle t'a pas manqué, la salope, dit-il en rigolant. Elle t'a laissé un souvenir impérissable en pleine tronche.

— Je m'en fous, Nova.

— Alors, Max, tu viens me voir pour quoi au juste, t'as besoin de fric c'est ça ? Je t'ai sorti de prison et maintenant, t'as encore quelque chose à me quémander ? Combien ? Ça ne marche plus comme tu le voulais les affaires ?

Il se tourne vers sa femme, qui nous écoute à l'écart.

— Mi amor, dit-il d'un ton sec, donne une tequila à Max il en a besoin, et pas de lime.

Sa femme, toute jeune, à peine vingt ans, obéit à ses ordres. Nova doit avoir le double de son âge. Il a toujours son look de cow-boy, comme quand nous nous sommes rencontrés sur le bord du pont décrépit qui enjambait le ruisseau. Maintenant beaucoup de choses ont changé ici : un nouveau pont a été construit, le village a grossi, les touristes vont même au cinéma.

— Je veux te vendre ma jeep, je me barre de Puerto Loco, que je dis.

— Ah ! Le chat sort du sac, tu m'apprends rien, mon vieux, je sais tout, réplique Nova. T'es écœuré de la vie facile parce que tu sais maintenant que ce n'est pas si facile, il y a des pièges, et toi tu es tombé dedans comme un pauvre con, tu n'es pas le premier ni le dernier à qui ça arrive...

— Non, c'est pas ça, je veux juste m'en aller.

— Cinq cents dollars, pas plus, tranche Nova.

— Putain, Nova, n'oublie pas le gars que t'étais lorsqu'on s'est connus. Hospitalier et généreux. Ta proposition de me louer ta maison au moment où j'allais renoncer à mon rêve... Eh bien, ce geste a bouleversé ma vie.

Mais je n'ai plus rien à perdre. Soit j'ai du fric, soit ça merde. Alors je dis :

— Tu sais quoi, Nova ? Vas te faire foutre.

Sur ce, je me lève précipitamment, et avant d'atteindre la moitié des escaliers, j'entends Nova beugler :

— Mille !

Je me dirige jusqu'à la jeep. J'embarque. Je suis sur le point de partir. Nova, surpris qu'on lui tienne tête, alors que personne n'ose, a-t-il quelque remords de conscience ?

— Deux mille, qu'il crie encore.

Je démarre sur les chapeaux de roue, ça fait moins de cent mètres que je fais lorsque je vois dans le rétroviseur Nova déboucher des escaliers. Il s'est pointé si vite que je freine net. Il court jusqu'à moi. Son visage est étrangement métamorphosé, il a perdu ses lunettes dans la descente en accéléré. Je reconnais alors le bon Nova souriant et pas encore corrompu.

— Tu sais, Max, je dois t'avouer quelque chose, dit-il avec un accent presque repentant. C'est moi qui ai donné le pistolet à Diego. J'étais d'accord pour qu'il te bute.

Heureusement, tu t'en es encore une fois bien tiré. Et c'est tant mieux. Viens mon vieux, ma femme va nous faire à manger.

Je débarque, c'est cool. Ainsi, par un concours du destin, Nova aura été pour moi un ange lumineux. Surtout que, à la fin de l'après-midi, il me file trois mille dollars pour ma jeep. Le coût des billets d'avion. Le coût de mon avenir. C'est reparti pour un tour.

CHEZ CLERMONT ÉDITEUR

Les Héritiers du vide, Steve Melanson (2011)

Du carmel au bordel, Thérèse Deschambault (2012)

Les jumelles Guindon, Lucy-France Dutremble (2013)

Vaudou 101 spiritualité moderne sans sorcellerie, Dr Jean Fils-Aimé (2013)

La danse du temps, l'insoumise*, Lila Solice (2013)

La danse du temps, l'intrépide**, Lila Solice (2013)

La vieille laide, tome 3, Lucy-France Dutremble (2013)

Quelqu'un quelque part, Abigail O'Connor (2013)

Les dessous d'une v.-p., Rosette Laberge (2014)

Ma vie en dents de scie, Pierre (Pière) Sénécal (2014)

Mon entreprise comment éviter la crise, Claude Dugré (2014)

10 leaders remarquables, Collection Mon succès (2014)

Entre l'espoir et le désespoir, Lise Rémillard (2014)

Les Uns et les Hôtes, Gérard Ramelot (2014)